COLETTE

STÉPHANE LAPORTE

Chroniques du dimanche

TOME **2**

www.quebecloisirs.com

UNE ÉDITION DU CLUB QUÉBEC LOISIRS INC.
© Avec l'autorisation des Éditions La Presse
© 2004, Les Éditions La Presse
Dépôt légal — Bibliothèque nationale du Québec, 2004
ISBN 2-89430-678-4
(publié précédemment sous ISBN 2-923194-08-X)

Imprimé au Canada

*À mon ami, le médecin Ronald Denis,
parce que j'aimerais en faire autant
pour les autres que lui.*

Préface

Non, non, non ce n'est pas si difficile que cela. Je vais y arriver. Je ne suis tout de même pas le premier à devoir écrire une préface pour un recueil de chroniques humoristiques.

Le plus simple serait de faire l'éloge de l'auteur. C'est malheureusement impossible, je le connais. Je ne pourrais pas non plus écrire des choses comme : « je l'ai connu tout petit », y est pas plus grand aujourd'hui. En fait, j'aurais dû refuser. Mais y paraît que ce genre de recueil, ça se vend pas mal et à mon âge on veut rester présent, faire parler de soi. On est prêt à tout pour avoir son nom quelque part. Même, s'il le faut, écrire une préface pour un recueil de chroniques humoristiques.

Alors , quoi écrire et surtout comment l'écrire ? Est-ce que la préface se doit de refléter le style des chroniques, mettre le lecteur dans l'ambiance ? Si oui, c'est tout une tâche. Je ne sais pas si vous avez lu certaines des chroniques en question. Disons pour être poli que c'est plutôt dans le genre tarabiscoté. Et là on parle des meilleures seulement, parce qu'y en a qui sont indéfinissables pour ne pas dire plus. Certaines sont inacceptables et les autres mériteraient d'autres adjectifs en « ables » qui ne me viennent pas à l'esprit en ce moment.

L'auteur fait son *cute* de temps en temps. Il nous raconte des moments de son enfance avec son frère ou son père ou sa mère. Comme si nous, on n'en avait pas eus. Moi aussi je pourrais raconter mon enfance mais je me retiens. J'ai une certaine pudeur qui semble lui échapper. Mais attention, quand il fait son *cute*, c'est pour mieux nous faire accepter les abolimanités... pardon les abonimalités... excusez... en tous cas c'est pas nécessaire d'être très perspicace pour se rendre compte qu'il ne respecte rien et même plus. Les pires catastrophes, les moments les plus noirs de l'actualité, les guerres, les maladies, les élections, tout ce qu'y arrive de pire lui sert à des fins mercantiles, c'est-à-dire à faire de l'humour. Quand on est rendu à se moquer de la politique et des politiciens, il n'y a plus de tabous, tout est permis même la plus grande méchanceté. Est-ce acceptable ?

N'allez pas croire que je n'aime pas rire et que je rejette toute forme de dérision. Pas du tout. Mais y a des limites. Je comprends qu'après un incident comme à Bhopal... excusez ce n'est pas un bon exemple, ça fait trop longtemps, c'est trop loin pis c'était des Indiens... Prenons quelque chose qui nous touche de plus près comme le déménagement prochain des Expos (sont-ils déjà déménagés ?) en tous cas... voilà un sujet qui touche, même qui peut ébranler la population. Hé bien après un certain temps, après qu'on ait fait notre deuil, je suis d'accord qu'on en rit mais qu'on le fasse alors qu'il y a peut-être encore de l'espoir (comme disait l'autre ; ce n'est pas vraiment fini tant que ce n'est pas vraiment fini !) je trouve ça carrément déplacé pour ne pas dire cruel. Posons-nous donc la question : est-il nécessaire, voire utile, de rire et de se moquer de tout et de rien. c'est-à-dire de tout ce qui est sacré ou qui nous fait le faire ? Peut-on impunément aborder de façon humoristique des sujets aussi délicats que LE PORT DE LA CASQUETTE LA PALETTE EN ARRIÈRE CHEZ L'ADULTE ? Hé bien je dois avouer que je penche pour le OUI... c'est vrai que j'ai toujours penché pour le OUI. Je préfère être positif même si à l'occasion cela peut paraître négatif à certains.

En terminant, si je fais la synthèse de toutes les idées reçues dont certaines apparaissent plus haut et d'autres me trottent encore dans la tête, je crains qu'il n'en faille venir à la conclusion qu'il est préférable de rire des autres que de faire rire de soi. L'humour reste l'arme la plus efficace lorsqu'il s'agit de se moquer. Donc, que dire de ces chroniques humoristiques que vous n'avez peut être plus le goût de lire, sinon « on en veut d'autres » !

Merci, Stéphane.

Yvon Deschamps

Le 5 septembre 2004

Lettre aux survivants de Beslan

Chers enfants,
Ce que vous avez vécu cette semaine est dégueulasse, cruel et inhumain. On vous a terrorisés. On vous a séquestrés. On vous a blessés. On a tué vos amis. On a volé votre enfance. On vous a marqués à vie. Vous en voudrez sûrement aux adultes durant toute votre existence. Et vous aurez raison. Les adultes sont des cons. Nous sommes des cons. Et tout est notre faute.

Pas seulement celle des maniaques qui vous ont attaqués. Celle de tous les adultes qui acceptent de vivre dans ce monde où l'on exploite, où l'on maltraite, pour le pouvoir et pour l'argent. Celle de tous les adultes qui ne font rien pour que cela change. J'étais bien assis dans mon salon. Je vous ai vus aux nouvelles. Je me suis exclamé : « C'est ben effrayant ! » Et puis, j'ai changé de poste. J'ai regardé le hockey. Non, mais ça ne se peut pas ! Je n'en peux plus d'être comme ça. Je n'en peux plus de me révolter durant quelques minutes de la connerie des autres sans voir la mienne. Ma connerie à moi. Celle de ne rien faire. Celle de laisser faire.

Il y a sur la Terre une poignée de fous qui commettent des gestes immondes. Et une mer de lâches qui les regardent agir. Je ne suis pas bien dans cette mer-là. Mais je ne sais pas quoi faire pour en sortir.

Pour l'instant, je ne fais qu'y réfléchir. En prendre conscience. Les terroristes ne sont pas les seuls coupables de la tragédie en Ossétie du Nord. Nous avons tous contribué à façonner un monde qui ressemble à ça. Sauf vous. Vous, vous n'y êtes pour rien. On ne peut pas trouver victimes plus innocentes.

Vous n'y êtes pour rien. Pour l'instant.

Parce qu'avec tout le malheur qu'on vient de mettre en vous, tous les traumatismes qu'on vous a infligés, vous risquez de vouloir vous venger. Vous risquez de grandir dans la haine. Et de devenir comme eux, comme nous.

La Terre est une grande garderie d'enfants blessés. Chaque coup que l'on reçoit, on le redonne à d'autres. C'est plus fort que nous. Ça ne finit jamais.

Le cycle du malheur nous emporte tous dans son tourbillon. On n'en est pas tous rendus à attaquer des écoles. C'est plus subtil. On blesse les autres par nos mots ou par nos actions. Ou en ne faisant rien pour eux. Ou tout simplement en ne pensant qu'à soi.

La folie des hommes s'est emparée de vous. Elle a voulu vous détruire. Ne la laissez surtout pas vous rendre semblables à elle. Je ne sais pas comment vous allez faire pour continuer votre route. Comment vous allez faire pour survivre à tout ça. Pour moi, ça sera facile, je n'aurai qu'à penser à autre chose. Qu'à changer de poste. Mais vous, vous ne pourrez pas.

Je souhaite seulement que vous n'ayez pas subi ça pour rien. Que les êtres humains vont se remettre en question. Quand on en est rendu à massacrer des écoliers, ça mérite réflexion. On ne peut pas tourner la page. Même si ça s'est passé dans un coin perdu. Est-ce qu'il faut que tous les malheurs se passent à New York pour nous ébranler vraiment ? Pour qu'on s'interroge ? Des 11 septembre, il y en a tous les jours sur la planète. S'ils nous touchaient le moindrement, on arrêterait tout, et on descendrait du train.

Il n'y a qu'une seule priorité. C'est la souffrance. Tant qu'on laissera souffrir sans rien faire, nos enfants seront en danger. Le seul programme des républicains et des démocrates devrait être le partage de la richesse. La richesse économique, la richesse culturelle, la richesse du cœur. Que tous les humains soient traités avec le même respect. C'est notre devoir. Avant de régler les heures d'ouverture des magasins et la disette de médailles aux olympiques, il faut s'attaquer à ça. Faire tout en fonction de ça. Le reste, après.

La guerre au terrorisme ne résoudra rien. Pour chaque ennemi que l'on tue, on en crée 10 qui veulent nous tuer. Ou pire. Qui veulent tuer nos enfants.

Tant que la priorité de ce monde sera la Bourse, tant que la priorité de ce monde sera l'argent, il y aura des gamins en sang. Mais nous, on est trop vieux pour le comprendre.

On dit souvent que des grandes blessures naissent les grands hommes. Peut-être, petits martyrs, saurez-vous trouver comment changer le monde. Peut-être saurez-vous trouver ce que je peux faire pour aider.

Pour l'instant, je suis assis dans mon salon. Je vous regarde à la télévision. Et je vous demande pardon.

∂∞∂

Le 20 juin 2004

La rue Old Orchard

Il est autour de 23 h. J'ai passé la soirée chez ma blonde. Et là, elle vient me reconduire chez moi. On est presque arrivés. On roule sur Notre-Dame-de-Grâce.

À un coin de rue de la maison. Mais au lieu d'arrêter devant le 5530, on tourne à droite dans la rue Old Orchard. C'est notre rituel. À 17 ans, quand ta blonde vient te reconduire chez toi, tu ne stationnes pas devant la maison familiale, tu stationnes dans la petite rue perpendiculaire. Pour pouvoir lui dire un beau bonsoir.

Monique gare sa Honda Civic devant le grand mur de briques. Loin du lampadaire. C'est notre endroit. Elle met la radio à CJFM. Je passe mon bras autour de son épaule pendant que les *Commodores* chantent *Three Times a Lady*. Et je lui murmure :

« Merci pour la belle soirée...

— Merci à toi.

— Passe une bonne nuit.

— Toi aussi...

— Fais de beaux rêves...

— Toi aussi...

— Rêve à moi...

— ... »

On ne parle plus. Nos bouches sont occupées à autre chose. On s'embrasse passionnément. Longtemps, longtemps. Et nos mains se baladent un peu partout. Ce soir, on n'a vraiment pas envie de se quitter. L'auto est pleine de buée. Pendant que je recule mon siège, je regarde autour. Ben voyons... C'est l'auto de mon père, de l'autre côté de la rue ? Ben oui. C'est son Impala. Que fait-elle là ? Mon père se gare toujours devant la maison. Toujours. Et puis on dirait que... On voit mal, tellement il fait noir... Mais on dirait que mon père est à l'intérieur. Je dois rêver. C'est un cauchemar. Papa nous aurait tendu un piège ? Il veut nous prendre en flagrant délit. Mais qu'est-ce qu'il attend ? Me semble que ça fait un petit bout de temps qu'il aurait pu nous interrompre.

Monique et moi rattachons tous nos boutons. On est figés. On ne sait pas quoi faire. On redémarre et on fait le tour du pâté de maisons pour revenir devant la maison ? On redémarre et on se sauve au Texas pour ne pas devoir affronter mon père ? Ou on reste dans l'auto jusqu'à ce qu'on soit majeurs ? J'ai trouvé. On sort de la voiture. Et si papa nous demande ce qu'on fait, on dit qu'on voulait faire une marche. C'est pour ça qu'on a garé la voiture un peu plus loin de la maison. C'est un peu louche, mais ça paraît toujours bien, faire une marche. Ça fait santé. Même quand il approche minuit.

Allez, à la grâce de Dieu ! Nous descendons de la Honda, main dans la main. Chastes et purs. Le corps serré, les oreilles molles, on passe devant l'auto de papa. En regardant les étoiles. Pas de réaction. Je n'en reviens pas.

Peut-être que mon père s'est endormi dans sa voiture en nous attendant. Qu'il dort depuis qu'on est arrivés. C'est pour ça qu'il n'est pas intervenu. C'est plus fort que moi. Il faut que je sache ce qu'il fait dans son *char*. Je m'approche de l'Impala. Et je vois mon père... en train de fumer ! Mon père n'est plus censé fumer depuis deux mois. Les médecins le lui ont interdit. Il a de graves problèmes respiratoires. Et on était fiers de lui, car pour la première fois, il semblait avoir enfin réussi.

Mon père lève les yeux. Il me voit. Et surtout il voit que je le vois. Vite, il écrase la cigarette dans le cendrier. Il démarre et s'en va. Alors, nous retournons sur nos pas. On remonte dans l'auto. Et Monique vient me laisser devant chez moi. On se donne un bec. Pas trop long. Et je rentre à la maison. Papa a fait ça vite. Il est déjà dans le salon, assis sur son sofa vert. Je lui dis bonsoir. Il me dit bonsoir. Il fait comme si de rien n'était. Et moi aussi. C'est drôle. Je pense que je ne me suis jamais senti aussi complice avec mon père qu'à cet instant précis où nos yeux se sont croisés et où on a décidé de ne pas en parler. De taire ce qui est arrivé. C'est comme si on était d'égal à égal. D'homme à homme.

J'ai surpris mon père en train de fumer en cachette. Mais je fais comme si je ne l'avais pas vu. Je ne sais pas si, de son côté, mon père a vu que je faisais du *necking* avec ma blonde à quelques pieds de lui. Et qu'il fait, lui aussi, comme s'il ne m'avait pas vu. Je ne le saurai jamais parce qu'on ne s'en parlera jamais. La rue Old Orchard est dans une autre dimension. Dans la *twilight zone* du non-dit.

Bien sûr que ça me démange de tout révéler à ma mère. Parce que ce n'est vraiment pas bon pour lui de continuer de fumer. Mais on ne *stoole* pas son père. Il y a quand même des choses sacrées.

Monique et moi avons changé notre itinéraire. À compter de ce moment-là, c'est rue Marcil, devant l'église des Anglais, qu'on a jeté l'ancre pour se dire bonne nuit. Même si mon père n'a pas fumé dans la rue Old Orchard très longtemps. Deux semaines plus tard, c'était au tour de ma mère de le surprendre, dans sa voiture, la cigarette au bec. Toute la famille l'a su. Contrarié, mon père s'est remis à fumer partout. Dans le salon, dans la salle à manger, au bureau, partout. Ses deux paquets par jour. Au diable les médecins. Même s'ils avaient raison.

C'est sûrement à cause du tabac que mon père est mort, plusieurs années plus tard. Pourtant, je n'ai pas de haine envers son paquet de Matinée. Au contraire. C'était la seule délinquance de mon père. La seule chose pour laquelle il allait jusqu'à se cacher rue Old Orchard. Son seul petit plaisir. Et notre seul secret.

Bonne fête, papa, où que tu sois. Quelque chose me dit que tu es dans la section « fumeurs » du ciel, en train d'en griller une. Fais quand même attention à la couche d'ozone.

La leçon de Westmount

Le 4 novembre 2001, Westmount a été annexé à Montréal. Le 21 juin 2004, Westmount s'est séparé de Montréal. Il aura fallu 31 mois au mouvement séparatiste de Westmount pour arriver à ses fins. Si tous les Québécois étaient aussi efficaces, le Québec serait séparé du Canada depuis février 1870. Cent trente-quatre ans plus tard, on est encore en train d'essayer. C'est quasiment honteux. Se faire faire la leçon par les plus farouches partisans du NON.

Les gens de Westmount y'ont pas *tatawouiné*. Y'ont pas niaisé avec le *puck*. Pourtant on leur a sorti tous les beaux arguments. L'union fait la force. L'avenir appartient aux grandes villes. La défusion est néfaste économiquement.

They don't care ! Réalisez-vous que des anglophones riches ont préféré l'appartenance à leur ville que les avantages monétaires ! Ils ont préféré le cœur plutôt que le *cash*.

Leur maire Trent a été massacré lors des deux débats par le maire Tremblay. Non mais, entre vous et moi, faut vraiment défendre une cause pourrie pour être mis en boîte par Gérald Lagaffe. Mais *they don't care !* Même si la raison disait de voter contre les défusions, les gens de Westmount ne l'ont pas écoutée. Ils voulaient juste être chez eux. Tant pis si c'est coûteux, à contre-courant et indéfendable. Phoque la mondialisation ! Westmount aux Westmountais. *That's it !*

C'est sûr qu'ils auraient pu voter NON aux défusions, et passer leur temps à se plaindre. À chialer contre Montréal, tout en en faisant partie et en profitant des avantages. Des poètes westmountais auraient écrit des chansons contestataires : « *People of the town, it is your turn...* ». Tous les ans, le jour de la fête de Westmount, ils se seraient réunis sur le flanc ouest de la Montagne, pour branler le drapeau de leur arrondissement, en criant : « Un jour, on l'aura notre ville ! ». Ils auraient même pu créer un parti au conseil municipal de Montréal, le *Bloc des blôques* qui aurait défendu les intérêts des gens de Westmount dans la grosse ville de Montréal. Ce parti n'aurait jamais pu prendre le pouvoir car il n'aurait eu des candidats que dans l'arrondissement de Westmount. Les gens de Westmount auraient passé leur temps dans l'opposition, à dire que tout est de la faute du municipal. Mais en payant moins de taxes.

Ils ne l'ont pas fait.

La question du référendum avait beau être toute croche et pas claire., les conditions du démembrement être désavantageuses. *They don't care !* N'importe quoi pour que Westmount ait plus de pouvoir qu'avant. Les anglophones riches ont dit YES, parce qu'ils ne diront jamais NO à eux-mêmes, tout simplement.

Nous autres, on regarde tout ça, et on est un peu surpris. Abasourdis. Parce que ça fait 50 ans que les gens de

Westmount nous disent que notre nationalisme est dépassé. Qu'on est mieux dans le grand Canada. Qu'il faut penser BIG. On se trouvait même un peu épais d'être si attachés à notre langue et à notre nation. On se disait que ça devait être parce qu'on était francophones. Latin. Trop sentimentaux. On luttait contre notre nature. Et voilà que lorsque les anglophones font face au même dilemme, bingo, ils se séparent. Pis pas à 51 % contre 49 %. Non, par une majorité écrasante. Ne laissant place à aucun doute. Westmount veut être une ville. Pas un quartier.

Une décourageante conclusion s'impose : pour que l'indépendance du Québec se réalise, il faudrait que les anglophones s'en occupent. Tous les leaders des mouvements souverainistes du Québec devraient aller en stage à la mairie de Westmount. Apprendre que l'autonomie, ça doit être un réflexe. Pas quelque chose de réfléchi, de compliqué, *d'étapisé*, de camouflé. Tout le monde a dit aux gens de Westmount que le démembrement était pour être un paquet de troubles. *They don't care !* Ils ont eu beau perdre tous les débats. Ils s'en foutent. Ils ne veulent pas avoir raison. Ils veulent être chez eux.

C'est ce réflexe que nous n'avons pas.

On l'a seulement le 24 juin. Dans le parc Maisonneuve. Quand Paul Piché chante le Québec souverain. On crie OUI ! Toute la gang ! Wow ! Quel peuple révolutionnaire ! Le problème, c'est que personne nous opprime. Personne nous empêche d'être souverain. Si on voulait l'être, on le serait. Par deux fois, on avait juste à dire oui. Et on a dit non. Les gens de Westmount n'ont pas eu besoin de trois référendums. Arrêtons d'être schizophrènes, de voter NON et de se peinturer en bleu à la Saint-Jean. Soyons Canadiens ou Québécois. Mais arrêtons de nier ce que nous avons décidé d'être et d'idéaliser ce que nous refusons toujours de devenir.

Sur ce, bonnes élections demain. Et que le moins pire gagne !

Mon premier valentin

Quatorze février 1967. Est-ce à cause de son nom ? Mademoiselle Lamoureux, notre maîtresse de 2ᵉ année, semble toute bouleversée par la Saint-Valentin. Elle vient de nous donner comme devoir de dessiner une carte de la Saint-Valentin pour quelqu'un dans la classe. Dessiner, c'est amusant. Donner son cœur, c'est autre chose. Jusqu'à ce jour, je n'ai offert de valentins qu'à deux femmes : ma mère et ma sœur. Ça va être mon premier valentin compromettant.

Je regarde ce que fait mon ami Marc, assis au pupitre à côté. Il ne prend pas de chance. Il a écrit en gros, en rouge : « À mademoiselle Lamoureux... ». Ça règle le problème. Et en plus, la maîtresse va être contente. Je la soupçonne même de nous avoir donné ce devoir dans l'espoir de recevoir 30 valentins. Ça doit mal aller avec son *chum*.

J'aime beaucoup mademoiselle Lamoureux. Mais si j'ai à donner mon cœur à quelqu'un dans cette classe, ce n'est pas à elle. Ça ne peut être qu'à une personne : Gabrielle.

Elle est belle. Elle a de longs cheveux blonds. Jusqu'au bas du dos. Elle sourit tout le temps. Et quand on joue long-temps au ballon-chasseur, elle a les joues toutes rouges. On se parle souvent au téléphone. Mais en personne, on ne se dit presque rien. Elle se tient avec ses amies. Je joue avec mes *chums*.

Si j'écoute mon cœur, pas de doute, il faut que le gros cœur rouge que je dessine, ce soit pour elle. Mais ça me fait peur. Car je ne sais pas pour qui elle dessine le sien. Tout d'un coup ce n'est pas pour moi. Ça pourrait bien être pour le beau grand Charles. Toutes les filles sont folles de lui. Elle aussi, sûrement. Je devrais faire comme Marc. Offrir ma carte à mademoiselle Lamoureux. Et si jamais Gabrielle me donne son valentin ? Ce sera parfait. Et si elle le donne à un autre, je n'aurai pas l'air d'un con.

Oui mais si elle me donne son valentin et que je ne lui donne pas le mien, ça va peut-être lui faire de la peine. Comme ça m'en ferait. Et je ne veux surtout pas lui faire de peine. Je l'aime. J'ai 6 ans et j'ai déjà compris que ce n'est pas facile, l'amour.

Je regarde vers Gabrielle. Elle dessine, tout appliquée. Elle change souvent de crayon. Son valentin a plein de couleurs. Si elle pouvait me regarder. Me faire un clin d'œil. Un signe. Qui me ferait comprendre que c'est à moi qu'elle destine son dessin. Alors là, je terminerais le mien, le cœur en paix. Mais elle ne me regarde pas.

Que faire ? J'use de stratégie. J'attends qu'elle se donne avant de me donner. Mon grand frère me l'a déjà dit. Les filles aiment ramer. Plus un garçon les repousse, plus elles le veulent.

Mais je n'ai pas envie de repousser Gabrielle. Je l'aime. Je joue le jeu de la séduction ? Ou j'ouvre mon cœur ?

Mademoiselle Lamoureux me tire de mes pensées : « Les enfants, il vous reste cinq minutes pour terminer votre valentin. »

Cinq minutes pour décider quel genre d'homme je vais être ! Un chasseur ou un chassé. Quelqu'un qui prend ou quelqu'un qui donne. Quelqu'un qui va s'amuser ou quelqu'un qui va pleurer.

Je prends mon Prismacolor rouge. Et j'écris en gros : JE T'AIME GABRIELLE. Avec des becs. C'est fait. J'ai une boule dans la gorge. Comme lorsque j'ai très peur. Mais à quoi ça sert de vivre si on n'écoute pas son cœur ? Si on n'accepte pas d'être ce qu'on est ? Et de ressentir ce qu'on ressent ? C'est sûr que je risque de me faire mal. Mais même la douleur doit être belle. Quand on aime. Je crois. Je n'en suis pas sûr. Je n'ai que 6 ans. Et mon cœur n'a jamais été rejeté. Du moins, pas encore.

Mademoiselle Lamoureux reprend la parole : « Alors maintenant, les garçons vont aller porter en premier leurs valentins à leurs valentines ». Pourquoi les garçons ? C'est pas juste. Ça va être l'humiliation suprême. Tous les garçons se lèvent et vont porter leurs valentins à mademoiselle Lamoureux. Tous. Les 12 garçons de la classe. Moins moi, bien sûr. Mademoiselle Lamoureux est comblée. Elle les embrasse. Je suis debout. Avec mon valentin dans les mains. Tellement gêné. Je suis plus rouge que mon dessin. Tout le monde me regarde. La maîtresse me dit : « Alors Stéphane, vas-tu donner ton valentin ? » Je peux encore faire comme les autres. Et aller lui porter. Même si dedans, c'est écrit : « Je t'aime Gabrielle ». Mademoiselle Lamoureux ne dira rien. Mademoiselle Lamoureux va comprendre.

Je tasse ma chaise. Et je m'en vais. Vers Gabrielle. Je mets mon valentin sur son pupitre. Et je retourne m'asseoir. Tout le monde rit. Sauf moi. Sauf Gabrielle. Et mademoiselle Lamoureux, qui sourit. Mes *chums* me regardent, éberlués. Je vais me faire niaiser toute l'année ! C'est dur d'écouter son cœur.

« Maintenant, c'est aux filles d'aller donner leurs valentins », dit la maîtresse. Je m'écrase dans ma chaise. Je veux mourir. Toutes les filles se lèvent. Et elles se dirigent toutes vers mademoiselle Lamoureux. Gabrielle aussi marche vers le bureau du prof. Mais elle s'arrête au mien : « Merci pour ton valentin. C'est gentil. »

Et elle me donne le sien. Et va se rasseoir. Je l'ouvre. C'est écrit : « Je t'aime Stéphane. » Je suis heureux. Tellement bien. C'est bon d'écouter son cœur ! Tous les gars de la classe me regardent. Ils n'en reviennent pas. Ils sont jaloux. Tant pis pour eux. C'était à eux de savoir. Qu'il faut toujours faire gagner l'amour plutôt que la peur.

La cloche sonne. Gabrielle s'en va avec ses amies. Et moi, je m'en vais avec mes amis. On a continué de se parler au téléphone. Mais pas plus souvent à l'école. Mais pas plus souvent en personne. On n'en avait pas besoin. On savait l'essentiel. On savait qu'on s'aimait.

Sortir de la garde-robe

L'autre soir, on s'apprête à aller au restaurant. Je sors de la garde-robe avec un pantalon noir et un col roulé noir. « Tu ne vas pas mettre ça ! Avec ton look Marcel Marceau, tu ne me parleras pas du souper ! » Vous l'aurez deviné, c'est ma blonde qui vient de s'exprimer. Je retourne dans la garde-robe. J'en ressors avec des jeans délavés et une chemise à carreaux. « T'es sûrement heureux d'un printemps, mais c'est pas une raison pour t'habiller comme le vieux Paul Piché ! » Je retourne dans la garde-robe. J'en ressors avec un pantalon blanc et un chandail rouge. « Attends donc d'être dans une île déserte pour porter ton look Gilligan ! » Je retourne dans la garde-robe...

Si sortir de la garde-robe est difficile pour un homosexuel, ce l'est encore plus pour un hétérosexuel. Car dans la réalité virile, c'est l'homme qui porte les culottes, mais c'est sa blonde qui décide lesquelles ! Et tant que l'homme n'a pas les bonnes culottes, il ne sort pas. C'est la complémentarité des sexes. Quand un homme voit une femme de son goût, il pense à la déshabiller. Quand une femme voit un homme de son goût, elle pense à l'habiller. C'est inné chez elle. Lorsqu'une femme va aux danseurs nus, c'est pour fantasmer sur comment elle les habillerait : « Me semble que celui-là, j'y mettrais un petit pantalon patte d'éléphant gris souris avec une chemise ajustée en soie blanche. Aaaah ! » L'extase.

Je ressors de la garde-robe avec un pantalon brun, une chemise blanche et un chandail jaune. « Le look pâté chinois, t'es mieux de garder ça pour quand on soupe à la maison ! » Je retourne dans la garde-robe...

Tous les vêtements qui y sont accrochés ont été choisis par ma blonde. La première chose qu'une fille fait, quand elle met son joli grappin sur vous, c'est de donner vos vêtements achetés par l'ancienne blonde à l'Armée du salut. C'est pour ça que lorsque notre petite amie montre un clochard du doigt en disant « Ça, c'est ce que t'avais d'l'air avant de me connaître », elle a raison. C'est notre ancien linge qu'il a sur le dos ! Le problème en ce moment, ce ne sont donc pas mes vêtements puisqu'ils sont tous approuvés par ma blonde, ce sont mes combinaisons vestimentaires. Le pantalon que je choisis ne *fite* pas avec les bas ou la chemise.

Dans le guide de la candidate idéale publiée cette semaine par le Parti libéral du Canada, on peut lire : « Votre garde-robe en dit beaucoup sur vous : elle doit donc être prévue avec autant de soin que les politiques que vous défendez. » C'est scandaleux en 1997 de dire ça aux femmes ! C'est aux hommes qu'il faut dire ça ! Avez-vous déjà vu l'amanchure de Jean Chrétien un matin où Aline n'est pas là pour lui dire quoi mettre ? On dirait Pôpa. Il faut dire cependant que Ti-Jean met autant de soin à choisir son linge que ses politiques. Dans les deux cas, il fait ça les yeux fermés. Et c'est pour ça que ses cravates ne *matchent* pas plus avec le reste de ses vêtements que le Québec *matche* avec le reste du Canada. Chrétien devrait faire comme Clinton, écouter sa femme pour sa tenue vestimentaire et pour ses politiques. Le pays risquerait d'être plus uni. Ses complets aussi !

Vous me direz que certaines femmes habillent leurs hommes en fous. C'est vrai. Mais elles le font exprès. C'est parce qu'elles savent que leurs bonhommes sont courailleux et qu'elles veulent diminuer leurs chances de poigner !

Je ressors de la garde-robe avec ma chemise verte et mes pantalons verts. Côté agencement, je suis sûr de ne pas me tromper. « Pas ton look camouflage ! Je pense, mon homme, qu'il va falloir qu'on aille magasiner ensemble. »

La phrase est lâchée. Tout mais pas ça ! Aller acheter des vêtements avec sa blonde est une cruelle humiliation pour l'ego masculin. N'avoir aucun pouvoir décisionnel sur ce que l'on porte, en privé, ça se prend. Mais en public, c'est profondément blessant. On *file* eunuque. Dès qu'on entre dans le magasin pour hommes, le vendeur se dirige vers notre blonde. Comme si on n'existait pas. Et ce n'est pas pour la *cruiser*. Car si on se fie à son petit doigt, son orientation sexuelle est plus orientée vers nous. Mais côté *business*, ça se règle entre filles. Si on peut dire.

« Bonjour madame, est-ce que je peux vous aider ?

— Oui, je suis venue habiller mon *chum*.

— Madame est courageuse. C'est quoi son style ?

— Ben, j'aimerais trouver quelque chose dans quoi il ressemblerait à Jacques Villeneuve...

— J'veux pas vous faire de peine, mais la seule chose que votre *chum* a qui se rapproche un peu de Jacques Villeneuve, c'est un pneu !

— Hahaha ! (c'est la blonde qui rit. Pas nous.)

— Je vous conseille la chemise saumon pour aller avec ses yeux de poisson et les pantalons style Canadien de Montréal, avec des revers !

— O.K. va essayer ça !

L'eunuque s'en va essayer. La blonde et le vendeur examinent l'eunuque avec le regard condescendant que Karl Lagerfeld poserait sur Mario Duquette !

— C'est le mieux qu'on peut faire !

— Les couleurs sont dans sa palette, on achète !

Le prix, lui, est rarement dans notre palette. Mais l'eunuque paie sans donner son avis.

Une seule raison nous motive à vivre cette expérience traumatisante : chaque fois qu'on va mettre ces fringues, notre blonde, pour se convaincre qu'elle a fait un bon achat, va nous dire qu'on est beau. Et ça, ça vaut toutes les humiliations !

Je ressors de la garde-robe avec rien dans les mains : « O.K. mon amour, j'aurais dû y penser plus tôt, dis-moi donc quoi mettre ? »

Je suis allé au restaurant en pantalon noir et col roulé noir !

Partir avec le chat

Je n'ai pas bien dormi. Je me suis réveillé à 2 h. À 3 h. À 4 h. Je voulais être sûr de ne pas manquer le départ. Comme si mes parents allaient m'oublier ! Il est enfin 5 h. C'est le branle-bas de combat dans la maison. Tout le monde s'active.

Mon père transporte les valises dans le vestibule. Ma mère prépare le casse-croûte pour la route. Ma sœur verse le café dans les thermos. Mon frère finit de laver la voiture. Et moi, je m'occupe du Frisbee. Pas question de l'oublier. Le Frisbee rouge est greffé dans ma main. Je le tiens serré. Je ne le lâcherai pas avant qu'on soit arrivés à Kennebunkport.

Ma mère veut que je mange mes céréales. Mais je n'ai pas faim. Chaque année, c'est la même chose. Le matin du départ pour les vacances à la mer, j'ai comme un petit mal de cœur. Un petit mal de mer. Je dois être trop énervé. Quitter sa demeure, même si c'est pour le paradis, ça fait toujours un peu peur.

Mon père rentre de dehors : « Où est le chat ? » Mon père l'appelle le chat, mais c'est une chatte. Notre chatte. Fétiche. D'habitude, on la fait garder par ma tante Louise, à Ville d'Anjou. Mais cette année, elle est partie, elle aussi. Et on n'a pas trouvé d'autre gardienne.

« C'est pas grave, un chat, ça reste dans la ruelle, pis ça se débrouille. » Ça, c'est l'opinion de mon père. On n'est pas d'accord. Papa ne veut rien savoir de faire six heures de route avec un chat dans la voiture. Mais nous, on ne peut concevoir d'abandonner Fétiche dans l'enfer de la ruelle durant une semaine.

Alors on a argumenté beaucoup. On a promis que Fétiche allait être fine. Qu'elle ne miaulerait pas du voyage. Ni pipi. Ni caca. Et ma sœur a pleuré, ce qui aide toujours. Et on a gagné ! Fétiche s'en vient se faire griller le poil avec nous dans le Maine.

Mais le plus difficile reste à faire. Attraper la bête. Sa cage en osier est alignée dans l'entrée avec les valises. Il faut la mettre dedans. C'est l'heure du rodéo. Chaque fois qu'on doit mettre Fétiche dans sa cage pour l'emmener chez le vétérinaire, elle se transforme en tigre du Bengale. Elle devient le plus agressif de tous les animaux sauvages.

D'abord, elle se cache. Puis, lorsqu'on la trouve, elle sort les griffes et les dents. Tant bien que mal, on parvient à la prendre dans nos bras, au prix de quelques égratignures. Elle se tortille comme Chubby Checker, parvient à nous glisser des mains. Et il faut repartir à la chasse au fauve. Au bout d'une heure d'efforts, on finit par la mettre en cage. Les doigts pleins de Band-Aid.

Ce matin, c'est mieux de se faire plus aisément. Parce que papa ne semble pas particulièrement patient. Il répète sa question : « Où est le chat ? » Ce sera pas long, ce sera pas long. Dominique, Bertrand, Maman et moi, on part à la recherche de Fétiche.

« Viens-t'en, Fétiche, viens-t'en ! On s'en va pas chez le méchant vétérinaire. On s'en va à la mer. Tu vas pouvoir te promener au soleil. Et rencontrer des gros matous américains. » Rien à faire. Fétiche est introuvable. Elle n'est pas sous les lits. Ni dans le bain. Ni derrière la fournaise. Ni en haut du buffet. Peut-être s'est-elle sauvée dehors ? Si c'est le cas, notre chat est mort. Elle ne reviendra pas de la journée. Il est 6 h. Mon père avait dit qu'on partait à 6 h. Et quand mon père dit qu'on part à 6h, on part à 6 h.

« Pis ? L'avez-vous trouvé ?

— Non, p'pa ! Mais ça s'en vient... »

Mon père commence à mettre les valises dans la voiture. Le compte à rebours est commencé. Mon frère enfourche son vélo et parcourt la ruelle en quatrième vitesse : « Fétiche ! Fétiche ! Fétiche ! » Ma mère cogne le bol de Fétiche sur la galerie. Fétiche rapplique toujours quand elle entend le son de son bol. Notre chatte est gloutonne. Elle a toujours faim. Sauf ce matin. Rien à faire. Elle reste dans son trou.

Mon père a fini de charger les bagages. On est prêts à partir. On est tous en *stand-by* dans le vestibule. Ma sœur veut qu'on attende encore.

« On n'est pas pour attendre jusqu'à minuit », répond mon père. Ma sœur dit qu'elle va rester. Et quand Fétiche réapparaîtra, elle viendra nous rejoindre en autocar. « Non, on part toute la famille ou on ne part pas. » Ma sœur pleure. Ma mère appelle une dernière fois Fétiche. Mon frère est à quatre pattes dans la rue pour voir si elle n'est pas sous le Plymouth du voisin. Et moi, je prie le bon Dieu très fort. Je sais qu'il a des choses plus importantes à faire, mais comme il doit lui aussi être en vacances, ce serait un bon petit miracle de vacances.

6 h 30. « Bon, ça fait, on part. » Ma mère ramasse le panier à pique-nique. Mon frère prend la carte routière. On a tout. Presque tout. Qu'arrivera-t-il à Fétiche ? Survivra-t-elle dans la jungle de la ruelle ? Sera-t-elle là à notre retour ? Je ne vais penser qu'à elle durant toutes les vacances. Ma sœur pleure tellement fort que tout le quartier doit être réveillé. Juste avant de refermer la porte, mon père décide de remettre la cage en osier à sa place. « On ne laissera pas ça dans les jambes. » Il la soulève : « Voyons, c'est ben lourd ! » On entend un miaulement. Fétiche est dans sa cage. Tout ce temps-là, Fétiche était dans sa cage. Elle est allée se coucher dedans quand on l'a placée à côté des valises. Elle a senti que, cette fois, ce n'était pas pour aller chez le vétérinaire que sa cage était sortie. Elle a vu les autres valises. Elle n'est pas folle. Elle a senti que tout le monde partait aussi. Alors, elle ne voulait surtout pas qu'on l'oublie. Fétiche est intelligente ! Fétiche comprend ce qui se passe ! Ma sœur crie de joie. Ma mère sourit. Mon frère saute partout. Moi, j'en ai même échappé mon Frisbee !

Papa place la cage sur la banquette arrière, entre ma sœur et moi. Je regarde son petit museau à travers les barreaux. J'ai l'impression qu'elle m'a fait un clin d'œil. La voiture démarre. C'est le plus beau départ pour la mer de toute ma vie.

Le héros des Jeux

Où sont les héros ? Ian Thorpe ? Il est incroyable. Michael Phelps ? Génial ! Carly Patterson ? Quelle souplesse ! Karen Cockburn ? Elle rebondit bien. Ce sont tous de grands athlètes. Mais des héros ? Pas sûr. Est-ce la *dope* ? Est-ce l'argent ? Est-ce cette attitude de ne faire ça que pour eux ? Toujours est-il que je regarde les Jeux depuis presque 10 jours et je ne me suis toujours pas trouvé de héros. Non, c'est faux. J'en ai un. On l'a vu lors des cérémonies d'ouverture, mais pas depuis. J'étais en train de m'impatienter. Presque de me désintéresser. Il était temps que l'athlétisme commence.

Car ce n'est que lorsque mon héros est là qu'on a vraiment l'impression de regarder les Jeux Olympiques. Sans lui, on dirait qu'on est pris dans une trop longue pub de Volkswagen. Cette année, il va être le meilleur. Encore une fois. Il a triomphé à Sydney. À Barcelone. À Séoul. Et aussi à Montréal, à Mexico et à Rome. Oui, c'est un vieil athlète. Très vieil athlète. Mais il ne lâche pas. Et ce n'est pas grâce à la drogue. C'est grâce à son cœur. Un cœur de gentilhomme. Mon héros, c'est Richard Garneau.

C'est un être humain exceptionnel. Chaque fois que je le vois, je me dis que j'aimerais être comme lui. Il est grand. Il est beau. Cultivé, intelligent. Il a le sens de l'humour. Et il est modeste. Je crois que c'est la qualité la plus importante des héros. La modestie. C'est pour ça qu'il n'y en a plus. Tous les champions, toutes les vedettes d'aujourd'hui crient qu'ils sont les meilleurs, les numéros 1. Ils s'auto-suffisent tellement qu'ils n'ont plus besoin de fans. Qu'ils n'ont plus besoin de nous. Pas Richard Garneau. En entrevue, il ne parle pas de ses exploits, il parle de la chance qu'il a eu d'être là au bon moment. Et il le croit. C'est le plus grand commentateur sportif de la télévision québécoise. Au Panthéon, il est à côté de René Lecavalier, c'est sûr. Mais il n'a pas la grosse tête. Juste de grandes jambes.

Il décrit l'athlétisme à Athènes en équipe. Avec ses acolytes, Quenneville, Baert et Surin. Et chacun a sa place. Car comme tous les grands, Garneau fait bien paraître ceux qui l'entourent. Il ne les écrase pas. Au contraire. Il les met en valeur. Il aide les débutants. Collabore avec ses dauphins. Et lorsqu'il est en compagnie d'autres géants, il est même prêt à prendre le rôle de *straight man*, comme avec Le Bigot. Tout pour que le *show* soit bon. Il ne tire jamais la couverture. Il n'en a pas besoin : il ne dort pas.

Si j'aime les Olympiques, c'est grâce à lui. Avant, j'étais comme tous les Québécois, je n'en avais que pour le hockey. Que pour le Canadien. Même que le grand Garneau m'agaçait un peu à *La Soirée du hockey*. Je ne le trouvais pas assez partisan. Il s'enflammait autant en racontant les exploits de Bobby Orr qu'en décrivant ceux de Guy Lafleur. Je n'aimais pas ça. Bien sûr, il avait raison. J'étais épais. Il m'a aidé à l'être un peu moins.

En juillet 1976, mon père a acheté notre première télé couleurs en l'honneur des Jeux de Montréal. Et je me suis installé devant le petit écran, du matin jusqu'au soir. Je n'ai rien manqué. Ce n'est pas une figure de style. Je n'ai vraiment rien manqué, de la première seconde où Radio-Canada est entrée en ondes jusqu'à l'*Ô Canada*, j'ai tout vu. Et grâce à Richard Garneau, j'ai découvert la course, le saut, le lancer. J'ai découvert des hommes, des femmes et des pays. La Polonaise Irena Szewinska, le Cubain Alberto Juantorena, le Hongrois Miklos Németh. Garneau les aimait autant que s'ils avaient été Canadiens. Garneau m'a appris l'olympisme. Garneau m'a appris l'humanisme. Lui et son analyste Jo Malléjac s'extasiaient tellement sur les performances des athlètes qu'on ne pouvait pas ne pas les aimer. Autant que des joueurs de hockey. Il m'a donné la piqûre. Pas de stéroïdes. D'émerveillement sportif.

Depuis, je ne manque pas un rendez-vous olympique. Et c'est presque toujours un rendez-vous avec lui. Entre deux olympiades, je l'écoute à la radio, je le vois parfois à la télé. Et bien sûr, je remarque toujours sa prestance, sa vigueur, sa voix posée, son articulation parfaite, ses connaissances inépuisables, mais ce qui me frappe toujours le plus, c'est à quel point il est fin. Oui, fin. C'est une qualité qui se perd, la finesse. Garneau l'a. Dans les yeux. Dans le sourire. Dans le ton. Dans le propos. Richard Garneau est toujours fin. Et ça fait tellement de bien. La paix règne autour de lui. Pourquoi n'est-il pas président des États-Unis ?

Bon, faut que je vous laisse. Mon héros doit être en direct du stade d'Athènes, en ce moment. Il va passer la journée à regarder les athlètes courir après la gloire. Ça fait 50 ans qu'il fait ça. Dès fois, je me dis que si, une journée, on inversait les rôles, qu'au lieu que ce soit Garneau qui observe les athlètes, ce soient les athlètes qui observent Garneau, on aurait plus de héros.

En tout cas, moi, quand je serai grand, je veux être Richard Garneau.

La scie du voisin

Petit dimanche matin béni de juillet. Il fait beau. Il fait chaud. Titi est partie faire un tour de vélo. Je m'installe sur la terrasse. Pour prendre un peu de soleil. Prendre beaucoup de ciel. Les yeux fermés, j'écoute les oiseaux chanter leurs plus grands succès. Et le vent faire applaudir les arbres. Doucement. C'est bon. Toute la semaine, j'ai été tendu comme une corde de violon de l'OSM. Aujourd'hui, je me détends comme une corde de hamac. Je ne suis plus un homme. Je suis un koala. Complètement zen. Heureux de rien. Si ce n'est que d'avoir une petite terrasse. Pour profiter du beau temps. Pour profiter du silence.

Je prends le *Newsweek* qui traîne sur la table. L'Irlande. L'Algérie. La Bosnie. Je ne comprends pas. Pourquoi tant de violence, quand on a juste à s'étendre au soleil pour être bien ? Je ferme la revue. Et je pense à autre chose. Le sable, la mer, les filles de *La Fureur*. Pardon, je veux dire ma Titi.

ZZZZZIIIIIIIGONGGG ! ZZZZZIIIIIIIGONGGG !

Je me raidis sur ma chaise longue ! Quel est ce boucan ? Hydro-Québec installe des pylônes sur ma galerie ? *AC / DC* donne un concert dans mon jardin ? Un météorite vient de frapper mon BBQ ? Non, c'est la scie du voisin ! Mon habile voisin est en train de se bâtir une terrasse. Il a vu la mienne. Et il en veut une pareille. Lui aussi, il veut profiter du beau temps. Lui aussi, il veut profiter du silence. Alors, il scie ses planches.

ZZZZZIIIIIIIGONGGG !

Ça fait un quart d'heure que ça dure. Sans répit. La scie de mon voisin commence à me faire scier. Je me sens devenir de moins en moins koala. Et de plus en plus *pitbull*. Pourtant, il fait encore beau. Il fait encore chaud. Mais plus moyen d'en profiter. Plus moyen de relaxer. Le son l'emporte toujours sur l'image. Imaginez une belle scène d'amour accompagnée par la musique de *Jaws*. Vous allez avoir peur. C'est sûr. Le bruit agresse. Obsède. Ronge le gros nerf.

ZZZZZIIIIIIIGONGGG !

Assez, c'est assez ! Je n'endurerai pas ça toute la journée ! Je vais aller lui dire de se calmer, moi, au castor bricoleur. Je vais lui parler dans le casque de construction ! Soudaine-ment, je comprends l'Irlande, l'Algérie, la Bosnie. Toutes ces guerres civiles ont dû commencer de la même manière. Un dimanche matin, un Bosniaque s'est assis sur sa terrasse et son voisin s'est mis à faire aller sa scie. Après quelques minutes, le Bosniaque n'a plus été capable d'entendre le bruit. La chicane a éclaté. Ce n'est pas encore réglé.

ZZZZZIIIIIIIGONGGG !

Je me lève et je me dirige vers le chantier. Enragé. Prêt à lui faire avaler tout son bran de scie. Il veut la guerre. Il va l'avoir ! J'oublie qu'il y a deux ans, quand on bâtissait notre terrasse, c'est ma scie qui faisait du bruit. Et que mon voisin n'a rien dit. On oublie toujours le bruit de sa propre scie.

ZZZZZIIIIIIIGONGGG ! ZZZZZIIIIIIIGONGGG !

Plus je m'approche, plus le bruit s'amplifie. Plus le bruit s'amplifie, plus je me sens petit. Je réalise qu'engueuler un monsieur armé d'une scie électrique, ce n'est peut-être pas une bonne idée. Je le connais à peine mon voisin. Peut-être que c'est le *Texas Chainsaw Massacre* ? J'ai pas envie de finir en barreau de patio. Il vaut mieux que je ne m'approche pas trop de lui. Que je l'interpelle à distance. Pour être sûr que son fil ne se rend pas jusqu'à moi. Mais si je reste éloigné, il ne m'entendra pas. Avec tout le bruit qu'il fait ! D'ailleurs, avec un tel vacarme, même si je m'approche à deux pouces de lui, il ne m'entendra pas. Si je veux attirer son attention, je vais donc devoir lui donner une petite tape sur l'épaule. Ça va peut-être le faire sur-sauter. Et sa scie risque de me couper les oreilles ! Bien sûr, alors, le son de son engin ne me dérangerait plus. Ce serait déjà ça de réglé. Mais sans oreilles, je n'aurai plus rien pour faire tenir mes lunettes. Et ça, ça ne serait vraiment pas pratique. Je décide donc de retourner m'asseoir sur ma ter-rasse. Mon voisin est chanceux. Son voisin est un lâche !

ZZZZZIIIIIIIGONGGG !

Je reste étendu sur ma chaise longue. La face toute crispée. J'endure. Le temps passe. Et le concerto de Black and Decker se poursuit. Puis soudain...

ZZZZIIIII...

Oh ! Je ne peux pas le croire. Plus de bruit ! Plus de scie ! Ça fait tellement de bien quand ça arrête, que ça valait quasiment la peine de l'endurer tout ce temps-là ! Mais je ne me réjouis pas trop vite. Tout d'un coup que mon voisin est seulement allé se chercher une petite bière.

Non, c'est vrai. Il a fini ! Enfin ! Mon petit dimanche béni de juillet peut recommencer. Prise deux ! Les yeux fermés, j'écoute les oiseaux chanter leurs plus grands succès. Et le vent faire applaudir les arbres. Doucement. C'est bon. Je redeviens un koala. Titi arrive. Elle me rejoint. On se fait bronzer en se tenant la main. On est bien. C'est la paix. La sainte paix. Le paradis. Titi se lève.

« Mon amour, il ne manque qu'une chose pour que l'on soit vraiment au septième ciel. Attends-moi. »

Elle revient avec le *ghetto blaster*. Et met son disque d'Andrea Bocelli.

TIIIIIME TO SAAAAY GOOODBYYYYE !

Ça fait six mois que ma blonde écoute cette *toune*-là, nuit et jour. Je pense que je vais appeler mon voisin. Je m'ennuie de sa scie !

❧❧

La paix froide

Ça ne lâche pas ! On se les gèle pas à peu près. Brrr ! Y fait vraiment pas chaud ! Mais que je n'en voie pas un sacrer contre le froid. Car le froid est notre sauveur. Notre protecteur. Notre plus belle richesse.

Parce que si on est tellement à l'abri, ici, dans notre p'tit Québec, de tous les grands problèmes de la planète, c'est grâce au *frette* !

Regardez tous les endroits où ça va mal dans le monde. On les voit aux nouvelles. Ce sont toutes des places où les gens sont en manches courtes. L'Afrique, l'Irak, Israël, Haïti, l'Amérique du Sud.

Le trouble est frileux

Savez-vous pourquoi ? Parce que le trouble est frileux. Le trouble aime pas le froid. Le trouble aime les endroits où il fait chaud. Où il y a le beau soleil. Où il peut s'étendre et écœurer le peuple longtemps. Y est pas fou, le trouble. Descendre dans la rue pour *pitcher* des roches, à 22 sous zéro, ça ne le tente pas. Se battre pour un morceau de terre qu'il faut que tu passes six mois à pelleter, y aime autant le laisser aux voisins.

C'est pour ça que Stéphan Bureau, il ne parle pas souvent du Groenland, de l'Islande, du pôle Nord ou du pôle Sud dans ses manchettes. Le trouble va jamais là. C'est sûr qu'il parle du Québec. Y a pas le choix, c'est le téléjournal de chez nous. Mais les troubles qu'il raconte, c'est pas des vrais troubles. Les hôpitaux, les écoles, Gaétan Frigon, Théodore ou Garon, ça ne se compare pas à un génocide, à une révolution ou à une guerre civile.

Nos problèmes sont tellement niaiseux qu'ils n'en parlent pas ailleurs. Pensez-vous qu'aux nouvelles d'Israël, le présentateur raconte les crises de Pierrette Venne ou la saga des Expos ? Non. En Israël, ils ne parlent jamais du Québec. Mais au Québec, on parle tous les jours d'Israël. Pourquoi ? Parce que là-bas, il se passe des grosses affaires. Tandis qu'ici, il ne se passe que des peccadilles. Pourquoi ? Parce que le trouble habite chez eux à l'année, tandis qu'il ne vient jamais mettre les pieds ici, de peur de se les congeler !

Nous, on n'a pas besoin de bombe atomique pour nous protéger, une vague de froid, ça vaut bien des armes de destruction massive.

Quand Napoléon a conquis le monde, ses armées ont marché sur tous les beaux pays d'Europe et d'Afrique en chantant : « Haut les mains ! Lalala ! Haut les mains ! » Mais rendus en Russie, j'te dis qu'ils ont arrêté de chanter assez raide. Napoléon, y a pas juste mis une main dans sa petite poche. Y a mis les deux ! Parce qu'elles étaient bleues. L'hiver a sauvé les Russes ! Même chose pour Hitler. Ses armées ont traversé l'Europe, le bras tendu, sans problème. Mais rendu en Russie, le bras leur est tombé, gelé. Je vous le dis, le froid, c'est la paix. La sainte paix.

Si au Québec il faisait beau comme en Floride, ça ferait longtemps que les Américains nous auraient annexés.

Au lieu de jouer au hockey, nos garçons seraient poignés à encercler l'Irak. Patrice Brisebois, il verrait que c'est pas mal plus stressant que de se faire huer par 10 gars chauds. Mais grâce à notre climat, les Américains n'ont jamais rien voulu savoir de notre patrie.

Et c'est ce désintéressement généralisé du monde entier pour les pays froids qui nous sauve de tous les grands conflits majeurs.

C'est tellement pas attirant, un pays glacé, que même nous, qui habitons là, on n'en veut pas. À tous les référendums, on nous demande : « Voulez-vous de ce pays ? » Et on répond toujours : « Non merci ! » Pensez-vous qu'un autre pays va se donner la peine de venir se battre pour conquérir un pays que ses propres habitants rejettent ? Pourquoi se battre pour un pays où on ne terminera même pas ses jours ? Se battre pour les terrains de golf de la Floride, OK ! Mais se battre pour quelques arpents de neige, franchement !

Cela saute aux yeux. Si nous vivons dans un endroit paisible, où même les révolutions sont tranquilles, et que le pire qu'il peut arriver, c'est le verglas, c'est grâce à notre climat nordique.

Donc, au lieu de sacrer contre le froid et d'essayer tant bien que mal de se plaindre, car on a les lèvres gelées, remercions le ciel en grelottant de nous avoir offert une contrée polaire. Prions fort pour que le monde entier continue de nous ignorer et pour que l'effet de serre ne nous réchauffe pas trop vite. Vive la paix froide !

❧

L'art de bouder

Je boude. C'est dimanche matin. On est en train de déjeuner. Titi a dit quelque chose qui m'a froissé. Alors je boude. Depuis un gros dix minutes. Mais elle ne s'en est pas aperçue encore. Elle lit sa revue. Moi, je ne dis pas un mot. Quand on boude, on ne parle pas. Je mange ma rôtie. Le visage au neutre. Quand on boude, il ne faut pas avoir le visage choqué, ni enjoué. Il faut maintenir un faciès sans aucune expression. Comme la face de Daniel Johnson.

J'ai hâte que Titi arrête de lire parce que pour l'instant, je boude dans le beurre. J'attends. Finalement, elle baisse sa revue et me pose une question.

« Pis, qu'est-ce qu'on fait aujourd'hui ? »

Voilà ma chance. Il ne faut pas que je réponde trop vite. Quand on boude, il faut toujours, avant de parler, laisser passer un silence. Le silence du malaise. Un coup que le malaise est bien installé, je peux le rompre en m'exprimant avec un petit ton sec. En étant le plus succinct et le plus vague possible...

« ... J'sais pas...

— Ben qu'est-ce que t'as le goût ? »

Là, il ne faut surtout pas que je réponde que j'ai le goût qu'on aille chez Compucentre acheter des jeux vidéo. Quand on boude, on n'a le goût de rien. On ne se mouille pas. On est plate. Comme un Pepsi flat. Il faut faire sentir à l'autre qu'on n'existe plus. Qu'on est fermé. Qu'elle nous a éteint. Je réponds donc résigné...

« C'est toi qui décides...

— Ben, as-tu le goût qu'on aille voir *Titanic* ?

— Si c'est ça que tu veux...

— À moins qu'on aille magasiner des accessoires de cuisine ? »

Là, j'ai vraiment le goût de dire non. Tout, mais pas ça ! Mais je ne peux pas. Je boude. Et quand on boude, tout doit nous être égal.

« Ça ne me fait rien... »

Titi se rend compte que je ne suis pas dans mon état normal.

« Est-ce que ça va bien ? »

Je prends un air de martyr et je dis sur un ton détaché : « Oui, pourquoi ? »

Puis je lâche un gros soupir. En levant les yeux au ciel. Là, c'est très clair. Titi vient de comprendre.

« Aie, tu serais-tu en train de bouder ? »

Enfin, elle s'en est aperçue ! Et ça semble lui faire quelque chose. Heureusement. Parce que bouder quand tout le monde s'en fout, c'est pas le fun. Demandez-le à Guy Chevrette ! Titi insiste.

« Réponds-moi ! C'est ça, han, tu boudes ? »

Bien sûr que je boude. Mais quand on boude, il ne faut surtout pas avouer que l'on boude. C'est la règle de base. Sinon, on perd toute crédibilité. Il ne faut pas le dire, mais il faut le faire sentir. Il faut donc que je réponde un non qui sous-entend un oui. Un peu comme les Québécois essaient de faire à chaque référendum. Je laisse passer le silence du malaise et je dis :

« ... Nooon...

– Tu boudes pas à cause de ce que je t'ai dit tantôt ?

—... Nooon...

— Voyons, c'était juste des *jokes*, faut pas que tu t'en fasses avec ça. »

Ça va très bien. Mon boudage a fait son effet. Titi se sent coupable. Maintenant, il faut que j'use de doigté. Si je sais comment doser mon boudage, je peux obtenir plein de concessions de la partie adverse. Il ne faut donc pas que je relâche trop vite. Titi s'approche de moi et me joue dans les cheveux.

« Boude pas mon amour. Voyons donc ! Tu sais bien que je pensais pas ce que je disais. Aujourd'hui, on va faire ce que tu veux, O.K. ? »

Je ne réponds pas. Je reste les bras croisés. Ça va très très bien. Plus je m'enferme dans mon triangle de glace plus Titi essaie de me réchauffer. Elle me donne des petits becs dans le cou. Je reste immuable. Elle me chuchote dans l'oreille.

« Mon amour, est-ce que ça te ferait plaisir qu'on aille chez Compucentre acheter des jeux vidéo ? »

Je suis fier de moi. Ça marche au fond. Là, je devrais sortir de mon boudage et dire oui. J'ai obtenu le maximum qu'un petit boudin du matin peut faire obtenir. Le problème, quand on boude, c'est qu'on se laisse emporter dans l'euphorie du babounage. On finit par se croire. Aveuglé par la puissance que ça nous donne, on en veut trop. On ne se contente pas d'une médaille de bronze. On veut l'or.

Ou rien. On veut que l'autre rampe à nos pieds. Tout nu. Ça n'arrive jamais. Surtout pas avec Titi !

Je m'entête donc à demeurer stoïque. Espérant en obtenir plus. Titi éclate !

« Bon ben si tu veux pas répondre, tant pis pour toi ! Continue de bouder tout seul, moi je m'en vais au Club Price avec Carole. Salut ! »

Titi est partie. Je suis assis tout seul à la table de cuisine. Avec ma rôtie. Et ma face de Daniel Johnson. Je suis fru. Un boudeur haït être tout seul. Le boudage solitaire ne procure aucun plaisir. J'ai tout perdu. J'ai encore manqué mon coup. Le boudage, c'est un peu comme la menace d'une loi spéciale. Il faut la brandir à temps. Et surtout la retirer à temps. Je ne maîtrise pas très bien la technique. Chaque fois que je boude, c'est Titi qui gagne. Tandis que quand c'est elle qui boude, elle obtient tout ce qu'elle veut de moi.

Le pire dans tout ça, c'est que je ne me rappelle même plus ce que Titi a dit pour que je me mette à bouder. Non. Le boudage est un art beaucoup trop subtil pour les gars. Il faut laisser ça aux filles. Elle sont plus intelligentes que nous.

Je pense que je vais aller acheter des accessoires de cuisine pour me faire pardonner...

L'important, c'est de participer

Le 18 juin 1971. J'ai 10 ans. Et comme tous les vendredis après-midi, je joue au soccer avec ma classe de sixième année, dans le gymnase de l'école Notre-Dame-de-Grâce. D'habitude, on joue entre nous autres. Pour le *fun*. Pour s'amuser. Mais aujourd'hui, ce n'est pas pareil. On affronte une autre école. Saint-Léon de Westmount. Et tous nos camarades des autres classes sont venus nous encourager. Il y a même des parents dans les gradins. Plein de yeux rivés sur nous. Ça nous énerve. Un peu. Beaucoup.

Monsieur Poirier, notre prof d'anglais transformé en *coach*, nous dit de rester calmes. Que c'est juste un jeu. Mais plus on entend les spectateurs crier « *Go NDG Go !* », plus on sent qu'on a l'honneur de notre école sur nos épaules. Et on n'a presque pas d'épaules !

Le match va commencer. M. Poirier envoie son premier trio sur le terrain. J'en fais partie. Pas parce que je suis bon. Non. Parce que mon meilleur ami, Stéphane Carrière, est le meilleur joueur de l'équipe et il tient à m'avoir à ses côtés. Malgré mes jambes croches et mon talent limité. Il dit que si on est inséparables dans la vie, on l'est aussi sur le terrain. C'est logique.

Triiiit ! L'arbitre vient de siffler. C'est parti ! Le ballon revole dans les airs. Tous les enfants partent à courir après. On dirait des petites planètes tournant autour du soleil. On crie. On tombe. On se relève. On a chaud.

Après dix minutes, le deuxième trio vient nous remplacer. On va se reposer sur les lignes de côté. D'habitude, quand ce n'est pas notre tour de jouer, on niaise, on se raconte des farces, on s'échange des cartes de hockey. Pas cet après-midi. On ne parle pas. On a les yeux dans le beurre. On entend les gens dans les gradins crier « Allez-y ! » Gagnez ! et on a peur de les décevoir. On angoisse. Quand on est sur le terrain, c'est plus facile de les oublier.

Après les deux premières demies, le score est de un à un. Ça va se décider en supplémentaire. La grosse pression.

Je m'en vais me chercher un verre de limonade. C'est notre Sudafed à nous ! En revenant vers le banc, je vois un de mes *chums*, Jean Boudreau, qui joue dans le deuxième trio, en grande discussion avec notre *coach*. Je m'approche pour comprendre ce qu'il dit.

« Faut enlever Laporte du jeu ! Y'avance pas, y marche de même... »

Il se met à imiter ma démarche.

« C'est comme si l'autre équipe avait un joueur de plus. Mettez moi avec Carrière pis on va gagner ! »

Boudreau se retourne et m'aperçoit.

« Je m'excuse Stéphane, mais faut gagner. »

Je suis figé là. Je ne bouge pas. Les pylônes de mon cerveau viennent de tomber. Je ne sais pas quoi faire. Je suis dans le noir. Boudreau me regarde avec les yeux de

Mario Tremblay regardant Patrick Roy. J'ai juste envie de pleurer. Je voudrais disparaître.

M. Poirier dit : « C'est Stéphane qui va décider. Veux-tu laisser ta place à Jean ? » Toute l'équipe se tourne vers moi. Misère ! Je penche ma petite tête et je fixe le sol. Au fond, Jean a raison. Si je ne joue pas, notre classe a plus de chances de gagner. Pour le bien de l'équipe, je devrais rester sur le banc. C'est la meilleure solution. Si on perd, les gars ne seront pas choqués après moi. Et si on gagne, les gars me remercieront d'avoir laisser ma place. Mais... mais je ne suis pas capable de dire que je lâche. C'est trop *down*. Je ne veux pas passer ma vie en touche. À regarder les autres. Je veux jouer. Je veux vivre. Même si je suis moins bon. Je relève ma tête et je dis :

« M. Poirier, merci, mais je vais jouer, je suis capable ! »

Boudreau donne un gros coup de pied sur le banc, en criant « On va perdre ! » M. Poirier me fait un clin d'œil. Et les autres gars regardent ailleurs.

La période supplémentaire va commencer. Je m'en vais rejoindre mon trio pour la mise en jeu. Mes jambes tremblent encore plus que d'habitude. Je sais que si l'équipe perd, ce sera de ma faute. Et que ça risque de me casser. Pour toujours. Stéphane Carrière s'approche de moi et me dit dans l'oreille : « Aie pas peur, on va gagner. » Je l'espère...

TRIIIIT ! L'arbitre vient de siffler. Le ballon s'envole et on se remet tous à courir après. Un grand blond de Westmount s'en empare et décoche un boulet. Notre gardien plonge dans les airs et nous sauve la vie. Surtout la mienne. Il me remet le ballon. J'avance sur le terrain. Le feu dans les yeux. Je déjoue par miracle un joueur. Et puis deux. Je vois l'ouverture à gauche. Je viens pour tirer, mais le grand blond m'enlève le ballon. Et il repart de plus belle.

Heureusement, Carrière parvient à le rejoindre et à s'emparer du ballon. Mon ami Steph remonte le terrain. Il déjoue un joueur. Et puis deux. Il tire. Et il compte ! On a gagné ! Les gars sont fous de joie. Tout le monde se félicite. Moi je suis encore sous le choc. Boudreau passe à côté de moi. Je lui donne la main. Il me la serre. Mais il ne me regarde pas.

Si j'avais été dans un film américain, c'est moi qui aurais compté le but gagnant et je serais devenu le héros de ma classe. Mais je ne suis pas dans un film. Je suis dans la vie. Je n'ai pas compté. J'ai juste… participé. En choisissant d'assumer l'échec qui aurait pu en découler. C'est mon seul exploit à moi.

Le *match* est terminé. Je rentre chez nous. C'est tout.

À tous les Jeux olympiques, on ressort la fameuse phrase du baron de Coubertin. *L'important n'est pas de gagner, c'est de participer.* Et tout le monde s'en moque un peu. Pas moi. Je sais qu'elle est vraie.

Il faut sauver les églises

Êtes-vous allés à la messe de Pâques ? Non ? Moi non plus. À Noël, on se force un peu. C'est spécial. C'est la nuit. Mais à Pâques, il fait trop beau. On laisse faire. Ça ne fait pas partie du spectacle. À Rome, j'irais. Ici, non.

Malgré vous et moi, il devait quand même y avoir un peu plus de gens à l'église aujourd'hui que la semaine dernière. Et que la semaine prochaine. C'est pas difficile. Les églises se vident. Aucune de mes connaissances ne va à l'église. À part ma mère, qui y va tous les jours.

J'ai beau ne pas y aller, pourtant j'ai de la peine chaque fois que je vois une église fermée, chaque fois que je vois une église transformée en condominiums. J'appréhende le jour où il ne restera plus que l'Oratoire, la Basilique et l'église Notre-Dame, où toutes les églises de quartier seront abandonnées faute de pratiquants. J'ai peur que, ce jour-là, les villes et les villages aient perdu leur âme. C'est plus grave que perdre les Expos, perdre son âme.

Car dans chaque ville, dans chaque village, le plus bel endroit est l'église. Que ce soit à Paris ou à Brossard. C'est le château de tout le monde. Les hommes ont bâti une immense maison pour pouvoir y mettre un peu de ciel. Un peu d'infini. Quand on y entre, on a l'impression d'entrer dans un autre monde. On a beau être au coin de chez soi, soudain on est très loin. En voyage. Dans un endroit en dehors du temps. Dès que la porte se referme, il y a comme un mystère qui vous traverse le corps. On n'entend que le bruit de nos pas. Et puis, quand on s'assoit, plus rien. Que soi. Avec soi. Sur cette planète de centre commerciaux, de machines à sous et de Forum Pepsi, c'est bien qu'il existe un endroit à l'abri du bruit et des concessions. Un endroit sans marchands du temple. Un endroit où il n'y a rien d'autre que la paix. Il ne faut pas toucher à ça. Il faut sauver les églises.

Les églises sont les musées de l'âme humaine. Elles devraient être toujours ouvertes. Pas seulement à l'heure des messes. Une église, c'est beaucoup plus que la messe. Les gens devraient pouvoir y aller quand bon leur semble. Pour prendre un peu de recul. Pour prendre un peu de paix. Sans cérémonies. Avec seulement la voix de Dieu, qu'on appelle aussi le silence. Bien sûr, c'est pour prévenir les vols et le vandalisme qu'on les verrouille, mais que l'on y place un gardien. Une église, ce n'est pas moins important qu'une banque.

L'église devrait être le lieu de rassemblement de tous les gens qui veulent aider, de tous les gens qui militent pour la paix, de tous les gens qui luttent contre la pauvreté. Les écoles devraient y présenter des concerts. Toutes les semaines. Et on y ferait la quête pour aider les démunis pendant que les jeunes chanteraient l'espoir. On pourrait aussi y faire des nuits de la poésie. Et *des sit-in* contre la guerre. Bref, l'église devrait accueillir toutes les formes de prières. Quand quelqu'un du quartier vivrait un malheur, c'est à l'église qu'on se rassemblerait pour le soutenir, pour l'aider. Pas besoin d'attendre qu'il meure.

Je sais que déjà, dans plusieurs paroisses, l'église est devenue un lieu d'entraide. Il faudrait que ce soit le cas partout. Et que l'église devienne le lieu où l'on va quand on ne sait plus où aller.

Ne laissons pas les églises mourir. Ne laissons pas les entrepreneurs remplacer les vitraux par des fenêtres doubles. Car même si, malgré tous les efforts, on n'arrivait pas à y ramener le peuple, les églises auront toujours leur utilité. En étant là. Pour la beauté du paysage. Comme les montagnes et les étoiles. Pas besoin d'aller sur une étoile pour qu'elle nous soit utile. Juste en la regardant, elle nous fait rêver. Même chose pour les églises. Quand on en voit une en marchant ou en voiture, on est bien. On la regarde plus longtemps que les autres bâtiments. Car elle représente quelque chose. Parce que ceux qui l'ont bâtie avaient la foi. Et ça, ça paraît. Même pour quelqu'un qui doute. Une église dans une rue, c'est du Bach entre deux solos de *drum*. Le jour où l'on rasera les clochers, où les églises deviendront des *blocs*, nos villes seront aseptisées. Nos villes seront un gros Home Dépôt.

Il faut que nos gouvernements votent une loi pour que toutes les églises soient classées monuments historiques. Et que les églises demeurent des églises jusqu'à la fin des temps.

Vous direz que cet appel venant d'un gars qui n'est pas allé à l'église depuis une éternité ne vaut pas grand chose. Peut-être. Mais si ça peut éveiller les pouvoirs avant qu'il ne soit trop tard, avant que, sur tous les parvis, il y ait une pancarte de Re-Max, tant mieux. C'est vrai que je ne vais pas à l'église, mais je sais que j'en ai besoin. Au fond, c'est un peu comme un hôpital. L'hôpital de l'esprit. Tant qu'on va bien, on vit dans le monde. Et on fait ses affaires. Mais quand arrive un coup dur, on a besoin d'un endroit pour panser ses plaies. Un endroit pour guérir. Quand la vie me fera mal, quand je perdrai un être cher, quand je ne trouverai plus de sens à mon existence, je vais sûrement avoir besoin d'une église. Pour me retrouver. J'espère qu'il y en aura encore.

Joyeuses Pâques, tout le monde !

La critique de ben Laden

Le film *Fahrenheit 9/11* est l'événement de l'été. Tout le monde en parle. Il y en a qui disent que c'est génial, d'autres que c'est démago. Chacun a son opinion. Votre dévoué chroniqueur a pensé qu'il serait pertinent de recueillir les commentaires d'un des personnages princi-paux de ce documentaire, Oussama ben Laden. Voici en primeur dans *La Presse* la critique de *Fahrenheit 9/11* signée par le leader d'Al-Qæda.

Chers lecteurs de journal décadent,

Il faut d'abord que vous sachiez que je suis un critique de cinéma très dur. Très, très cochon. Moi, les films, je les descends aussi rapidement que les avions. Je suis d'ailleurs un très grand cinéphile. Un expert en la matière. Depuis le 11 septembre 2001, je suis caché dans ma grotte, et je ne fais que ça, regarder des vues. Je n'ai rien d'autre à faire. Au début, je regardais aussi les nouvelles. Quand elles parlaient de moi. Mais là, y en parlent pus. Pus un mot. C'est rendu qu'on voit plus souvent les Expos à la télé que moi. Ça va mal ! Va falloir que je fasse de quoi. Mais ça, c'est un autre un dossier. Aujourd'hui, je vous écris en tant que René Homier-Roy des terroristes. Car depuis presque trois ans, je regarde cinq films par jour. Je les ai tous vus. Même *Les Dangereux*.

Au début, quand j'ai reçu la cassette de *Fahrenheit 9/11*, je ne savais pas c'était quoi. Je pensais que c'était un documentaire sur la météo, qu'on verrait Yannick Marjot. En tout cas, ç'aurait été meilleur. Parce que j'ai haï ça. Détesté. Pourri. Non, mais d'abord pour qui il se prend, le gros Michael Moore, pour s'attaquer à Bush !? C'est mon Bush. C'est mon ennemi. Il est à moi ! Qu'il s'en trouve un. C'est mon droit d'auteur. Je veux ma cote ! Et puis c'est pas correct comment il l'attaque. C'est déloyal.

Moi, quand j'attaque Bush, il comprend. Ça lui prend un peu de temps. Il reste assis dans la classe de primaire durant sept minutes, la bouche ouverte. Mais il finit par comprendre.

« Il y a eu deux gros BADABOUMS à New-York, pis un plus petit BADABOUM à Washington, monsieur le Président.

— Ah, OK ! »

Bush comprend le langage du bombardement. Il est même capable de le parler. De répliquer. Et de faire plein de BADABOUMS lui aussi. En Afghanistan et en Irak. C'est dans sa culture. L'attaquer à coups d'explosions, c'est correct. Mais l'attaquer à coups de documentaire, c'est pas du jeu. George ne sait même pas c'est quoi, un documentaire. Il est sans défense. Pourquoi pensez-vous que Bush n'a pas répliqué au film de Moore ? Parce qu'il ne l'a pas compris encore ! Son père l'a forcé à le regarder. Je le sais, il me l'a dit. Mais Junior n'écoutait pas durant la projection. Il était trop excité de se voir sur un grand écran.

Il arrêtait pas de répéter : « Wow ! Je ne savais pas que j'avais joué dans un film. Wow ! Je suis gros comme Arnold. » Il a demandé à ses conseillers qu'on lui repasse des dizaines de fois la séquence où on le voit jouer au golf. Il en a profité pour corriger son élan. Bref, il n'a rien pigé des rapprochements et des théories du gros bedon provocateur.

Moi, bien sûr, j'ai tout compris. Et je trouve farfelues les accusations du baquet cinéaste. Premièrement, il met en doute la légitimité de Bush parce que Gore a obtenu plus de votes que lui aux élections présidentielles. Pis ? Allah s'en fout ! On voit plein de membres de la communauté noire venir se plaindre au Sénat que leur vote n'a pas compté. Hon ! Moi, dans Al-Qæda, quand quelqu'un vient se plaindre que son vote n'a pas compté, c'est pas long qu'il est choisi pour faire le prochain attentat suicide. Tu veux compter, tu vas compter pour quelque chose ! KABOUM ! Ça règle le problème.

Après ça, Big Moore se scandalise que les membres de ma famille aient eu la permission de décoller des États-Unis au lendemain du 11 septembre. Que seuls les ben Laden ont eu le privilège de survoler le territoire américain, quand tous les avions devaient rester au sol. Franchement ! Mes cousins ont voulu embarquer d'autres personnes avec eux. Des Smith, des Monahan, des Johnson, etc. Mais je ne sais pas pourquoi personne, le 12 septembre, n'avait le goût d'être dans un avion avec 50 ben Laden. Que voulez-vous, les Américains sont racistes !

Le très enveloppé réalisateur dénonce aussi le fait que ma famille est amie avec la famille Bush. *So what ?* Faut que tu comprennes quelque chose, petit *pitbull* impie à casquette de baseball : quand tu vas aux Oscars, tu rencontres Jackie Chan pis Pamela Anderson. Vous faites partie de la même famille. La famille du *show-business*. Ben les Bush et les ben Laden, on fait partie de la même famille aussi. La famille des puissants. Des grosses poches. On va aux mêmes *partys*. Les *partys* de ceux qui *runnent* la boule. Ça veut pas dire qu'on s'aime, mais c'est sûr que lorsqu'on se voit, on a du *fun* et on rit. On est une petite *gang* pis on fait ce qu'on veut avec six milliards de personnes. Y a de quoi rire ! Mais ça veut pas dire qu'on se chicane pas des fois. Saddam, avant, il venait à nos *partys*. Maintenant, il ne vient plus.

Parlant de Saddam, le tourneur de manivelle mangeux de porc passe le reste de son documentaire à démontrer que Doublevé a menti aux Américains à propos de la guerre en Irak. Qu'il n'y avait pas d'armes de destruction massive. Moi, ça me fait rire, ce débat-là ! Si y avait des ADM, là, la guerre était correcte. Pas d'ADM, c'était pas correct. Non mais c'est quoi, une arme de destruction massive ? Avec un Exacto, ma *gang* a détruit les deux plus gros buildings de New York. Y a sûrement des Exactos en Irak. Il n'existe, au fond, qu'une seule arme de destruction massive, c'est la volonté. Et ça, ça se prend pas en photo-satellite.

Mais c'est vrai qu'on peut se demander pourquoi, au lieu de me pogner moi, après le 11 septembre, petit George a préféré pogner le sosie du Doc Mailloux. Est-ce à cause du pétrole ? Possible. J'en ai aucune idée. Mais ça fait ben mon affaire !

Sur le plan artistique, *Fahrenheit 9/11* a quand même de belles qualités. Il y a de très belles scènes. Surtout quand on me voit marcher dans le désert. Mais y en a pas assez à mon goût.

D'ailleurs comme je sens que mon étoile est en train de pâlir, j'inviterais le palmé de Cannes à venir faire son prochain documentaire dans ma grotte. Laisse mon Bush tranquille, Michael. Je m'en occupe. Et attaque-toi à un personnage qui en vaut vraiment la peine. Je vais te laisser carte blanche. On pourrait appeler ça *À hauteur de turban*. Tu tournes ce que tu veux. Accès illimité. Mais si j'aime pas ça, t'es pas mieux que Moore.

Pour l'instant, je donne à *Fahrenheit 9/11* une tour et demie.

Le 25 avril 2004

La retenue de la Coupe Stanley

Mai 1973. Je suis assis dans ma classe, la 1-C, au Collège de Montréal. Tout seul. Il est un peu passé 18 h. Je ne fais rien. Je suis en retenue. Jusqu'à 19 h. Ce midi, j'ai enfreint un règlement du Collège :

Aucun étudiant ne peut, durant la période du dîner, sortir hors des limites du terrain du Collège.

Je suis sorti. J'ai franchi les grands murs de pierre qui donnent sur la rue Sherbrooke. Et j'ai marché jusqu'à Atwater. Il n'y a pas un règlement au monde qui m'aurait empêché de le faire. Le Canadien a gagné la Coupe Stanley. Et c'était aujourd'hui la parade. Je sais qu'il faut dire défilé. Mais c'est plus beau « parade ». Ma première parade. En 1968, 1969 et 1971, je l'avais regardée à la télé. J'étais trop petit pour y aller. Mais là, les foules ne me font plus peur. J'ai 12 ans. Je suis un grand. Et le Forum est tellement près du collège. C'était trop tentant. Je ne suis pas le seul qui a craqué. L'Écuyer, Hurtubise, Corbeil et Hanson ont sauté le mur avec moi. On est arrivés 10 minutes après la fin du cours de français. On a couru tout le long. Mais il y avait déjà des milliers de personnes. C'est à peine si j'ai vu la Coupe Stanley. Tout le monde me cachait. Les joueurs étaient assis sur des Corvettes. Pas évident. Une chance que Dryden est grand. J'ai aperçu le bout de ses lunettes. Hanson voulait à tout prix son autographe. Il a rampé, à quatre pattes jusque devant la Corvette, qui a failli l'écraser. Un policier s'est jeté sur lui et l'a ramené sur le trottoir. Mais Hanson n'a pas renoncé. Un coin de rue plus tard, il avait la signature de Dryden écrite dans son cahier de français. L'Écuyer, Hurtubise et Corbeil ont réussi à avoir les autographes d'Yvan Cournoyer et de Serge Savard.

« Toi, t'as celui de qui ? » m'a demandé le grand L'Écuyer.

J'avais un peu honte de lui répondre. Je lui ai tendu un morceau de mon bulletin déchiré. « C'est qui, ça ? » Il n'était pas capable de lire.

« Je comprends rien. C'est qui ?
— John Van Booxmeer.
— John Van Booxmeer !?! »

L'Écuyer s'est mis à rire comme un fou. Il est allé voir les autres : « Hey, la *gang*, vous savez pas quoi ? Laporte a l'autographe de John Van Booxmeer !!! » Hanson s'est roulé à terre. Corbeil et Hurtubise sont entrés en transe. C'est pas de ma faute. Chus petit. J'ai pas beaucoup d'équilibre. J'ai essayé à plusieurs reprises de rejoindre la voiture de Cournoyer, mon joueur préféré, mais je n'y suis jamais arrivé. Après deux chutes et trois coups de coude, j'ai changé d'idée. Et ce ne fut guère mieux pour Dryden, Richard et Lapointe. La seule Corvette où il n'y avait personne, c'était celle de Van Booxmeer. Il a quand même gagné la Coupe Stanley ! De toute façon, je n'avais plus le temps de chasser des plus grosses pointures, il était presque 13 h. On a pris nos jambes à notre cou. Et on est revenus avant que la cloche sonne. Les sulpiciens ne se seraient aperçus de rien.

Sauf que... Les prêtres ne sont pas fous. Ils se sont douté que certains de leurs élèves avaient dû transgresser le règlement pour aller fêter la victoire du Tricolore. Ils sont habitués. Il y a des défilés de la Coupe Stanley aux deux ans. Ils nous ont donc réunis dans la grande salle et le père Lavoie a pris la parole : « On a eu vent que certains élèves seraient allés au Forum, ce midi. Est-ce vrai ? » Personne n'a dit un mot. L'Écuyer, Hanson, Corbeil et Hurtubise regardaient le plafond. Moi aussi. Mais je me sentais pas bien. J'avais l'impression de trahir le Canadien. Je suis un partisan. Un vrai. Tatoué. Et je dois l'assumer. J'ai levé la main : « Moi, j'y suis allé ! » Tous les gars m'ont regardé. Le père m'a demandé : « Es-tu allé seul ? » J'ai répondu : « Oui. » Si je ne trahis pas le Canadien, je ne vais pas trahir mes amis. Pis c'est pas vraiment un mensonge. Je marche tellement plus lentement que mes *chums* que j'étais plus tout seul qu'avec eux !

Le père Lavoie n'a pas semblé convaincu : « Comme ça, Stéphane est le seul à être allé au défilé de la Coupe Stanley... Très bien. Alors Stéphane, tu resteras en retenue ce soir, durant trois heures, ça va te donner le temps de lire le règlement du Collège. Maintenant, tout le monde, vous pouvez vaquer. Allez à vos cours ! » L'Écuyer est venu me dire merci dans l'oreille. Et on est partis à notre cours de latin...

Sept heures moins quart. Encore 15 minutes à attendre. C'est bizarre. Même si je suis en retenue, je me sens bien. Pas du tout humilié. Même que je me suis rarement senti aussi fier de moi. Je suis le martyr du Canadien ! Le père Lavoie entre dans la classe :

« Alors, Stéphane, tu as bien lu le règlement ?

— Oui, père...

— Et qu'est-ce qu'il dit, le règlement, à propos des heures du dîner ?

— Que nous n'avons pas le droit de quitter les limites du terrain.

— Alors, tu ne le feras plus ?

— Non, je ne le ferai plus.

— Bon, tu peux y aller. Ton père t'attend devant la porte principale. »

Je me lève. Je ramasse mes livres. Et je m'en vais. Le père Lavoie me prend par le bras juste avant que je ne sorte de la classe. Il glisse un papier dans ma poche de veston, en disant : « Bonne soirée ! »

Aussitôt dans le corridor, je sors le papier de ma poche. C'est l'autographe d'Yvan Cournoyer ! Le père Lavoie y est allé lui aussi ! Je chante « Les Canadiens sont là » en allant rejoindre mon papa. Il me chicane un peu. Pour la forme. Ça ne me fait rien. La journée a été trop belle. Et je suis si heureux.

Trois ans plus tard, le Canadien a encore gagné la Coupe Stanley. Et j'ai encore défié les règles du Collège pour aller au défilé. Surtout que je me rappelais l'autographe de Cournoyer. Je me suis dit que le père Lavoie avait dû regretter de m'avoir mis en retenue. Que, cette fois, j'allais m'en sauver. Pas du tout ! J'ai été en retenue durant quatre heures. Et l'année suivante aussi.

Comme j'aimerais l'être encore cette année...

Une mère avec son enfant

Samedi après-midi. J'arrive chez mon ami Jean-René, dans les Laurentides. La voiture s'aventure dans le petit chemin rocailleux. J'aperçois, devant la maison, Jacinthe, la blonde de Jean-René, avec Arnaud dans ses bras, leur petit pou. Ils attendent l'arrivée de parrain. Je les regarde. Ils sont trop mignons. Vraiment, il n'y a rien de plus beau au monde que cette vision. Une mère avec son enfant. Saint-Ex a dit que l'essentiel est invisible pour les yeux.

C'est presque toujours vrai, sauf lorsqu'on regarde une mère avec son enfant. L'essentiel devient visible. Ce qu'il y a entre eux est presque palpable tellement c'est fort. Ce qu'il y a entre eux paraît dans leurs yeux.

Ça m'émeut chaque fois. Que ce soit au restaurant, dans la rue ou chez des amis, chaque fois que je croise une maman avec son jeune enfant, j'ai l'impression d'être témoin du bonheur. J'ai vu Dieu : c'est une mère qui se promène avec son bébé. Leur amour est tellement vrai qu'il rayonne.

Elle a la sérénité de celle qui sait enfin ce qu'il y a de plus important dans la vie : lui. Il a la confiance totale de celui qui sait que le plus merveilleux des anges veille sur sa vie : elle. Ce n'est pas de la poésie. Sans elle, il n'existerait pas. Sans lui, elle n'existerait plus.

Ce sont les plus grands complices au monde. Ils ont fait un coup ensemble. Le coup de l'existence. Son premier regard, son premier sourire, sa première larme, sa première joie, sa première peur, son premier mot, son premier pas, c'est ensemble qui les ont vécus.

Les liens sont tissés tellement serré que ça paraît quand on les voit qu'ils sont ensemble. Ensemble comme personne d'autre ne peut l'être. Inconditionnellement. Ils ne font pas un. Ils font deux.

Jacinthe a entendu le bruit de l'auto. Elle se retourne et montre à Arnaud la voiture : « Regarde, c'est parrain ! » Ses yeux s'agrandissent un peu. Il ne voit pas bien. Le soleil fait des reflets sur le pare-brise. Mais il croit sa mère. Alors il fait des beaux sourires. Il est craquant. Avec sa petite coupe de *Beatle* blond. Et plus Arnaud sourit, plus Jacinthe sourit. Je vous le dis, ils sont branchés sur le même cœur.

C'est ça qui me fascine. Tellement que j'en radote. Tellement que j'en radote. On peut être en amour par-dessus la tête avec quelqu'un, on peut avoir un ami à la vie à la mort, mais on ne sera jamais aussi près de lui ou d'elle qu'une mère est proche de son petit enfant. Impossible. Il est sorti d'elle. Elle le nourrit, l'endort, le réveille et l'aime. Elle est son univers. Et il est son étoile. Rien ne rivalise avec ça.

Un jour, Arnaud va avoir des boutons. Il va écouter de la musique de scies électriques. Porter une tuque 24 heures sur 24. Et prendre ses distances avec sa mère.

Mais pour l'instant, et pour encore bien des années qui passeront trop vite, il est complètement fou d'elle. Et il a raison. Elle ferait tout pour lui. C'est la meilleure des mamans. Et il est le meilleur des petits culs.

Arnaud dans les bras de Jacinthe. Une mère avec son enfant. Le temps s'est arrêté durant une dizaine de secondes. Dans ce monde rempli d'images d'horreur, ça m'a fait du bien de contempler ça. L'amour pur. L'amour vrai.

Bien sûr, il doit exister des mamans qui n'aiment pas autant leur enfant. Qui n'en sont pas capables. Il y a des cœurs blessés. D'où naissent les souffrances. Mais aujourd'hui, ce que j'ai devant moi, c'est l'amour maternel dans toute sa beauté. Il y a de quoi s'inspirer.

Mon ami Richard coupe le moteur de la bagnole. On est arrivés. J'ouvre la portière. Jacinthe et Arnaud sont là : « Donne un bec à parrain Stéphane... » J'embrasse mon filleul. Je fais la bise à Jacinthe. Elle ne me regarde pas. Elle regarde Arnaud me regarder. C'est ça, une mère. Quand elle vous montre son enfant, elle le regarde encore plus que vous. Comme si elle n'en avait jamais assez de le regarder.

Tout en continuant d'admirer Arnaud, elle me dit : « Viens, Jean-René est sur la galerie, en arrière. Hé, il faut que je te montre les nouvelles photos qu'on a d'Arnaud ! »

Pas fière à peu près. Arnaud est à deux pieds de moi, mais en plus, il faut que je le regarde en portrait. Et je sais que lorsque je vais regarder les photos, Jacinthe va les regarder encore plus que moi. Pour la millième fois. Et elle va le trouver si beau. Et c'est vrai qu'il est beau. Presque aussi beau que l'amour qu'il partage avec sa maman.

Jacinthe est partie chercher les photos. Arnaud dit : « Où maman ? » Elle revient dans deux secondes, mon grand. Il se lamente un peu. Deux secondes, c'est mille ans quand on aime autant.

Bonne fête à toutes les mamans. Et merci de nous montrer c'est quoi la vie, c'est quoi l'important.

Couple au volant

Je monte dans la voiture. Destination Boston. Un petit voyage d'amoureux avec Titi. C'est moi qui conduis. Bien sûr ! Le partage des champs de compétence dans un couple est clair. Dans la maison, c'est la femme qui conduit. Dans l'auto, c'est l'homme. Le problème, c'est que la femme a un petit côté Jean Chrétien. Elle aime s'ingérer dans le champ de l'autre. Elle nous impose toutes sortes de restrictions.

« OK, tu veux encore conduire, conduis. Mais va pas trop vite. Essaie pas de dépasser des gros camions. Arrête-toi aussitôt que je te dis d'arrêter. Pis freine pas raide !

L'homme conduit le char. La femme conduit l'homme. C'est la vie.

Je ne dis pas un mot et je pousse une cassette dans le lecteur.

Baby you can drive my car... Yes I'm gonna be a star !

« Ah non, pas encore les *Beatles* !

— Quoi, c'est bon les *Beatles* !?

— Oui, mais c'est toujours ça qu'on écoute. Mets ma cassette de Michael Bolton ! »

Ah misère ! Michael Bolton ! Et on n'est même pas rendus sur le pont Champlain ! Je me crispe un peu en pesant sur le gaz.

Il importe avant d'aller plus loin de prévenir tous ceux qui s'aventureront sur les routes durant les vacances de la construction. Faites très attention ! Car vous risquez de croiser le plus grand de tous les dangers routiers. Non, ce n'est pas Jean-Pierre Ferland. C'est nous. Les couples au volant. Il y a en ce moment, sur les voies publiques, plein de conjoints et de conjointes enfermés ensemble dans le même habitacle pour plusieurs heures. C'est extrêmement dangereux. À force de se faire dire par leurs blondes comment conduire, les chauffeurs chauffent ! Il y a plus de boucane qui sort de leurs oreilles que du tuyau d'échappement ! Vaut mieux ne pas les suivre de trop près.

Car l'automobile accentue les divergences entre les sexes. Batman et Robin en voiture ? Pas de problème. Ils ont ben du *fun*. Thelma et Louise en voiture ? Pas de problème. Elles s'éclatent. Mais Batman et Louise en voiture ? *Big* problème ! Ils vont finir par s'engueuler. C'est sûr ! Pour vaincre ce fléau, on a même créé un organisme nommé CAA : Couples automobilistes anonymes. On essaie d'apprendre aux couples comment devenir de bons compagnons de route. Mais le taux de rechute est énorme.

Love is a wonderful thing...

On a passé la frontière. On roule sur la 89.

« Tu feras attention de ne pas manquer la jonction avec la 93 !

— Titi, depuis tantôt tu me dis où aller, laisse-moi faire, je sais où je m'en vais ! »

Ma blonde, rassurée, s'écrase dans son siège. Elle somnole un peu. Il faut dire que trois heures de Michael Bolton, ça endort. J'en profite pour mettre la radio. Je joue avec les postes. Oups ! Je pense que je viens de manquer la jonction pour la 93. Au lieu d'être sur la 3 A South, on est sur la 106 North. À moins que Boston ait déménagé, on n'est pas du bon bord. Je fais un *U-turn*. Ma blonde se réveille.

« Qu'est-ce que tu fais ?!

— Je voyage...

— T'as manqué la jonction pour la 93 ?

— Oui, mais pas de beaucoup...

— Sais-tu comment retrouver notre chemin ?

— Oui. C'est soit à gauche, soit à droite ou tout droit...

— On est perdus ! »

Pas de panique ! C'est vrai que plus on avance, plus le paysage devant nous ressemble de moins en moins à la Nouvelle-Angleterre et de plus en plus à la planète Mars. Mais il faut garder espoir. Après m'avoir laissé virailler durant quelques minutes, ma blonde s'impatiente. C'est alors qu'elle commet un sacrilège :

« On va aller demander des renseignements au garage là-bas...

— Ça, NON ! JAMAIS !

— Comment ça jamais !? On est perdus ! Donne-moi une bonne raison de ne pas arrêter pour demander des renseignements ?

— C'est simple, c'est parce que je suis un vrai homme. Et un vrai homme ne s'arrête pas en chemin pour demander des renseignements. Un vrai homme se débrouille. Seul. Parce que nous, les vrais hommes, quand nous partons sur la route, nous ne sommes pas de vulgaires chauffeurs du dimanche, nous sommes les descendants de Christophe Colomb à la découverte du monde. Et Christophe Colomb ne s'arrêtait pas en chemin pour demander des renseignements !

— Ben y'aurait dû ! Parce qu'il s'en allait en Inde pis y s'est retrouvé aux Bahamas ! Peut-être que si y s'était arrêté pour demander des renseignements à un garage du Groenland, le garagiste lui aurait dit qu'il se trompait de bord ! Alors mon gros Colomb, arrête-toi au garage ! »

Le gros Colomb est bouché. J'arrête au garage. Ma blonde baisse sa vitre et sort son anglais du Saguenay :

Sorry if I do simple, but I want to come in Boston !

Le garagiste sourit et explique à Titi le chemin pour prendre la 93. Par principe, je ne l'écoute pas. Comme Titi comprend aussi bien l'anglais qu'elle le parle, on se reperd à nouveau. C'est là que la chicane pogne. Grosse chicane. Fini les vacances ! On décide de retourner à la maison. Et c'est en essayant de revenir à Montréal qu'on trouve finalement la route qui mène à Boston !

On est choqués, mais on n'est pas fous, on décide donc de se réconcilier. Vive les vacances ! Ma blonde m'offre même de mettre ma cassette des *Beatles*...

The long and winding road...

C'est la nuit. Titi s'est endormie. Je suis bien. Quand j'écoute mes *Beatles*, je pourrais rouler durant des semaines sans me fatiguer. On devrait arriver à Boston d'un instant à l'autre. Oups ! Je suis mieux de freiner, il y a un maudit gros trou devant nous. C'est quoi ça encore ? Lisons la pancarte. C'est écrit Grand Canyon, Colorado. Je pense que je suis mieux de faire un *U-turn*. Doucement. En espérant que ma blonde ne se réveille pas...

☙❧

L'orgueil ne gèle jamais

« L es gars, il fait trop froid aujourd'hui, jouez dans la maison ! » Il n'en est pas question. On est samedi. Et le samedi, mon frère et moi, on joue au hockey dans la ruelle contre les Anglais. C'est sacré. Bertrand attache ses bottes. Je mets ma tuque. Ma mère hausse le ton : « Vous ne comprenez pas. On ne sort pas par un temps pareil. Il fait moins 25 ! » Et moins 25 en 1967, c'est vraiment *frette*. Bien plus qu'en 2004. D'abord, c'est en Fahrenheit. C'est pas des degrés de ballerine, les degrés Fahrenheit. C'est des degrés de bûcheron. L'eau gèle à 32 degrés Fahrenheit. Pas à zéro. Alors quand t'es rendu en dessous de zéro, c'est vraiment qu'il ne fait pas chaud. Et le seul facteur qui existe, c'est celui qui distribue le courrier. Le facteur vent n'a pas encore été inventé pour faire grossir les chiffres. Y fait moins 25, y fait moins 25. Le vent, c'est en prime. Y fait peut-être moins 100, et on s'en fout. On n'est pas des moumounes. Surtout pas mon frère et moi. On est en train de mettre nos gants.

Ma mère se tourne vers mon père : « Dis-leur quelque chose ! » Mon père fait la moue : « Tant pis pour eux, ils vont geler. » Pauvre maman ! Si ma mère avait voulu qu'on aille dehors, mon père s'y serait opposé, mais là, comme ma mère s'oppose, mon père fait l'indifférent. C'est notre dynamique parentale. La théorie du contrepoids. Le rapport Trudeau-Lévesque. Ma mère décide donc de céder : « OK, mes deux têtes dures, vous voulez jouer dehors, vous allez jouer dehors, mais vous allez vous habiller mieux que ça. Allez dans vos chambres ! » On a gagné notre point, mais à quel prix ! Il faut que je mette ma combinaison à manches longues, celle qui pique au mauvais endroit. En plus, j'enfile une camisole. Un chandail bleu, un chandail rouge, un chandail vert. Un pantalon en laine, une combinaison de *ski-doo*. Trois paires de bas. Mes pieds sont rendus tellement gros que je suis obligé de mettre les bottes de ma sœur, qui a quatre ans de plus que moi. Un foulard. Une petite paire de gants. Une grosse paire de gants. Un passe-montagne avec une tuque par-dessus. Il ne reste plus un seul vêtement dans ma garde-robe : je les ai tous sur le dos. Et c'est là que me prend l'envie de pipi. On recommence. Vingt minutes plus tard, je suis enfin prêt. Bertrand aussi. Mais je ne le reconnais plus. Il est rendu tellement gros avec toutes ses épaisseurs, on dirait le Bonhomme Carnaval. Je ne suis même pas sûr que c'est vraiment lui : « Bert, c'est-tu toi ? » Il marmonne, la bouche derrière ses deux foulards : « Ben oui, épais ! » Pas de doute, c'est lui.

On ramasse nos hockeys et on prend chacun un filet sur notre épaule. Ma mère ouvre la porte et nous donne une tape sur les fesses : « Vous ne restez pas plus qu'une heure ! C'est clair ? » Elle referme la porte.

Oh *boy*! On gèle ! C'est effrayant. Notre réflexe aurait été de retourner immédiatement dans la maison sans hésiter. Mais on ne peut pas. Ça fait trois heures qu'on chiale qu'on veut aller dehors. De quoi on aurait l'air ? Mon frère et moi, on se regarde dans les yeux. Pour être bien sûr que l'autre ne nous lâche pas.

« Tu viens ?

— Ouais. »

Le grand de 13 ans et le petit de 6 ans descendent l'escalier. On installe les filets aux deux extrémités de l'entrée du garage. On frappe quelques balles avec nos hockeys en attendant les Anglais. Midi et cinq, les Anglais sont en retard. Midi et dix. Midi et quart. Les Anglais ne sont toujours pas là. Ils ne viendront pas. Les Anglais ne sont pas fous. Je m'approche de Bert :

« ... Est... on... ait ?

— ... A'on ? »

Nos bouches sont gelées. On n'est pas capables de prononcer. Je mords mon foulard.

« Qu'est qu'on fait ?

— M'man a dit qu'on pouvait rester une heure, si on rentre avant, on a l'air fou...

— Ouais... On va ouer... »

Et on se met à jouer l'un contre l'autre. Avec fougue. Il y a tellement de buée qui sort de nos bouches, on a l'air d'une raffinerie. Maman nous regarde par la fenêtre. Elle dit à ma sœur : « Ils sont bons, tes frères. Ils ont même pas l'air d'avoir froid ! »

Tu parles ! C'est la seule fois de ma vie où j'apprécie quand mon frère me fait un double échec dans le dos : ça me réchauffe. Mes yeux pleurent des larmes de glace et de mon nez coule de la *slush*. J'ai le visage givré. Mais il reste encore 30 minutes à endurer. Chaque partie de mon être est gelée. Sauf mon orgueil. L'orgueil ne gèle jamais.

Deuxième période. On change de côté. C'est à mon tour d'avoir le vent dans le visage. C'est effrayant ! Le vent est sûrement le plus modeste de tous les éléments. On ne le voit jamais, mais Dieu qu'il est puissant ! Je ne suis plus capable. Mon frère s'échappe devant moi. Il lance. La balle de tennis frappe le poteau... et fend en deux. POC ! La balle est morte. On ne peut plus jouer. Je cours vers la maison. Youppi ! Au même moment, j'entends : « *Oh ! the frozen frogs !* » Les Anglais viennent d'arriver. Paul et Barry ont une balle dans leur poche. On peut jouer. Je vais mourir. Je retourne devant le filet. Les Anglais nous massacrent. Mon frère et moi, on a l'air des joueurs d'un jeu de hockey sur table. On a une seule dimension. On est pris dans un pain. Immobiles ! C'était la tactique de nos voisins. Arriver en retard. Nous laisser geler. Ils devaient nous regarder de leurs chambres en riant. Les *snow-ros !*

Malheureusement pour eux, après la première période, on leur dit bye-bye. Le match ne comptera pas.

« *How come ?*

— Notre h'ère nous a dit de h'ester seulement une heure dehors et ça h'a h'aire une heure dans exacte'ent cinq secondes, h'aut qu'on y aille !

— *Come on, guys !* Votre mère a dit ça de même ! Attendez qu'elle vous appelle !

— Non, non, quand h'a'an dit quelque h'ose, on l'écoute !

— Depuis quand ?

— Depuis tou'suite ! »

On court vers la maison. Plutôt, on se laisse pousser par le vent, parce que nos jambes sont gelées. On dirait deux tas de linge qui volent. Ma mère nous accueille :

« Pis, les gars, pas trop gelés ?

— Non h'as h'u h'out ! »

Ça a pris une heure pour enlever toutes mes pelures. Je suis allé rejoindre mon père devant le feu de foyer. Ma sœur m'a fait une tasse d'Ovaltine. J'étais toujours gelé mais fier de moi. Je n'avais pas perdu la face. Même si je ne la sentais plus !

Vous avez dit joyeux ?

Il y a ceux qui, comme moi, ont perdu quelqu'un qu'ils aiment cette année. Un parent, un enfant, un amour. Emporté par la mort. Et qui vont passer la soirée à le chercher. À le regretter.

Il y a ceux dont le cœur a été brisé par quelqu'un qui les a laissés. Et qui vont passer la soirée à essayer d'oublier. À essayer de continuer.

Il y a les enfants dont les parents se sont séparés et qui, ce soir, devront fêter avec l'un ou avec l'autre. Mais sans les deux.

Il y a les enfants dont les parents vont se chicaner encore ce soir. Parce que le cadeau n'était pas beau. Parce que la dinde n'était pas cuite. Et qui vont tout gâcher. Et qui vont tout briser.

Il y a les parents dont les enfants sont loin. Loin en distance. Ou loin du cœur. Et qui vont passer la soirée à se rappeler du bon vieux temps. Le temps où l'on avait besoin d'eux.

Il y a tous ces gens dans les hôpitaux qui ce soir continueront de souffrir et d'avoir peur. Et qui demanderont au ciel de les aider.

Il y a tous les gens seuls, chez eux, sans famille, sans amis, qui ce soir vont regarder la fête à la télé. Et qui vont s'endormir sans rêver.

Il y a tous ces gens pauvres qui vont se sentir encore plus pauvres parce qu'ils n'ont pas ce que tous les autres ont.

Il y a tous ces gens riches qui vont faire semblant d'être heureux, d'avoir du plaisir mais qui se sentiront mal parce qu'il leur manque quelque chose. Mais ils ne sauront pas ce que c'est.

Il y a tous ceux qui ne sont pas bien dans leur peau. Et qui ce soir voudrait tellement l'être. Mais qui n'y arriveront pas. Tous ceux qui ne s'aiment pas eux-mêmes et qui ce soir vont s'aimer encore moins. Mais qui ne le diront pas. Pour ne pas déranger.

Il y a tous ceux qui... Il y a tous ceux qui... Il y en a tellement.

Joyeux Noël !

Joyeux Noël... Vous avez dit joyeux ? Est-ce possible ? Quand Noël remue tant de tristesse ? Oui, justement. Être content, c'est facile. Il suffit de gagner 100 dollars à la loto, il suffit d'avoir une semaine de vacances, il suffit de trouver une place de stationnement au centre-ville, et on est content. Mais être joyeux, c'est autre chose. J'ai été souvent content. Souvent satisfait. Souvent bien. Très souvent niaiseux. Mais joyeux, rarement. C'est pas tous les jours Noël. Pour éprouver de la joie, il faut un fond de tristesse.

Comme l'*Hymne à la joie* de Beethoven. C'est joyeux et c'est triste à la fois. C'est pour ça que c'est beau.

Je me souviens d'une fois où j'ai été joyeux. J'avais 12 ans, ma grande sœur était partie tout l'été en France, et à son retour, j'étais allé la chercher à l'aéroport. Je sautais partout. J'étais joyeux. Parce que je m'étais tellement ennuyé d'elle. Parce que j'avais été tellement malheureux. La joie naît de la peine.

C'est pour ça qu'on ne se souhaite pas un bon Noël, un beau Noël, un agréable Noël, un sincère Noël, mais un joyeux Noël. On veut que ce soit spécial. Pas juste en surface. On sait que Noël ravive les peines pour engendrer la joie. Et on a tous dans notre cœur une tristesse qui attend d'être changée en bonheur.

Alors à tous ceux qui appréhendent cette soirée, dites-vous que c'est normal que vous soyez un peu triste, et que la meilleure façon de passer un joyeux Noël, c'est de laisser sortir votre peine. Ne la cachez surtout pas. Vivez-la. Elle vous rendra plus sensible aux autres. Et vous ne serez plus seul.

Ce soir, ma mère et ma sœur viennent réveillonner chez nous. On va être les trois. Seulement les trois. Sans mon papa. Et je sais que le fait d'être si triste parce que mon père n'est pas là va faire en sorte que je vais être tellement heureux que ma mère et ma sœur soient avec moi. Avant, quand mon père était là, c'était normal. Qu'on soit tous ensemble. Toute la famille. C'était comme ça. Il a fallu le départ de mon père pour que je réalise que ce n'était pas normal, que c'était fantastique d'être tous ensemble. C'est pour ça que ce soir, je vais profondément apprécier la présence de ma mère et de ma sœur.

Ça va être très simple. Elles vont arriver vers 7 heures. On va manger. Puis on va se donner nos cadeaux. Puis on va porter un toast à Papa. Et ma sœur va se mettre à pleurer. Ça, c'est sûr. Comme les chutes du Niagara. Et je vais essayer de la consoler. Je vais dire plein de niaiseries pour la faire rire. Et ça va peut-être marcher. Puis ma mère va nous dire combien elle est heureuse que l'on fête Noël ensemble. Et ma sœur va se remettre à pleurer. Et je vais encore essayer de la consoler. Je vais redire les mêmes niaiseries. Ça risque de moins marcher. Puis vers une heure, elles vont s'en aller. Et je vais me coucher. Ça va être ça notre joyeux Noël. Et il sera joyeux, parce que tout au long de la soirée, j'aurai été conscient que je ne pourrai pas être entouré de deux personnes qui m'aiment plus et que j'aime plus que ma mère et ma sœur. C'est de ça qu'elle jaillira, ma joie.

Voilà, mes biens chers frères et mes biens chères sœurs (!), je voulais juste vous dire de ne pas vous en faire si vous êtes triste en cette veille de Noël. Vous avez le droit. Un jour, de cette peine naîtra une joie. Ce sera peut-être ce soir. Ce sera peut-être demain. Dans un mois ou dans un an. Mais un jour ou l'autre, vous l'aurez votre Noël. Votre joyeux Noël.

La première étape, c'est d'y croire. Évidemment.

Joyeux Noël tout le monde !

Une promesse, c'est une promesse

Non, mais ça se peut pas ! Réveillez-vous, tout le monde ! Lâchez la télé deux secondes ! Jean Charest s'est fait élire en promettant de ne pas augmenter le tarif des garderies à 5 $. Et là, il le fait. Ça va être des garderies à 7 $. C'est exactement le contraire de ce qu'il a dit. Youhou ! Vous ne réagissez pas ? Je sais que ça ne vous étonne pas. Que tous les politiciens font ça. Mais de quoi on a l'air, là-dedans ? Des morons ! On peut nous dire n'importe quoi.

Quelqu'un arrive durant la campagne électorale en lançant : « Je vais baisser les impôts ! » Nous autres, les morons, on dit « Wow ! Ça c'est le *fun* ! » On vote pour lui. Rendu au pouvoir, il nous annonce : « Finalement, je ne baisserai pas les impôts. » On ne réagit pas. On ne dit rien. OK, d'abord. On est des mous. Des mollusques.

Essayez donc de faire ça avec votre enfant ! Allez le voir dans sa chambre, tout de suite, et promettez-lui qu'à Noël vous allez lui donner le nouveau Game Boy couleur. Il va être content. Il va vous embrasser très fort. Mais vous êtes mieux de le lui donner ! Si jamais, en révisant votre budget, vous lui achetez un livre à colorier à la place, vous n'êtes pas mieux que mort. Vous allez passer les Fêtes avec un sapin dans le derrière. Il ne vous lâchera pas, tant et aussi longtemps que vous ne lui aurez pas finalement offert son Game Boy. Le destin de la dinde à Noël est plus enviable que celui du parent qui ne remplit pas ses promesses de cadeaux.

Tout le monde sait ça, c'est le cours Éducation 101, il ne faut jamais promettre à un enfant quelque chose qu'on ne fera pas. Mais aux adultes, pas de problème. On ne fait que ça. Les adultes sont assez grands pour comprendre. Les adultes ont l'âge de raison. Ils comprennent qu'une promesse, ce n'est pas vraiment une promesse. Ça dépend des circonstances. Les adultes sont compréhensifs. Les adultes sont innocents. Bien plus que les enfants.

Il faudrait changer la loi électorale. Au lieu de donner le droit de vote aux 18 ans et plus, il faudrait le donner seulement aux 18 ans et moins. Les politiciens seraient redevables aux enfants. Après tout, c'est eux qui, plus tard, vont payer pour leurs gaffes. Cette mesure changerait tout ! Bien sûr, ça donnerait un avantage à Mario Dumont parce qu'il aurait le droit de voter, mais ça, c'est un autre problème !

Imaginez Jean Charest expliquer aux enfants dans les garderies qu'il ne respectera pas sa promesse, que les 2 $ qu'ils ont pour leur lait au chocolat, ils vont maintenant servir à payer l'augmentation du tarif de garde. Pauvre homme ! Avant même d'avoir fini sa déclaration, il ne lui resterait plus une frisette sur la tête. Les gosses brailleraient, le grifferaient, le mordraient. Un massacre. Ce serait pas long que ti-Jean leur redonnerait leurs deux piastres.

Les gamins ont raison d'être intolérants devant les vire-capot. Une promesse, c'est une promesse. C'est sacré.

Si tu as le moindre doute que tu risques de ne pouvoir l'exécuter, ne la fais pas. C'est tout. Dans notre culture électorale, les promesses sont devenues des attrape-nigauds. Et ça marche. Après, on se demande pourquoi les gens se désintéressent de la politique. Tu votes pour un candidat qui te promet de saborder l'accord de libre-échange et d'enlever la TPS. Tu le portes au pouvoir. Il ne le fait pas. Ça finit là. Il n'a même pas de remords. Il n'est même pas gêné. Il a changé d'idée. On ne peut rien dire. C'est lui le *boss*. On le reverra dans quatre ans. C'est sûr que, quatre ans plus tard, on peut se venger et voter pour l'autre. Mais l'autre ne remplira pas plus ses promesses. Au bout du compte, tout ce qu'on voudrait avoir, on ne l'a jamais.

Ce n'est pas sérieux. Que les politiciens ne pleurnichent pas parce qu'ils manquent de crédibilité. N'importe qui agissant de la sorte n'en aurait pas. Les motards ont plus de parole entre eux.

Si ma proposition de ne faire voter que les enfants n'est pas retenue, j'en ai une autre. Le contrat électoral. Les campagnes électorales sont rendues des farces. C'est n'importe quoi. Ça vole bas. À hauteur de serpent. Les partis politiques devraient nous proposer chacun un contrat. Pas un programme. Un contrat. Dans lequel ils s'engageraient à faire telle et telle chose. Comme n'importe quel « contracteur » (ou « réingénieur »). Le jour des élections, au lieu de faire bêtement un X dans un cercle, les électeurs signeraient le contrat de leur choix. Le contrat qui a recueilli le plus de signatures remporte la soumission. Le jour de l'assermentation, le nouveau premier ministre signe à son tour le contrat. Il est officiellement engagé par le peuple pour accomplir ce qu'il y a d'écrit dans le contrat.

C'est clair. Dès le premier jour, l'État commence à remplir ses promesses au lieu de faire le contraire.

Si, pour une raison ou pour une autre, le gouvernement ne respecte pas toutes les clauses de son contrat, il n'a pas le droit de se représenter aux prochaines élections. Dehors, les menteurs ! C'est simple et efficace.

Un pays, c'est trop important pour être dirigé à l'aveuglette. Il faut responsabiliser les politiciens et les électeurs. On s'est entendus sur quelque chose, on le fait et on vit avec les conséquences. Soyez sérieux, messieurs

En ce moment, Jean Charest a l'air d'Éric dans *Occupation double*. Il a tout promis à tout le monde. C'est pour ça qu'il a gagné. Et après, il envoie tout le monde promener. C'est le jeu. Mais la politique n'est pas un jeu. Alors cessez de nous prendre pour des Natacha. Respectez-nous, et faites ce que vous avez dit.

જ⊷જી

Si Benjamin nous avait convaincus...

Le 29 avril 1776, quelques semaines avant la déclaration d'indépendance américaine, que nos voisins célèbrent aujourd'hui, Benjamin Franklin est venu à Montréal convaincre les *Canayens* de se joindre aux Américains. On lui a dit non. Ça fait longtemps qu'on dit non. Avons-nous bien fait ? Aurions-nous dû nous unir aux Américains ? Avons-nous fait une erreur en décidant de ne pas nous libérer avec eux de l'Angleterre, le 4 juillet 1776 ? Le débat est lancé. Pesons le pour et le contre de notre hypothétique fusion avec les États.

Si Benjamin nous avait convaincus...

POUR : On serait *big*.
CONTRE : On serait obèses.

POUR : Les Expos ne déménageraient pas.
CONTRE : On serait pognés pour aller les voir.

POUR : On ne ferait pas rire de nous en Floride.
CONTRE : On ferait rire de nous dans tous les autres pays du monde.

POUR : On parlerait tous très bien l'anglais.
CONTRE : On parlerait tous le français comme Zachary Richard.

POUR : On paierait l'essence moins cher.
CONTRE : Il faudrait aller se faire tuer en Irak pour protéger les puits de pétrole.

POUR : On gagnerait plein de médailles aux Olympiques.
CONTRE : On prendrait plein de drogues.

POUR : On pourrait voir les bonnes pub durant le *Super Bowl*.
CONTRE : On n'aurait pas le droit de voir le sein de Janet Jackson.

POUR : On n'aurait plus de problèmes avec nos réserves amérindiennes.
CONTRE : On n'aurait plus d'Amérindiens.

POUR : Les Américains sauraient où est le Québec.
CONTRE : ben Laden aussi saurait où est le Québec.

POUR : Montréal serait la capitale mondiale de la mode.
CONTRE : On serait tous en bermuda.

POUR : Notre système de santé serait très efficace.
CONTRE : Les pauvres mourraient rapidement.

POUR : Patrick Huard aurait gagné un Oscar.
CONTRE : Patrick Huard serait notre gouverneur.

POUR : Il n'y aurait plus de trous dans nos rues.
CONTRE : Al-Qæda ferait des gros trous dans nos gratte-ciel.

POUR : Il y aurait plein de grosses compagnies pour commanditer le Grand Prix de Formule 1 de Montréal.
CONTRE : On aimerait mieux les courses de tracteurs.

POUR : On paierait moins d'impôts.
CONTRE : Euh... Y en a pas !

POUR : Notre culture dominerait le monde.
CONTRE : On n'aurait pas de culture.

POUR : Le Canadien de Montréal appartiendrait à quelqu'un de chez nous.
CONTRE : On ne serait pas capables de suivre la rondelle.

POUR : Jean Lapierre ferait tellement d'argent à la télé qu'il ne serait pas retourné en politique.
CONTRE : Jean Lapierre serait à la télé.

POUR : On aurait marché sur la Lune.
CONTRE : On aurait marché sur la tête de bien du monde.

POUR : Westmount ne se serait pas défusionné.
CONTRE : On aurait tous autant de *fun* que les gens de Westmount.

POUR : Le mari de Myriam Bédard aurait essayé de convaincre Bush de ne pas faire la guerre en Irak.
CONTRE : Le mari de Myriam Bédard serait électrocuté.

POUR : On tournerait plein de séries à Montréal.
CONTRE : Il y aurait plein de meurtres en série aussi.

POUR : Céline Dion ne serait pas la seule chanteuse de chez nous à réussir aux États-Unis.
CONTRE : Lara Fabian aussi réussirait aux États-Unis.

POUR : Nos hôtels seraient bondés d'Américains.
CONTRE : Ce serait nous.

POUR : Elvis Gratton serait heureux.
CONTRE : Pierre Falardeau serait en *tabarnak*.

POUR : Notre dollar vaudrait cher.
CONTRE : C'est Bill Gates qui aurait tout l'argent.

POUR : Le Québec ne serait plus une petite province
CONTRE : Le Québec serait un petit État comme le Rhode Island.

POUR : On aurait gagné la Palme d'or 2004 à Cannes.
CONTRE : On aurait Bush comme président.

Difficile de trancher. De toute façon, à bien y penser, si le Canada s'était joint aux États-Unis en 1776, il n'y aurait pas beaucoup de différence avec ce qu'on vit présentement. C'est Benjamin Franklin qui avait raison. Il a quitté Montréal en disant : « Il en coûterait sûrement moins cher aux États-Unis d'acheter le Canada que de le conquérir. » C'est ce qu'ils ont fait. Pis pas cher !

Bonne fête, les voisins ! On vous aime bien… en tant que voisins.

Le plus bel automne de ma vie

Cinq ans dans un collège de gars. Cinq ans à sentir le gars. Cinq ans à voir le gars. Le gars de 10 à 16 ans. Petit des épaules, grand du cou, gros des jarrets, maigre des bras, avec un petit peu de poils en dessous du nez et des petits boutons par-dessus le poil. Rien de bien excitant. Et puis, un jour, fini le secondaire, fini le Collège de Montréal, allô le cégep, allô les filles !

Septembre 1977, j'entre pour la première fois dans le cégep Marguerite-Bourgeoys. Ça sent bon. Ça sent le jasmin. Il y a une fille devant la case 200. Elle a une queue-de-cheval. Je tombe en amour ! Il y a une fille devant la case 201. Elle a des grandes tresses blondes. Je tombe en amour ! Il y a une fille devant la case 202. Elle a des taches de rousseur. Je tombe en amour ! Il y a une fille devant la case 203. Elle a les yeux verts. Je tombe en amour ! Il y a des filles partout ! J'en ai jamais vues autant. Au cégep Marguerite-Bourgeoys, il y a quatre filles pour un gars. Le bonheur. Je viens de vivre cinq années dans un collège où il y avait zéro fille pour 600 gars. J'ai l'impression de sortir de prison et d'arriver dans un défilé de Victoria's Secret !

Je ne sais pas trop quoi faire. Quoi leur dire. Il y a un gars devant la case 300. C'est mon ami Marc. Lui aussi sort du Collège de Montréal. Lui aussi est dans les vapeurs.

« C'est le *fun* ici, han ?

— Ouais ! Y'a ben des filles !

— Tu sais-tu quoi leur dire ?

— Pas vraiment...

— Moi non plus ! »

On est partis à notre cours. En se grattant la tête. En se demandant comment les aborder. Dans la classe, toutes les filles sont assises ensemble. Et les six gars du cours de psycho, on est dans le fond. La prof explique le béhaviorisme. Mais on n'écoute pas. On regarde les filles. On s'en choisit chacun une. Et on se le chuchote :

« As-tu vu la grande blonde avec le gilet rose ?

— Regarde la petite brune qui ronge son crayon !

— Moi, c'est la rousse qui joue avec sa couette ! »

On n'en peut plus. On est au paradis. Ça fait cinq ans que pour nous, une fille, c'est de la science-fiction. Un mirage dans une revue. Et là, elles sont là, à côté de nous. C'est presque trop. Et en plus on a 16 ans. Le zénith de la libido masculine. On capote !

Le soir, je rentre chez moi et je regarde le bottin du cégep. Il y a le nom de la petite brune. Et son numéro de téléphone : 555-2244. Je ne l'appelle pas. Je suis trop gêné. Je fais juste lire son numéro de téléphone et je plane. C'est beau, 555-2244. Je sais que si je voulais, je pourrais l'appeler. C'est la première fois que j'ai cette chance-là, de pouvoir appeler une fille. Je ne la gâcherai pas. C'est déjà assez merveilleux.

Durant tout le mois de septembre, on tourne autour des filles. On ne leur parle presque pas. Seulement, quand elles nous demandent quelque chose. Comme « C'est quoi ton nom ? » Là, on répond. Quand on s'en souvient. Quand on est pas trop perturbé par celle qui vient de nous parler. Et on est tout excité. Elle m'a demandé mon nom ! Elle m'a demandé mon nom ! Bien sûr, on aurait préféré avoir une plus longue conversation. Mais la seule autre chose qu'on connaît, à part notre nom, ce sont les noms des joueurs de hockey : Ross Lonsberry, Jim Rutherford, Jude Drouin... Pas sûr que ça impressionne les demoiselles.

On a peut-être l'air niaiseux dans notre coin. Mais on est heureux. Pendant les cours, on rêve. On rêve qu'après le cours, la petite brune nous invite chez elle pour écouter le dernier album d'Harmonium, et que pendant que Serge Fiori crie « Hee ! Haw ! » dans *Pour un instant*, elle nous donne un baiser sur la bouche.

Après le cours, ce n'est jamais ça qui arrive. La petite brune s'en va chez elle avec la grande blonde écouter le dernier album de René Simard ! Et nous, on s'en va à la maison avec le grand Marc pour regarder le Canadien planter Detroit. Mais on ne passe plus la soirée à parler de Lafleur, Mahovlich et Chartraw. Non, on parle de Chantale, Carole et Monique. Ah, s'il pouvait y avoir des cartes de filles, on se les échangerait !

L'automne achève. Et la période d'apprivoisement. Un bon soir, bien motivé, après avoir regardé *Rocky* deux fois, je me décide à appeler la petite brune. Je m'invente une raison. Je ne me souviens plus quand est l'examen de philo. Le téléphone sonne. Mon cœur palpite. Elle répond :

« Allô ?

— Allô, c'est Stéphane, le petit dans le fond.

— Oui Stéphane, ça va bien ?

— Ah oui ! Toi ?

— Moi aussi...

— Sais-tu quand va avoir lieu l'examen de philo ?

— Le 13.

— ...

— ...

— Ben, c'est tout ! Merci !

— Ben, bye ! Bonne soirée ! »

Je raccroche. Je suis aux anges. Le plus bel échange de toute ma vie. Elle m'a souhaité bonne soirée. Vous rendez vous compte ! Elle doit m'aimer !

L'automne 1977. Le plus bel automne de toute ma vie. Je découvrais les filles. Innocent. En les trouvant tellement belles, fines et bonnes. Je ne les connaissais pas encore assez pour savoir qu'elles étaient compliquées. C'est pour ça que je n'ai jamais eu un aussi bel automne depuis.

Joyeux automne, tout le monde !

Est-ce le pilote ou le char ?

Est-ce le pilote ou le *char, that is the question.* Le pilote ou le char ? Est-ce Schumacher qui est bon, ou sa Ferrari ? Est-ce Bruni qui est poche ou sa Minardi ? On peut en parler durant des heures, on ne répondra jamais à la question. C'est comme la course automobile : on tourne en rond. Au hockey, on ne se demande pas si c'est le joueur ou les patins. En cyclisme, on ne se demande pas si c'est le cycliste ou le vélo. On se demande plutôt si c'est le cycliste ou le pharmacien, mais ça, c'est une autre affaire. Mais en course automobile, on peut légitimement se demander : si Villeneuve avait eu une bonne voiture ? Si Schumacher avait une minoune ? Si mon oncle Jacques avait un bon *ski-doo* ?

Qui prime, la machine ou l'homme ? C'est un faux débat. L'important, c'est de savoir quelle est vraiment la meilleure machine, et quel est vraiment le meilleur pilote. C'est ça, le sport : célébrer les meilleurs. Le champion du monde doit être le pilote le plus talentueux, et non pas celui qui assoit son cul béni dans la voiture la plus rapide.

J'ai trouvé LA façon de couronner les vrais champions. Et de réinventer le spectacle de la Formule 1, qui ressemble de plus en plus à celui d'un stationnement de chez Loblaws le samedi après-midi. Celui qui est avant est en avant, celui qui est en arrière est en arrière. Et on se suit à la queue leu leu durant deux heures.

Jusqu'à maintenant, il n'y a pas de dissociation entre le championnat des constructeurs et celui des pilotes. Ferrari gagne celui des constructeurs. Schumacher gagne celui des pilotes. Il en est presque toujours ainsi. Le pilote champion du monde fait partie de l'écurie championne du monde. C'est ça, le problème. Il faut séparer les hommes des machines. Que les hommes soient en compétition avec les hommes, et les machines avec les machines.

Je propose de faire deux championnats vraiment distincts. Les pilotes ne seraient plus associés à une écurie. Ils seraient autonomes. Et dans une saison, ils conduiraient à tour de rôle chacune des voitures inscrites au championnat. À chaque Grand Prix, chacun change de volant. On pratique l'échangisme motorisé. On joue au siège musical. Si au Grand Prix d'Italie Schumacher est au volant de la Ferrari, au Grand Prix suivant il conduit la McLaren, puis à celui d'ensuite, la Sauber. Il en est ainsi pour tous les conducteurs. À la fin du calendrier, tout le monde aura piloté une BAR, une Renault, une Toyota, etc. Le pilote qui aura cumulé le plus de points sera vraiment le meilleur pilote du peloton. On ne pourra pas dire que, grâce à son *char*, qui est meilleur que les autres *chars*... Il aura conduit tous les chars. Ce sera donc grâce à lui. À lui seul.

Vous allez me dire : qui va payer les pilotes s'ils changent d'écurie chaque dimanche ? C'est simple, il suffit de faire comme au golf : ériger un système de bourses.

Une première position donne 3 millions de dollars, une deuxième, 2 millions, et ainsi de suite. Le pilote le plus riche sera donc celui qui gagne le plus souvent. C'est la justice du fric. Et pour avoir le droit de faire partie du cirque de la Formule 1, les pilotes devraient atteindre un standard de performance, comme les golfeurs doivent le faire pour faire partie des tournois de la LPGA.

Tout le monde serait content. La voiture ayant cumulé le plus de points serait vraiment la meilleure voiture. Et le pilote ayant inscrit le plus de points serait vraiment le meilleur pilote. On ne pourra plus mettre de bémol à la réussite du champion du monde. Et les courses deviendraient passionnantes. On se lèverait tôt le dimanche matin pour voir ce que Schumacher réussirait à faire au volant de la Jaguar et ce que son frère serait capable de faire au volant de la belle rouge. Et Jacques Villeneuve, qui aurait sûrement réussi à se glisser parmi les 20 meilleurs pilotes au monde, n'aurait à quêter de volant à personne. Il en aurait un tout simplement parce qu'il est plus vite que les autres. Fini les pilotes imposés par une marque. Que les meilleurs. Seulement les meilleurs. Avez-vous déjà vu un joueur de hockey jouer dans le premier trio parce que les patins Nike l'ont imposé à l'instructeur ? C'est ridicule !

Les 20 meilleurs pilotes, les 10 meilleurs constructeurs. Et chaque pilote essaie de tirer le meilleur de chacune des bagnoles.

Bernie, je sais que tu me lis tous les dimanches et que, en ce moment, tu capotes devant mon idée. Et bien, *you know* où me joindre, mon adresse de courriel est tout en haut. Appelle-moi quand tu veux. Sauf le dimanche matin. Je dors.

Le cœur sacré

Mercredi matin, le téléphone sonne. C'est mon ami Ronald. Mon ami médecin :

« Salut Stéphane, ça va ?

— Oui... toi ?

— Moi, ça va pas très bien... »

Je m'en doutais. À la une de tous les grands quotidiens, ce matin, on fait état du rapport du Collège des médecins sur les soins à l'hôpital du Sacré-Cœur. Et les titres sont durs. Blessants. Un rapport accablant. Sacré-Cœur blâmé. Ronald est le directeur du département de chirurgie de l'hôpital du Sacré-Cœur. Alors, c'est certain que ce matin, il ne va pas bien. Du tout.

C'est bizarre. D'habitude, c'est le contraire. D'habitude, c'est moi qui appelle mon ami Ronald pour lui dire que je ne vais pas bien. Ou qu'un de mes parents ne va pas bien. Ou une de mes amies. Et chaque fois, il prend soin de moi, il prend soin de nous. Il remue ciel et terre pour qu'on aille mieux. Il fait tout ce qu'il peut. Alors, pour une fois que c'est à son tour de me dire qu'il ne va pas bien, je voudrais moi aussi tout faire pour qu'il aille mieux. Je voudrais le soigner. Je voudrais le guérir. Mais comment ?

Lui dire de ne pas trop s'en faire ? Qu'au fond, le rapport du Collège ne blâme pas les médecins. Qu'il blâme le système. Il le sait déjà. Mais il sait surtout que le mal est fait quand même. Que l'impact médiatique de cette nouvelle démotive les troupes. Et s'il y a des troupes qui n'ont vraiment pas besoin d'être démotivées, qui, au contraire, mériteraient des encouragements, ce sont bien les siennes.

Chaque fois que je sors de Sacré-Cœur ou de n'importe quel hôpital, je me demande comment font les gens qui y travaillent. Comment font les médecins, les infirmières, les aides, pour passer leur vie là où ça saigne, là où ça souffre, là ou ça meurt. Ça ne doit vraiment pas être évident. Pour choisir un tel métier, une telle vocation, il faut du cœur. Beaucoup de cœur. Et pour pouvoir l'exercer jour après jour, crise après crise, malheur après malheur, ça prend le feu sacré. Ça prend le cœur sacré.

Je me demande toujours si j'ai ce cœur en moi. Et je retourne sur mes plateaux de télé en me disant qu'on est bien chanceux de les avoir. Pourtant, au lieu de leur donner les plus belles conditions pour humaniser leur travail, on les oblige à faire une médecine de brousse, une médecine de guerre. Ce matin, à Sacré-Cœur, il y a 102 personnes qui attendent aux urgences. Ils ont un permis pour en recevoir 35. Alors bien sûr, ça leur arrive, parfois, de faire des erreurs. Des erreurs graves. Parce que tout ce qu'ils font est grave. Tout ce qu'ils font est vital. C'est ainsi. C'est un métier ingrat. Car la vie et la mort le sont.

Il y a trois ans, quand les médecins de Sacré-Cœur ont sauvé les jambes d'Olivier Panis après son accident au Grand Prix du Canada, on les a traités en héros. Ils ont fait la une de tous les journaux. Pourtant, ce n'est pas les dimanches de Grand Prix que ces hommes sont des héros. Ce sont les lundis matin quand ils retournent soigner dans des conditions d'enfer. Mais ça, on n'en parle pas. Ils ne font pas la une chaque fois qu'ils sauvent des vies. Chaque fois qu'un petit miracle se produit. On en parle seulement quand ils se trompent. Il faut qu'ils fassent avec. La société ne changera pas. La société est comme ça. Il faut qu'ils endurent. Comme leurs patients. Il faut qu'ils s'accrochent à leur cœur sacré. Personne ne va les aider.

Bien sûr que je peux tout dire ça à mon ami Ronald, mais ça risque de ne pas le remonter. Ça risque peut-être de l'achever !

Chaque fois que je sors d'un hôpital, je me dis que mon *job* à moi est bien futile. Faire rire le monde, ce n'est rien à côté de sauver des vies. Pourtant, ce matin, pour soigner l'âme de mon copain Ronald, il n'existe pas de remède, pas de machine, pas de piqûre. Il n'y a que l'amour et l'humour. Et ça, je connais. Pour une fois que je peux lui être utile :

« T'as vu les journaux, Ronald ?

— Ben sûr...

— C'est effrayant, hein ?

— Oui, ce l'est...

— Mais mon vieux, il ne faut pas que tu te décourages, ce n'est pas si pire que ça, il y a encore une chance que les Expos ne déménagent pas...

— Quoi ???? T'es ben niaiseux ! »

Ronald se met à rire. Pas un gros rire. Juste un petit rire. Un tout petit éclat. Mais en ce matin gris, c'est déjà beaucoup. Puis je l'ai écouté me raconter sa peine. Sa frustration. C'est tout ce que je pouvais faire pour soigner son âme. Être son ami. Point. En raccrochant, Ronald n'allait pas mieux. Mais il savait qu'il n'était pas seul dans la tourmente. Alors il devait aller un peu moins mal. C'est déjà ça.

À tous les gens qui travaillent dans les hôpitaux, malgré les compressions, malgré le système, malgré la souffrance, s'il vous plaît, ne lâchez pas, on a besoin de vous !

Le calepin d'autographes

Noël 1969. Je suis en train de jouer dans la cave avec mes cousins. Soudain, mon oncle Jacques nous interrompt :

« Stéphane, t'es toujours aussi maniaque de sport ? »

— Oui, mon oncle !

— C'est qui le numéro 8 du Canadien ?

— Dick Duff !

— C'est qui le numéro 2 des Expos ?

— Gary Sutherland !

— C'est qui le numéro 26 des Alouettes ?

— Moses Denson !

— T'es bon ! T'es bon ! Aimerais-tu ça, rencontrer tous les joueurs du Canadien, des Expos et des Alouettes ?

— Ah ! ben oui !

— Bien, ils vont tous être au tournoi de golf que j'organise à Joliette, cet été. Je t'invite ! »

Ça se peut pas ! Tous mes joueurs préférés au même endroit !? C'est impossible. J'ai jamais trouvé un hiver aussi long. Pas une seule journée sans que je pense à mon rendez-vous avec mes idoles. La neige a finalement fondu. Le gazon a finalement poussé.

Et le jour tant attendu est arrivé. Mon oncle avait raison. Ils sont tous là : Béliveau, Laboy, Wade, Ferguson, Jones. Pas un seul que je ne reconnais pas. Le sourire accroché aux oreilles, les yeux brillants, je me promène sur le parcours de golf avec papa et maman. J'ai dans les mains le calepin bordeaux que j'ai acheté le 26 décembre avec les sous de mon cochon, spécialement pour l'occasion.

Je veux que mes héros y apposent leurs signatures. Béliveau, Staub, Richard sont trop entourés. Je m'approche de Claude Provost. Il me sourit et me demande :

« C'est quoi ton nom, mon p'tit bonhomme ?

— Stéphane...

— Tiens, mon Stéphane... »

Il me signe son nom. Wow ! Je le montre à ma mère. Elle me dit :

« C'est qui, lui ?

— Ben voyons, maman, c'est celui qui couvre Bobby Hull !

— Bobby Hull, est-ce qu'il joue au hockey ou au baseball ? »

Une chance qu'elle est ma mère ! Je continue ma chasse aux autographes. Dix-sept heures, le tournoi est terminé. J'ai rempli la moitié de mon calepin : Dalla Riva, Stoneman, Tremblay, Harris, Fairley, Vachon... C'est *cool*. On va saluer mon oncle avant de rentrer à Montréal. Je l'embrasse très fort et lui dis merci en lui montrant mes autographes. Lui peut comprendre. C'est un homme.

« Dalla Riva, Harper, Bailey, Rousseau. Ouais, t'en as eu ! As-tu celles de Béliveau et Staub ?

— Non, y avait trop de monde ! »

— Hé, Stéphane, j'ai une idée. Moi, je soupe avec tous les joueurs ce soir, au banquet. Laisse-moi ton calepin, je vais faire signer Béliveau, Staub et tous les autres que tu n'as pas eus. »

Mon oncle est le père Noël ! Non seulement j'ai vu toutes mes idoles, mais je vais avoir tous leurs autographes. Je rentre chez nous, comblé. Cette journée-là, je m'en souviendrai encore quand je serai vieux. Quand j'aurai 40 ans. C'est sûr.

À partir de ce moment, pas une seule semaine ne passe sans que je demande à ma mère : « Quand est-ce qu'on va voir mon oncle Jacques ? » J'ai hâte d'avoir mon précieux calepin. Malheureusement pour moi, l'oncle ne vient pas souvent à Montréal. Finalement, un samedi soir de novembre, il vient à la maison souper avec tante Marie. Il n'a pas franchi la porte que je me précipite dans ses bras :

« Mon calepin ! Mon calepin !

— Ton calepin ?

— Ben, mon calepin d'autographes, dans lequel tu devais faire signer tous les joueurs du Canadien, des Expos et des Alouettes, l'été dernier...

— Ah ! oui... ton calepin ! J'ai fait signer tout le monde dedans, c'est sûr ! Béliveau, Staub, tout le monde a signé. Tu vas être content. Mais je l'ai oublié à Joliette... Mais t'en fais pas, je l'ai mis dans mon coffre-fort, dans mon bureau. Y peut rien arriver... »

Je suis déçu mais rassuré. Au moins, mon calepin est protégé. Il est dans un coffre-fort. Comme tous les trésors.

À Noël, on va à Joliette. Ça va être un beau cadeau. Malheureusement, mon calepin est toujours dans le coffre-fort. Et mon oncle m'explique qu'on ne peut pas entrer dans sa compagnie le jour de Noël, sinon tous les systèmes d'alarme vont se déclencher. En mars, il y a un *party* chez mon parrain. Mon oncle Jacques est là. Mais pas mon calepin. Encore oublié. Mais je ne m'en fais pas : il est dans un coffre-fort. L'été suivant, on retourne à Joliette. Mon oncle ne me remet toujours pas mon calepin. On ne peut pas entrer dans sa compagnie durant les vacances. Une autre année s'écoule. Et mon oncle oublie toujours d'apporter le calepin avec lui à chacune de nos rencontres. Une fois, il m'offre de me le poster. En me mentionnant tout de même que ce n'est pas prudent, mon calepin pourrait se perdre. Il a raison. Surtout que le FLQ fait sauter les boîtes aux lettres. Vaut mieux qu'il soit en sécurité dans le coffre-fort de la compagnie de mon oncle.

Ça va faire deux ans que le tournoi de golf est passé. Béliveau a pris sa retraite. Vachon a été échangé. Je n'ai toujours pas mon calepin. Après une fête de famille, où mon oncle avait encore oublié d'apporter le précieux objet, ma mère me prend dans un coin.

« Stéphane, qu'est-ce que t'as, as-tu de la peine ?

— Ben, mon oncle m'a pas encore remis mon calepin d'autographes...

— Stéphane, si j'étais toi, j'oublierais le calepin...

— Pourquoi ?

— Tu sais, ton oncle Jacques, y est pas mal sur le *party*. Alors le soir du tournoi, il a dû l'égarer...

— Ben non, il m'a dit qu'il l'avait mis dans son coffre-fort.

— Je pense que ça lui arrache trop le cœur de te dire qu'il l'a perdu... »

Je suis abasourdi. Je ne m'en serais jamais douté. Les adultes aussi peuvent raconter des mensonges ? J'ai 11 ans et je viens juste de le réaliser. J'ai de la peine. J'aurai jamais l'autographe de Béliveau et de Staub. J'ai de la peine, mais en même temps je souris. Je souris parce que si mon oncle me raconte des sornettes depuis deux ans, c'est parce qu'il m'aime. Et qu'il a honte de ne pas avoir tenu parole. Je trouve ça *cute*. Les grands peuvent avoir peur des enfants.

Je n'ai plus jamais parlé de mon calepin à oncle Jacques. Et lui non plus.

Aujourd'hui, mon oncle est au ciel. Au paradis, sûrement, avec le grand cœur qu'il avait. Mais s'il était encore de ce monde, je suis sûr qu'après avoir lu cette chronique, il m'appellerait pour me dire : « Ta mère était dans les patates. Ton calepin est dans mon coffre-fort. Malheureusement, la compagnie est fermée durant tout le mois de juillet... »

Le calepin d'autographes (2e partie)

Pour ceux qui n'ont pas lu ma chronique de la semaine dernière, en voici quelques extraits (sinon, vous ne comprendrez rien de celle de cette semaine et risquez de ne pas lire celle de la semaine prochaine !)

Noël 1969. Je suis en train de jouer dans la cave avec mes cousins. Soudain mon oncle Jacques nous interrompt :

« Stéphane, t'es toujours aussi maniaque de sport ?

— Oui, mon oncle...

— Aimerais-tu ça, rencontrer tous les joueurs du Canadien, des Expos et des Alouettes ?

— Ah ! ben oui !

— Bien, ils vont tous être au tournoi de golf que j'organise à Joliette, cet été. Je t'invite ! »

J'ai jamais trouvé un hiver aussi long. La neige a finalement fondu. Le gazon a finalement poussé. Et le jour tant attendu est arrivé. Mon oncle avait raison, ils sont tous là : Béliveau, Laboy, Wade, Ferguson, Jones. Le sourire accroché aux oreilles, les yeux brillants, je me promène sur le parcours de golf avec papa et maman. J'ai dans les mains le calepin bourgogne que j'ai acheté le 26 décembre avec les sous de mon cochon, exprès pour l'occasion. Je veux que mes héros y apposent leur signature....

Dix-sept heures, le tournoi est terminé. J'ai rempli la moitié de mon calepin... On va saluer mon oncle avant de rentrer à Montréal. Je l'embrasse très fort et lui dis merci en lui montrant mes autographes.

« Dalla Riva, Harper, Bailey, Rousseau... Ouais, t'en as eu ! As-tu celles de Béliveau et Staub ?

— Non, y avait trop de monde !

— Hé, Stéphane, j'ai une idée. Moi, je soupe avec tous les joueurs ce soir, au banquet. Laisse-moi ton calepin, je vais faire signer Béliveau, Staub et tous les autres que tu n'as pas eus. »

... À partir de ce moment, pas une seule semaine, sans que je demande à ma mère : « Quand est-ce qu'on va voir mon oncle Jacques ? » Malheureusement pour moi, l'oncle ne descend pas souvent à Montréal. Finalement, un samedi soir de novembre, il vient souper à la maison avec tante Marie. Il n'a pas franchi la porte que je me précipite dans ses bras :

« Mon calepin ! Mon calepin !

— Ton calepin ?

— Ben, mon calepin d'autographes dans lequel tu devais faire signer tous les joueurs du Canadien, des Expos et des Alouettes, cet été...

— Ah ! oui... ton calepin ! J'ai fait signer tout le monde dedans, c'est sûr ! Béliveau, Staub, tout le monde a signé. Tu vas être content. Mais je l'ai oublié à Joliette... Mais t'en fais pas, je l'ai mis dans mon coffre-fort dans mon bureau. Il ne peut rien arriver. »

Je suis déçu mais rassuré. Au moins, mon calepin est protégé. Il est dans un coffre-fort. Comme tous les trésors...

Ça va faire deux ans que le tournoi de golf est passé. Béliveau a pris sa retraite. Vachon a été échangé. Je n'ai toujours pas mon calepin. Après une fête de famille, où mon oncle avait encore oublié d'apporter le précieux objet, ma mère me prend dans un coin...

« Stéphane, qu'est-ce que t'as, as-tu de la peine ?

— Ben mon oncle ne m'a pas encore remis mon calepin d'autographes...

— Stéphane, si j'étais toi, j'oublierais le calepin...

— Pourquoi ?

— Tu sais, mon oncle Jacques, il est pas mal sur le party. Alors le soir du tournoi, il a dû l'égarer...

— Ben non, il m'a dit qu'il l'avait mis dans son coffre-fort.

— Je pense que ça lui arrache trop le cœur de te dire qu'il l'a perdu... »

Je n'ai plus jamais parlé de mon calepin à oncle Jacques. Et lui non plus.

Aujourd'hui, mon oncle est au ciel. Au paradis, sûrement, avec le grand cœur qu'il avait. Mais s'il était encore de ce monde, je suis sûr qu'après avoir lu cette chronique, il m'appellerait pour me dire : « Ta mère était dans les patates. Ton calepin est dans mon coffre-fort. Malheureusement la compagnie est fermée durant tout le mois de juillet... »

Je ne pensais jamais que ce petit souvenir d'enfance aurait une deuxième partie. Mais il en a une.

Mardi, je reçois un courriel de ma cousine Lina, la plus vieille des enfants de feu mon oncle :

Cher cousin,

Comme à tous les dimanches matins, je m'installe pour déjeuner avec le plaisir et la hâte de lire ton article dans La Presse. *Ce matin, j'étais encore une fois touchée par les premières lignes de ton texte. Mais, par la suite, une certaine tristesse a fait place à ce petit plaisir du dimanche. Car, vois-tu, c'est malheureusement lorsque les gens nous ont quittés que l'on découvre pleins de trésors et de souvenirs. Tu aimerais peut-être en savoir un peu plus sur ton oncle. Oui ! Tu as raison ! « Ta mère était dans les patates », car, oh ! surprise, dans ce fameux coffre-fort, nous avons retrouvé une chemise-souvenir pour chaque enfant, où le moindre petit détail touchant était consigné. Il avait même gardé une carte d'anniversaire dans laquelle il avait inscrit le numéro du billet de loterie que je lui avais offert. Je suis donc certaine qu'il pouvait imaginer à quel point ce calepin avait de l'importance à tes yeux.*

En faisant le partage des souvenirs, j'ai trouvé un calepin contenant les autographes des grands noms du sport. N'étant pas identifié, j'ai alors pris la triste décision (si j'avais su !) de le jeter, car il n'avait pas réellement de signification pour aucun d'entre nous. Quel bonheur aujourd'hui aurais-je eu de pouvoir enfin te remettre ton calepin ! Va savoir pourquoi mon père ne te l'a jamais remis. Personne ne pourra jamais répondre à cette question. Même si mon père était un bon vivant et très engagé socialement, je peux te dire que ton oncle était un homme de parole et que c'est moi la véritable coupable dans cette histoire. Une chose est certaine, ton article a permis à tous les enfants de Jacques de s'unir ensemble afin de partager leurs émotions.

Lina Laporte, la fille de Jacques.

La vie est un téléroman. On croit une histoire terminée. Classée. Et oups ! un rebondissement, et rien n'est plus pareil. Mon oncle ne m'avait donc pas monté un bateau pour éviter de me faire de la peine. C'est juste qu'il était distrait. Il a fallu 33 ans pour que je le sache.

Chère cousine, merci de m'avoir écrit. Et ne t'en fais surtout pas d'avoir jeté le calepin d'autographes. Car ce qu'il y a de plus précieux dans toute cette histoire, ce n'est pas la signature de Béliveau et de Staub, c'est le souvenir de ton père à jamais présent dans mon cœur. Ce sont ses yeux pétillants lorsqu'il m'a invité au tournoi de golf. C'est son sourire heureux lorsque je l'ai serré très fort dans mes bras pour le remercier. C'est son regard peiné lorsqu'il avait encore oublié d'apporter le foutu calepin. C'est le souvenir d'un oncle pour qui un petit neveu, c'était important. Il y a tant d'adultes qui ne se préoccupent pas des enfants. Qui ne s'intéressent qu'aux grands. Avec ton papa, même si on ne s'est pas vus très souvent, j'ai pu partager plusieurs beaux moments que le temps n'a su effacer. De longues discussions sur Maurice Richard. Les chansons de Mireille Mathieu qu'il adaptait à sa façon : « Pourquoi le monde est sans allure ? » Et la saga rocambolesque d'un calepin d'autographes.

En passant, cousine, si jamais tu veux l'autographe de Wilfred, ça nous donnerait une raison de nous revoir...

Quatre mariages gais et un enterrement triste

C'est le sujet à la mode! Après les clones de Raël, *Star Académie* et la guerre en Irak, place au mariage gai. Aux nouvelles de Radio-Canada, on parle juste de ça. C'est le gros débat de la rentrée. Êtes-vous pour ou contre le mariage gai? De quel côté penchez-vous? Il faut se commettre! On veut de la polémique. De l'affrontement! Comme on dit dans les saunas : « Je penche, donc j'essuie. »

Du calme! Les nerfs! C'est pas de Canadien-Nordiques qu'il est question, ni de la bombe atomique. C'est du mariage. C'est un peu personnel, comme sujet. La plupart des gars évitent d'en parler avec leurs blondes, alors on va pas se mettre à discuter de ça sur la place publique comme des enragés. Le mariage gai, c'est pas le virus du Nil. Ça ne nous menace pas! Laissez-nous tranquilles! Je ne sais même pas si j'ai une opinion là-dessus. Je ne sais même pas si ça me tente d'en avoir une. Je ne sais même pas si ça me regarde. Pour qu'un sujet tourne en débat de société, il faut qu'il concerne toute la société. Si le Québec se sépare, ça va me toucher. Si les hôpitaux se privatisent, ça va me toucher. Mais si les gais peuvent se marier, il n'y a pas un gai qui va venir m'enlever pour me forcer à me marier avec lui. Je ne risque pas demain matin de me retrouver au lit avec Daniel Pinard. Si les gais veulent se marier, c'est leur problème. On n'a pas à intervenir.

En quoi la société souffrira-t-elle du mariage gai ? Ça va juste faire augmenter les ventes de coutelleries chez Birk's... En quoi ma vie va-t-elle changer parce que les deux gars qui habitent à côté de chez nous se sont mariés ?

Il y a déjà eu plein de baptêmes gais, c'est juste qu'on ne le savait pas. Le jour où Elton John a été baptisé, c'était un baptême gai, on venait de baptiser un gai mais on l'a seulement su lorsqu'il a commencé à chanter *Crocodile Rock* habillé en phoque. Il y a aussi plein de funérailles gaies, où tout le monde sait que la personne est gaie. Elles ont lieu pareil. Le Pape n'a jamais dit que les gais n'avaient pas le droit de mourir ! Si tu as le droit au baptême et aux funérailles, tu devrais avoir le droit au mariage : c'est le même forfait. La vie, l'amour, la mort. On est tous égaux devant ça. On passe tous par là.

C'est sûr que ça fait bizarre, pour nous hétéros, de voir deux messieurs à barbichette se dire *oui* et s'embrasser sur la bouche. On n'a jamais vu ça dans les films de Walt Disney qu'on regardait quand on était petits. Ça ne faisait pas partie de notre vision du romantisme. Il n'y a pas encore eu de film d'amour intitulé *Quatre mariages gais et un enterrement triste*. Mais c'est pas parce que ça fait bizarre qu'il faut l'interdire. À ce compte-là, il faudrait interdire les fenêtres colorées du Palais des congrès et les cheveux de Jean Charest. De toute façon, que les gais ne s'en fassent pas trop avec cette nouvelle bataille : l'été prochain, la chose la plus *in* sera d'être invité à un mariage gai. « Quoi, ma chère, vous n'avez jamais été invitée à un mariage gai ? Mais vous êtes une inculte ! »

Êtes-vous pour ou contre le mariage gai ? Franchement ! Si on veut avoir un débat de société, ce n'est pas sur le mariage gai qu'il faut le faire, c'est sur le mariage tout court. Ça, ça touche tout le monde.

De nos jours, la plupart des gens se rendent à l'église pour deux raisons : un mariage ou un enterrement. Au mariage, on regarde deux personnes promettre qu'elles vont s'aimer toujours. Trois ans plus tard, c'est fini. À un enterrement, on veille une personne qui s'en va pour toujours. Ça, au moins, ça dure. Trois ans plus tard, on ne croise pas la personne enterrée chez le nettoyeur. On n'est pas allé aux funérailles pour rien. Les morts ont plus de parole que les amoureux.

Dans les mariages, tous les invités ont de plus en plus un petit sourire en coin. On sait bien que ça ne durera pas. C'est rendu qu'à la sortie de l'église, il y a toujours un beau-frère qui organise un *pool* : « Devinez la date du divorce. » Souvent, même le mari y participe.

Quatre mariages et un enterrement, c'est maintenant le bilan de la vie d'une seule personne.

Mais c'est pas grave. On se marie pour le *party*. Pour le *trip*. Pour la robe. Pour l'enterrement de vie de garçon. C'est bien plus ça qui menace l'institution du mariage que l'orientation sexuelle des deux tourtereaux. On se marie de plus en plus sans vraiment y croire. Juste parce qu'on ne peut pas retourner au cégep pour avoir un autre bal de fin d'année. Alors on se marie et on se dit oui pour le *fun* en sachant que, trois ans plus tard, si la fusion ne fait pas notre affaire, on défusionnera. L'ennemi du mariage, ce n'est pas le mariage gai, c'est le mariage égoïste. C'est ça qui est en train de faire du mariage une tombola. Et cela dit, de nombreux gais, malheureusement, vont se marier pour les mauvaises raisons autant que leurs parents hétéros. On a beau penser plus aux filles ou aux garçons, on finit tous par trop penser à soi.

La mort du mariage, c'est la mort de l'amour qui dure pour le meilleur ou pour le pire. Notre monde ne veut plus rien savoir du pire. Avant même qu'il se produise, on lève les voiles ou on augmente la vapeur, selon qu'on est à voile ou à vapeur. Gens des médias, si vous voulez faire un débat de société, faites-le là-dessus : la fin du grand amour.

On peut adopter une loi pour permettre aux gens de se marier, on ne peut pas adopter une loi pour obliger les gens à s'aimer longtemps, à s'aimer sincèrement...

Êtes-vous pour ou contre le mariage gai ? OK, je vais répondre, si vous y tenez. Je suis pour le mariage de deux personnes qui s'aiment vraiment. Mais comme je passerai ma vie à essayer de savoir ce qu'est aimer vraiment, je vous répondrai : je suis pour le mariage de quiconque le veut bien, tout simplement. Mes meilleurs vœux à tous et toutes ! À tous et tous ! À toutes et toutes !

Pourvu que ça dure !

ॐॐ

Le Super Bowl et l'amour

C'est ce soir. Tout le monde le sait. Tout le monde va le regarder. De Guy Émond à Christiane Charrette. Tout le monde va être devant sa télé. Moi aussi, bien sûr. Avec mes bons amis. Ça va être super. Mais ça pourrait être mieux. Car il manque un ingrédient important pour moi à ce 37ᵉ *Super Bowl* : l'amour. Je n'aime ni les *Patriots* ni les *Panthers*. Je les respecte. Je les trouve bons. Mais je ne les aime pas. Et surtout pas d'amour.

Cet après-midi, avant le plus grand événement sportif de la planète, il va y avoir un petit match de hockey banal à RDS. Une rencontre *Canadien-Chicago* qui ne sera pas regardée par un milliard d'êtres humains. À peine 300 000. Mais c'est un match de MES *Canadiens*. Et je vais le regarder avec une petite nervosité au ventre. Parce que je les aime. Et quand Ribeiro va compter, je vais crier de joie. Parce que je les aime. Et quand Chicago va compter, je vais sacrer contre les Glorieux. Parce que je les aime. Et s'ils gagnent, je vais être de bonne humeur grâce à eux durant quelques instants. Et s'ils perdent, je vais être grognon durant quelques minutes. Parce que je les aime. Depuis toujours. Depuis que j'ai 4 ans et que je jouais dans la ruelle avec une tuque de la flanelle sur la tête. Bien avant que Théo naisse.

Mais ce soir, ce ne sera pas pareil. L'enjeu a beau être mille fois plus grand, le *show* cent mille fois plus gros, je vais être relaxe. Je vais regarder ça avec grand intérêt, mais sans passion. Je vais prendre pour les Patriots. Et crier pour eux. Pas parce que je les aime. Parce que j'ai parié 10 $ qu'ils allaient gagner. *Go, Tom Brady, go !* C'est sûr que 10 $ ça met un peu de piquant. Mais bien moins que l'attachement.

Ça ne m'a jamais frappé autant que cette année, à quel point le sport perd toute sa magie quand il n'y a pas de sentiment. Quand Montana et San Francisco se rendaient au *Super Bowl*, j'étais tout excité. C'était mon équipe. Leurs victoires me sont gravées à jamais dans ma mémoire. Même chose pour les Dolphins et les Cowboys. Je n'aimais pas les Steelers. Ça aussi, c'était le fun, ne pas aimer les Steelers. J'avais « de quoi » pour les Titans. Un gros penchant pour les Packers. Mais les Patriots et les Panthers ne me font rien. L'électro est à zéro. Ça, c'est déprimant. Ne rien ressentir. C'est la première fois que ça m'arrive. Je n'ai jamais regardé un événement sportif sans prendre pour quelqu'un. Parfois du fond du cœur. Parfois juste du bout des yeux. Merci Ali, Borg, Villeneuve, Lafleur, Pelletier, Gagné...

Au fond, on n'est pas des amateurs de sport, on est des amateurs de sentiments. On aime ça en avoir. En ressentir pour le favori ou l'*underdog*. Sans sentiments, les trois heures écrasées devant notre télé seraient du temps perdu. Grâce à eux, les trois heures deviennent des souvenirs. Il suffit d'écouter le merveilleux Ron Fournier, le soir à la radio, pour s'en rendre compte. Les amateurs de sport qui l'appellent ne lui parlent pas de sport, ils lui parlent de leurs tripes, de leurs rêves, de leur cœur. Ils ne disent rien de technique. Ils parlent seulement de ce qui les réjouit ou les choque. Ils parlent de leur vie. De leur relation avec 20 gars aux chandails rouges. Comme on parle de ses amis.

Et il en est ainsi pour les amateurs de peinture, de théâtre, de chanson ou de quoi que ce soit. Pas un film n'a d'intérêt si on ne s'attache pas aux personnages. Aucun livre n'a de souffle si le héros ne devient pas notre copain.

C'est beau, une chanson. On peut en écouter plein en tapant du pied et en ayant l'esprit ailleurs. Mais quand on pense à quelqu'un en écoutant une chanson, elle devient bien meilleure.

Chaque instant de notre vie, chaque geste que l'on fait, chaque chose que l'on voit ou que l'on entend ne prend un sens que lorsque notre cœur y est attaché. Même les instants les plus futiles, comme ceux passés à regarder un match de football. C'est pour ça que c'est bon, la vie.

Même si, cette année, ni les Patriots ni les Panthers n'éveillent en moi de passion, la soirée sera spéciale, j'en suis sûr, car mes amis seront là. On risque plus de jaser et de rire que de regarder la partie. Une chose est sûre, c'est qu'on va bien s'amuser. Puis, sait-on jamais ? Le quart-arrière d'une des deux équipes va peut-être retourner au jeu après une blessure et combler un écart de 14 points pour envoyer le match en supplémentaire. Et là, on va s'intéresser à ce qui se passe à la télé. On va avoir vu le petit quart souffrir. On va l'avoir vu se battre. Et on va s'attacher

à lui. Et on va vouloir qu'il gagne. Même si, par mal-
chance, on a parié un 10 sur l'autre club !

Bon *Super Bowl* tout le monde !

Et j'espère que le Canadien va gagner.

❧

La solution barbare

Avez-vous regardé *Enjeux* mardi soir ? Il y avait un très bon reportage sur les hôpitaux qui tuent. On a appris que les infections nosocomiales sont la quatrième cause de décès au Québec. Savez-vous c'est quoi, les infections nosocomiales ? Ce sont des infections contractées à l'hôpital. Ça, ça veut dire que tu vas à l'hôpital parce que t'as une grippe d'homme, pendant que tu attends dans le corridor, il y a une infection nosocomiale qui saute sur toi, un mois plus tard, t'es mort. Si au lieu d'aller consulter pour ta grippe d'homme, tu t'étais fait une mouche de moutarde à la maison, tu serais encore vivant. Aïe, ça fait peur !

Non mais, si y avait un endroit avant où l'on pensait être à l'abri, être protégé, c'est bien à l'hôpital. Tous les hypocondriaques vont être d'accord avec moi. Avant, quand t'avais un bobo, que ton cœur faisait des palpitations ou que la tête t'élançait, dès que t'arrivais à l'hôpital, on aurait dit que ça allait mieux. Le bobo s'en allait comme par magie. On était rassuré. On savait qu'il y avait plein de machines et de médecins pour nous sauver. On n'avait plus peur. On aurait passé notre vie là ! Dans un environnement que l'on croyait stérilisé. Mais plus à c't'heure ! Désormais, ce n'est plus rassurant du tout d'être à l'hôpital. Au contraire ! Faut aller là en habit d'homme-grenouille pour être sûr de ne rien pogner ! Y a des infections nosocomiales qui traînent partout.

Ça change une façon de penser. Avant quand t'avais un point dans le dos, tu disais à ton ami : « J'ai un point dans le dos. Ça fait deux semaines, j'sais pas ce que c'est... » Ton ami qui t'aime te répondait : « Ne prends pas de chance, tu devrais aller à l'hôpital, on ne sait jamais. Mieux vaut prévenir que guérir. » Aujourd'hui, quand t'as un point dans le dos, tu dis à ton ami : « J'ai un point dans le dos, je pense que je vais aller à l'hôpital... » Si ton ami t'aime, il va te répondre : « Es-tu fou ? Veux-tu mourir ? Endure ! Mieux vaut souffrir que guérir. » Parce que peut-être que l'hôpital va te guérir de ton point dans le dos, mais tu risques d'attraper une infection nosocomiale et de rester sur le dos. Les hôpitaux ne sont, au fond, que la salle d'attente de Magnus Poirier. Avoir su, on ne se serait pas plaint si souvent d'attendre longtemps !

Dorénavant, tant que t'es pas certain d'être ben malade, tu ne vas pas à l'hôpital, parce que tu risques de le devenir vraiment. Ton point dans le dos, tu le traites autrement. Tu fais du yoga. Les infections nosocomiales n'ont pas encore envahi les classes de yoga. C'est sûr que des fois, t'as pas le choix. Quand t'as eu un gros accident d'auto, que t'as les jambes sectionnées et la cage thoracique perforée, faut que tu ailles à l'hôpital. Parce que si on t'amène à ton école de yoga, le yogi pourra pas faire grand chose pour toi. Pour faire la position du lotus, faut que ta tête soit encore sur ton cou. Donc tu prends une chance : ne pas mourir tout de suite et mourir dans six mois d'une infection nosocomiale parce que t'es resté trop longtemps à l'hôpital.

Quoique... J'ai peut-être une solution. Les hôpitaux devraient instituer un service à l'auto. Les urgences *drive in*, comme les ciné-parcs. T'as ton accident de char. L'ambulance arrive sur les lieux. Ils t'embarquent. T'arrives à l'hôpital. Ils ne te débarquent pas. Ils vont dans le stationnement. Ce sont les médecins et les infirmières qui montent dans l'ambulance. Ils te recousent. Puis tu retournes chez vous. Bing ! Bang ! Tu ne mets pas un pied dans l'hôpital. Aucune infection nosocomiale ne t'as vu.

C'est clair. Si on veut rester en santé, faut plus aller à l'hôpital. Jamais. Vous allez me dire que des fois, on n'a pas le choix. Que des fois, il faut se faire opérer. Pas si vite ! Avez-vous vu *Découverte* l'autre dimanche ? Il y avait le sympathique docteur Ronald Denis, de l'hôpital Sacré-Cœur, qui montrait un robot capable d'opérer à distance par Internet. Le Dr Denis est à Sacré-Cœur sur le boulevard Gouin et il opère quelqu'un à Rimouski. C'est ça, la solution : tu ne vas pas à l'hôpital. Tu restes dans ton lit et tu te fais opérer à distance par Internet. Loin des infections nosocomiales. C'est sûr que c'est préférable d'avoir Internet haute vitesse à la maison. Parce que si la connexion plante durant l'opération, tu peux en saigner un coup.

Y en a qui vont dire que j'exagère. Que je panique pour rien. Que le reportage d'*Enjeux* était sensationnel. Que c'est pas si pire que ça. Qu'il n'y a pas tant d'infections que ça. Que c'est pour les cotes d'écoute qu'ils nous racontent tout ça. C'est ça que je me suis dit aussi. Faut pas virer fou. Je m'étais même calmé.

Ça n'a pas duré deux jours. Avez-vous vu ce qui s'est passé jeudi ? L'hôpital Sainte-Justine a rappelé 2 000 patients parce qu'une chirurgienne était séropositive. C'est rendu qu'on est comme une Ford Taurus. On nous rappelle. Ça se peut que ton modèle ait un trouble, ma petite madame. Ça m'a achevé. Je n'irai plus jamais à l'hôpital. *Over my dead body* !

Attendez un peu...

À bien y penser, c'est peut-être une attrape, tout ça. C'est quand même bizarre que la semaine où il y a un reportage sur les hôpitaux qui tuent, Sainte-Justine rappelle ses patients. On dirait une conspiration. Réfléchissons-y deux minutes. Les libéraux, c'est des fins finauds. Tout d'un coup ils auraient trouvé le moyen de désengorger les urgences ? De régler les coûts de la santé en faisant peur au monde ? À force d'entendre aux nouvelles que c'est dangereux d'aller à l'hôpital, on n'ira plus attendre là pendant 20 heures. C'est certain. Et les corridors seront vides. C'est ça, leur solution. Leur solution barbare : le Ministère fait des coupes, il n'achète plus assez de savon. Les employés se lavent moins les mains. Les infections nosocomiales se multiplient. Les gens ont peur d'aller à l'hôpital. Ils restent chez eux. Le problème est réglé. Fallait y penser. On a mis les Bougon au pouvoir sans le savoir.

Vous allez me dire que je suis parano. Que je fais une psychose antigouvernementale. Vous avez raison. Mais ne comptez pas sur moi pour que j'aille à l'hôpital me faire soigner !

❧

Le tricycle vert

Noël 1965. J'ai beau avoir 4 ans, je m'en souviendrai longtemps. Papa et maman m'ont donné le plus beau cadeau qui soit : un tricycle. Un tricycle vert. Wow ! Je vais pouvoir faire comme mon frère. Lui, il a une vraie bicyclette, il est grand. Mais je vais au moins pouvoir le suivre. Et faire le tour du bloc. Faire le tour du monde.

Le tricycle aussitôt déballé, je me suis assis dessus et j'ai traversé le salon. Maman a mis sa main sur le guidon :

« Pas dans la maison, Stéphane. Un tricycle, c'est fait pour aller dehors...

— On va dehors ! On va dehors !

— Ben non, ton tricycle roulera pas : y a plein de neige. Il va falloir attendre au printemps.

— Au printemps ?

— Ben oui, quand il va faire beau.

— C'est quand, le printemps ?

— C'est après Pâques. »

Après Pâques ? On n'est pas au jour de l'An ! Je suis découragé. Le printemps, c'est dans tellement de dodos !

Je descends de ma monture et je porte mon tricycle dans ma chambre. Je le place devant mon lit. À défaut de le conduire, je vais le regarder. Tous les jours. En attendant que la neige fonde.

C'est ce que j'ai fait. Tout janvier et tout février. Des fois, je m'assoyais dessus et je faisais semblant de pédaler. J'allais très vite dans ma tête. Je traversais la ruelle. Je me rendais même jusqu'à la mer. Et puis je revenais. Sans avoir bougé. Je buvais mon jus sur mon tricycle. Je regardais mes livres d'images. Je coloriais. J'étais toujours assis dessus. Jamais un tricycle n'a fait autant de millage sans avancer d'une roue.

Fin mars. À la télé, ils disent que le printemps est arrivé. Enfin, on va pouvoir sortir. Mais ma mère dit non. Le printemps est arrivé, mais l'hiver n'est pas parti. Il y a encore plein de neige. Et avril amène d'autres bordées. Mon tricycle ne roulera jamais.

Et puis un dimanche, début mai, il ne neige pas, il ne pleut pas, il fait beau. Enfin ! Ma mère n'est pas réveillée. Je suis planté devant elle. J'attends qu'elle ouvre l'œil. La tête dans l'oreiller, elle me dit :

« T'as faim ?

— Non.

— Tu veux regarder la télé ?

— Non. »

Elle s'étire le cou et aperçoit un rayon de soleil traverser les rideaux.

« Tu veux aller en tricycle ?

— Oui ! »

Ma mère attache mon coupe-vent et elle me met un béret sur la tête. Elle prend mon tricycle dans ses mains et descend les deux étages. Elle le met sur le trottoir. Puis elle revient me chercher. Mon cœur bat très fort. Je m'assois sur la selle. Je donne un coup de pédale. Et je roule. Pour vrai. Je n'en reviens pas. Je vais jusqu'à l'arrêt d'autobus et je reviens devant la maison. Une fois, deux fois, vingt fois. Après une heure, ma mère me demande si je veux rentrer pour déjeuner. Non. J'ai mangé tout l'hiver. Là, je suis trop bien. Mon père prend le relais. Il marche à côté de moi pendant que je pédale. Toujours le même parcours. De toute façon, je regarde un pied devant moi. Tout ce que je vois, ce sont mes pieds et les *craques* du trottoir. Tout ce que je vois, c'est que je suis en train d'avancer. Et c'est ça qui me rend heureux. Mon frère prend le relais. Puis ma sœur. Elle m'apporte un sandwich à la confiture. Je le mange en roulant. D'une main. C'est que je commence à être habitué. J'ai passé toute la journée à aller vers l'arrêt d'autobus. Du matin jusqu'à la noirceur. La plus belle première journée de printemps de ma vie.

Je suis rentré épuisé. Et j'ai bien dormi. Même si mon tricycle n'était plus devant mon lit. Ma mère l'avait laissé dans le vestibule, en bas de l'escalier. Et c'est là que je me suis sauvé. Aussitôt réveillé.

J'ai passé l'été sur ce tricycle vert. J'ai roulé devant la maison. Dans la ruelle. Dans le parc. J'ai suivi les fourmis. Et mon frère de loin. J'étais bien. Sur mon tricycle, je ne marchais plus croche. J'avançais comme tout le monde. Je roulais. Comme les petits voisins.

Ce fut le même bonheur le printemps suivant, et le printemps d'après. Mais quand j'ai eu 7 ans, tous les voisins étaient rendus à bicyclette. Et moi j'étais encore sur mon tricycle vert. Je n'avais pas assez d'équilibre pour faire du vélo.

Un tricycle, c'était parfait. Il y avait trois roues et ce n'était pas trop haut. Les enfants riaient un peu de moi, mais je m'en foutais. Je roulais plus vite.

À 8 ans, j'ai essayé la bicyclette avec les deux petites roues en arrière. Peine perdue. Et j'étais rendu trop grand pour mon tricycle vert. Mes jambes dépassaient beaucoup trop les pédales. Je n'avançais plus.

Il a beaucoup plu, ce printemps-là.

Une caméra à la place de Dieu

Lundi matin, vous vous levez en retard. Vous avez trop bu au souper du dimanche soir. Vous arrivez au bureau à 10 h. Vous dites à votre patron qu'il y a eu un gros accident dans l'échangeur Turcot. Il vous regarde en souriant. Puis il vous lance : « Arrête de me conter des histoires, t'as trop bu hier soir... »

Vous rougissez. Le midi, vous allez dîner entre confrères et consœurs. Vous *cruisez* un peu la jolie Brigitte. Rien de grave. Juste des farces. Elle a un *piercing* sur la langue. Vous lui demandez si elle serait assez gentille pour vous faire essayer ça. Voir ce que ça fait sur votre engin. À titre d'expérience, bien sûr. Votre cellulaire sonne. C'est votre femme. Elle vous hurle à l'oreille : « Tu veux essayer le *piercing* ? Attends ce soir, je vais te percer les yeux !!! »

Vous raccrochez, livide. Vous retournez au bureau. Le patron vous demande votre avis sur Patrick, votre ami. Il songe à lui pour une nomination. Celle que vous espérez. Vous lui dites, en toute confidentialité, que Patrick est ben fin mais qu'il ne travaille pas fort, qu'il passe ses journées à *surfer* sur Internet. Patrick arrive dans votre bureau. Il vous dit de chercher quelqu'un d'autre pour le chalet, cet hiver. Qu'il ne veut plus rien savoir de vous. Vous retournez à la maison. En chemin, vous arrêtez aux danseuses pour vous calmer, vous remettre de cette horrible journée. Vous appelez votre femme pour lui dire que vous êtes retenu au bureau. Elle vous dit qu'elle vous quitte.

24 heures

Voilà ce que serait votre vie s'il y avait une caméra braquée sur vous 24 heures sur 24 et si tous les gens qui vous connaissent, assis devant leurs téléviseurs, voyaient ce que vous faites et entendaient ce que vous dites. Après une semaine, vous n'auriez plus de blonde, de *chum*, d'amis, de *job*! Parce qu'on dit tant de choses sur les gens quand ils ne sont pas devant nous et qu'on fait tant de choses avec d'autres gens quand les proches ne sont pas avec nous que, si notre vie était un livre ouvert, ce ne serait pas long que ce serait un livre jeté.

Tout le monde parle un peu contre tout le monde. Tout le monde trompe un peu tout le monde. Mais ce n'est pas grave. Les principaux intéressés ne le savent pas. On n'est pas en ondes.

Avant, il y avait la conscience. Un Dieu en nous qui nous regardait aller. Et quand on était sur le point de parler contre quelqu'un, la conscience nous disait de nous taire. Et quand on était sur le point de faiblir devant les charmes de quelqu'un, la conscience nous disait de rentrer chez nous. C'était au temps où l'on croyait en Dieu.

C'était au temps où on l'imaginait assis sur un nuage, en train de regarder chacun de nos agissements. Le grand réalisateur de *Life Story*. On avait tellement peur que Dieu se choque contre nous qu'on marchait droit. Qu'on se forçait. Brûler en enfer, ça ne nous tentait pas. Bien sûr, y en a une grosse *gang* qui péchaient quand même, mais au moins, ils se sentaient mal. Un petit peu.

Aujourd'hui, tout ça n'est que littérature. On ne croit plus vraiment en Dieu ou, si on y croit, on l'envisage comme un concept, une énergie, un magma. Pas quelqu'un en train de regarder ce qu'on fait du matin jusqu'au soir. Donc, on n'a plus rien pour nous retenir. Pour remettre en question nos agissements. On a juste une vie à vivre, et tant pis pour les autres. L'humain, se croyant seul, n'agit maintenant que dans son propre intérêt. Au diable la conscience ! Que les lofteurs et les occupés doublement jouent un jeu entre eux, ce n'est pas grave, c'est de la télé. Mais que nous tous en jouions un aussi, c'est grave, c'est la vraie vie. La nôtre.

Les apparences

Notre monde manque désespérément de droiture. D'honnêteté. Du président des États-Unis au voyou des ruelles en passant par le comptable de banlieue, on trouve en chacun de nous cette propension à maquiller la réalité, à flatter l'un, à diminuer l'autre pour faire notre place. Il n'y a au bout du compte qu'une chose qui importe : les apparences. Du moment que les autres croient en notre loyauté, en notre pureté, c'est tout ce qui compte. Même si nous, on connaît les détours qu'on prend.

Si au moins ça nous rendait heureux. Si les choses pas gentilles qu'on dit sur un tel, les actes douteux que nous commettons contre tel autre faisaient en sorte que nous nagions dans le bonheur, ben cou'donc ! Il en serait ainsi. Mais c'est le contraire. Il n'y a jamais eu tant de déprimes, de suicides, de désillusionnés. Tout le monde joue le jeu, mais le jeu est plate. Et quand on croit avoir gagné, on se rend compte qu'on a perdu.

Le petit plaisir

À quoi, ça sert de dire du mal de quelqu'un ? Une *joke*, ça, c'est correct ! Mais du mal, ça n'a pas sa place. Qu'est-ce que ça nous apporte, de casser du sucre sur le dos de quelqu'un ? Ça nous procure un petit plaisir sur le coup. Le petit plaisir du frustré, qui se grandit en abaissant son prochain. C'est tout. Il y en a qui aiment tellement dire du mal des autres qu'ils s'en vantent : « Moi, je dis ce que je pense ! Moi, je suis franc ! » La franchise, ce n'est pas de dire ce que les autres sont. C'est de dire ce qu'on est. On a déjà assez de misère à réaliser qui on est qu'on se sait sûrement pas ce que sont les autres. Alors taisons-nous. Mais c'est plus fort que nous. Pourquoi se gêner ? Notre conscience a sacré le camp.

Comment la faire revenir ? On ne peut plus faire peur aux humains avec l'enfer. On peut seulement leur faire peur en leur montrant comment ils sont. La caméra est devenue le bon Dieu.

Si on était tous les héros d'une émission de téléréalité, je ne suis pas sûr qu'on serait très fier de ce que les autres verraient de soi. De ce que l'on verrait de soi-même. Le problème, c'est qu'on regarde les autres au lieu de se regarder soi-même. Vivement que le CRTC sanctionne l'arrivée de 6 millions de nouveaux canaux spécialisés : Canal Stéphane, Canal Sophie, Canal Bob, etc.

Pour qu'on voie enfin ce que nous faisons. Ce que nous sommes. Quand tout le monde sera une vedette, plus personne n'en sera une. Et peut-être que nous reviendrons ce que nous sommes censés être : des êtres humains. Humains, dans le sens de compréhensifs et compatissants. C'est quand nous le sommes que nous sommes bien.

Cette semaine, faisons comme si une caméra nous suivait nuit et jour, comme si chaque geste que nous faisons, chaque mot que nous disons étaient faits et dits devant tout le monde. Peut-être nous forcerons-nous un peu pour être une meilleure personne. Peut-être est-ce la personne que nous sommes vraiment...

Sur ce, mes bien chers frères, allez en paix !

La fois où j'ai pêché...

On est à Joliette, en visite chez mon oncle Jacques. On est à la veille de s'en aller.

Mon oncle dit à ma mère : « Partez pas tout de suite, j'ai quelque chose pour vous... » Il descend dans le sous-sol. Ouvre son congélateur comme si c'était une boîte aux trésors et en ressort un gros poisson. Énorme. Je ne sais pas si c'est parce que j'ai juste 8 ans, mais dans ma tête, on dirait un requin. Mon oncle le tient fièrement : « J'en ai pris cinq comme ça, le mois passé, à Saint-Michel-des-Saints. » Quand mon oncle parle de ses voyages de pêche à Saint-Michel-des-Saints, ses yeux pétillent comme un lac inondé de soleil. La pêche, c'est sa passion, son oasis, sa paix.

Il emballe le poisson dans un journal et le donne à maman : « Tiens, Nini, tu m'en donneras des nouvelles... » Ma mère est un peu mal à l'aise. Comme lorsqu'on reçoit un cadeau trop gros. « Jacques, tu es sûr que tu ne veux pas le garder ? C'est ton dernier... » Mon oncle sourit : « Il n'y a qu'une chose dans la vie qui est aussi agréable que de pêcher, c'est de donner. »

Puis il se retourne vers moi et me dit : « Hey, la puce, l'été prochain, on ira à la pêche ensemble. » Je n'en reviens pas ! Ça y est, je suis un homme ! Mon oncle le dit toujours : la pêche, c'est une affaire d'hommes. Donc, si j'y suis invité, c'est que j'en suis un. Je vais aller à la pêche. Comme les vrais messieurs. Wow ! Dans 10 mois, je ferai partie de la confrérie. Après ça, il ne me restera plus qu'à me raser.

L'hiver fut long. Presque aussi long que l'année de mon tricycle vert. Mais l'été a fini par arriver. En retard, comme toujours. Mais toujours là.

Ma mère n'est pas folle à l'idée que j'aille pêcher. Les femmes ne comprennent pas les hommes. Elle ne veut surtout pas que je prenne un petit avion pour aller sur un des lacs de prédilection de mon oncle. OK pour la pêche, mais dans un lac pas loin. Autour de Joliette.

Un vendredi de canicule, nous sommes partis, toute la famille, dormir chez mon oncle Yvon, au lac des Français. C'est là que, à 4 heures du matin, mon oncle Jacques est venu me chercher pour qu'on aille à un lac sauvage. Tellement sauvage qu'il n'avait pas de nom. Un lac bourré de poissons.

Juste de me lever à 4 heures du matin, c'est génial. On dirait Noël. Ma mère m'a préparé une glacière. Avec des sandwiches à la confiture. Et un jus d'orange dans une petite boîte de carton. Mon oncle dit : « Fais-toi z'en pas, j'ai mieux que ça, j'ai de la bière. » Ma mère s'offusque : « Que je te voie ! » Mon oncle se met à rire : « Ha ! ha ! ha ! M'as en faire un homme, moi, de ton gars ! » Maman lève les yeux au ciel.

Après une heure de route, nous voilà arrivés au lac sans nom. Mon oncle connaît la place. Après avoir marché dans un petit sentier, on arrive devant la chaloupe. J'ai chaud. Ma mère a tenu à ce que je m'habille comme si j'allais jouer dans la neige. J'enlève une couche. Et nous partons dans l'aube. On rame quelques minutes. Puis mon oncle dit : « Ici, c'est parfait. » Il me tend une canne à pêche et me montre comment mettre l'hameçon. Je l'écoute attentivement. Comme si c'était un rituel sacré. Oncle Jacques lance sa ligne à l'eau. Je lance la mienne. C'est officiel. Je suis en train de pêcher. J'ai 9 ans. Je suis un grand.

Le temps passe. Ça ne mord pas. Mais c'est pas grave, c'est beau. Je regarde le soleil qui se lève sur l'eau. J'écoute le silence des grands espaces. Mon oncle ne parle pas. Moi non plus. À la pêche, on ne parle pas. On pêche.

Vers 9 heures, je prends mon jus d'orange. Mon oncle prend une petite bière. Il me fait un clin d'œil : « On est bien, han ? » Je lui fais signe que oui de la tête. Pour ne pas déranger le poisson.

J'ai les yeux rivés sur ma ligne depuis quatre heures. Je suis prêt. J'ai hâte. Et en même temps ça me fait peur. Dès fois, j'ai l'impression que ça mord, je tire, et il n'y a rien d'autre que mon trop grand désir. Mon oncle non plus, ça ne mord pas fort. Mais il ne s'en fait pas. Plus on attend, plus il va être gros. C'est ce qu'il dit. J'ai l'impression d'attendre depuis trois ans. Je vais pêcher Moby Dick.

Et puis soudain c'est vrai. Je ne rêve pas. Ma ligne bouge :

« Mon oncle, ça mord.

— Es-tu sûr, ce coup-là ?

— Oui, pis tenez-moi, je pense que je vais tomber à l'eau... »

Mon oncle s'assoit derrière moi. Et il m'aide avec le moulinet. J'en ai un gros. Je le vois sautiller. Mon oncle est tout excité. Plus que moi. Il me dit quoi faire. J'ai les dents serrées. J'ai l'impression d'être Tarzan qui se bat contre un lion. Je suis un petit cul en train de pêcher son premier poisson. Et j'y arrive. Voilà, je l'ai. Mon oncle le tient : « Maintenant, enlève l'hameçon. » J'essaie. Je ne suis pas capable. Ça me déchire le cœur. Mon oncle fait une petite face. Il me trouve un peu moumoune. Et il retire l'hameçon lui-même. Le poisson gigote dans la barque. « Allez, mets-le dans la chaudière... » J'essaie de l'attraper. Pas facile. Il se démène comme Mick Jagger. Et c'est là que ça me frappe. Ce poisson-là, ce n'est pas un dessin animé.

C'est un vrai poisson. En train de mourir. C'est trop pour moi. Je le prends dans ma main. Et je le relance à l'eau. Mais pour ne pas décevoir mon oncle, je fais semblant de l'avoir échappé :

« Oups ! Excuse, mon oncle ! J'ai pas fait exprès...

— C'est pas grave, il va y en avoir d'autres...

— Sais-tu, mon oncle, j'aimerais ça rentrer parce que j'ai comme des crampes...

— T'as des crampes ?

— Oui. Oui. »

Mon oncle s'est mis à ramer vers la rive. Il avait compris. Que je ne serais jamais Jean Pagé. Moi, j'étais un peu mêlé. Je ne savais pas, après cette expérience, si je pouvais dire que j'étais un homme, un vrai. Probablement pas.

Ce fut mon dernier voyage de pêche. J'avais tout aimé de la pêche. Sauf pêcher.

❧

Brochette de mythes grecs

C'est parti ! Les Jeux d'Athènes sont ouverts. Durant les deux prochaines semaines, le monde entier sera une longue brochette grecque. Et il sera de bon ton de faire étalage de ses connaissances sur la mythologie grecque. Comme j'ai eu la chance d'étudier le grec au Collège de Montréal, laissez-moi vous donner un petit cours de mythes et légendes pour que vous puissiez épater la galerie pendant que vos amis bâilleront en regardant la nage synchronisée à 6 h du matin.

Selon les grecs de l'Antiquité, l'origine du monde vient du mariage entre Gaïa, la Terre, et Ouranos, le Ciel. On ne sait pas si c'était un mariage d'amour parce qu'ils n'avaient pas ben ben le choix : il y avait juste eux autres qui existaient. Pas besoin de sites de rencontres Internet. Gaïa et Ouranos ont eu six filles et six garçons. C'est une grosse famille, mais il faut dire qu'il y avait bien de la place.

La première famille de l'Histoire a donné naissance, bien sûr, aux premières chicanes de l'Histoire. Ouranos n'était pas fin avec son épouse, alors le petit Cronos décida de venger sa mère en coupant les organes génitaux de son père. Ouranos Bobbit dut laisser sa place de chef à Cronos, qui devint donc le Cronos maître. Il était assez *heavy*, le Cronos. Pour consolider sa suprématie, il exila ses frères et sœurs, sauf Rhéa, qu'il épousa. Victor-Lévy Beaulieu n'a rien inventé. Et pour être sûr qu'aucun de ses cinq enfants ne prenne sa place un jour, Cronos les mangea. Quand Rhéa fut sur le point d'accoucher à nouveau, elle se cacha en Crète et confia à des nymphes son poupon, appelé Zeus. Zeus à l'envers, ça fait suez, et comme tous les *big boss*, il a fait suer bien du monde. Quand Zeus devint adulte, il fit boire une potion à son père qui lui fit restituer ses frères et sœurs. Je sais, c'est dégueulasse, mais que voulez-vous, Elvis Gratton n'a rien inventé.

Zeus déclara la guerre à Cronos. La *gang* de Zeus gagna et s'établit sur le mont Olympe. Ça ne date pas d'hier que les gens puissants préfèrent vivre au sommet des montagnes. Le mont Olympe, c'était un peu comme le Westmount grec. Un coin défusionné du reste de la création.

Zeus s'ennuyait dans sa grosse cabane et donna le contrat à Épiméthée et Prométhée de peupler le monde. Ce fut le premier contrat sans appel d'offres. Gagliano n'a rien inventé. Épiméthée créa les animaux et leur donna toutes les qualités. Il laissa l'homme sans beauté et sans intelligence. Prométhée n'était pas d'accord. Il donna la logique et le feu à l'homme.

Zeus n'était pas content. Parce que le feu ne devait appartenir qu'aux dieux. Il n'était pas fou, Zeus, il savait comment l'homme se servirait du feu. Il avait prévu les troubles à Kanesatake. Pour punir Prométhée, il l'enchaîna au sommet du mont Caucase, et chaque jour un aigle venait lui dévorer le foie. Qui repoussait chaque fois, le foie. À côté de ça, une prison irakienne, ça ressemble à un Club Med.

Un jour, Héphaïstos forgea un être magnifique qui ressemblait à l'homme : une femme nommée Pandore. Ce qui ne choqua pas Zeus, au contraire. Zeus avait un petit côté Bill Clinton. Zeus donna un cadeau à Pandore. Une belle boîte. Non, pas une boîte de cigares. Juste une belle petite boîte décorative, que la femme n'avait pas le droit d'ouvrir si elle voulait rester heureuse. C'est pas trop compliqué, me semble ? Ferme ta boîte, et tu seras heureuse. Mais vous savez comment sont les femmes ! Dès que Zeus eut le dos tourné, Pandore ouvrit la boîte, d'où s'échappèrent la méchanceté, la haine, la peur, la jalousie et les maladies. Notre civilisation n'a rien inventé.

Zeus, pour punir les hommes, provoqua un déluge. Il ne sauva que deux êtres humains, Deucalion et Pyrrha, à qui il demanda de construire un bateau pour accueillir les animaux. Je sais, c'est la même histoire que Yahvé avec Noé. Zeus aurait d'ailleurs pu intenter la première poursuite en droit d'auteur de l'Histoire, mais Me Guy Bertrand n'était pas encore inventé. Le premier homme né après le déluge se nomma Hellen, d'où la civilisation des Hellènes. Pas les Hellènes de Roch Voisine. Les Hellènes de Grèce.

Au mont Olympe vivaient 12 dieux grecs. Pourquoi autant ? Ça devait être pour les produits dérivés, ça faisait plus de cartes à collectionner.

Outre Zeus, il y avait Héra, la déesse du mariage. Héra était la femme de Zeus et la première cocue de la création. Zeus la trompait avec tout ce qui bougeait.

D'ailleurs, Apollon, le dieu de la Vérité, de la Lumière, de la Musique et de la Poésie, était le fils illégitime de

Zeus. Apollon était très beau, et comme beaucoup de très beaux, il était homo. Il avait plusieurs femmes, mais il était aussi attiré par les garçons. Dire que ça a pris 3 000 ans avant le premier mariage gai !

Aphrodite était la déesse de l'Amour. Quand Cronos s'est fait trancher les gosses, elles sont tombées dans la mer, et elles ont donné naissance à Aphrodite. Ne vous demandez pas pourquoi l'amour, ça fait mal.

Arès était le dieu de la Guerre. Il a eu un fils : Arès W.

Artémis était la déesse de la chasse et de la Lune. Elle était vierge et ne prenait plaisir qu'à chasser. Des machos diraient que c'est la première agace, mais nous, on n'est pas comme ça.

Athéna était la déesse de la sagesse. Elle était la protectrice des villes. Athènes, bien sûr, mais aussi Sparte, Mégare, Argos et Troie. C'était la Jean-Marc Fournier de l'antiquité.

Déméter était la déesse de la fertilité et de l'agriculture. C'était une des maîtresses de Zeus. Les maîtresses, dans ce temps-là, ne restaient pas stagiaires longtemps.

Hadès était le dieu du royaume des morts. Il avait reçu des cyclopes un casque qui le rendait invisible. Si Gilles Duceppe avait eu ça, on n'aurait jamais ri de lui, parce qu'on n'aurait jamais su qui était en dessous du casque !

Hermès, autre fils illégitime de Zeus, était le dieu des commerçants et des voleurs. Dès l'Antiquité, les deux allaient de pair.

Héphaïstos, fils légitime de Zeus, était le dieu du Feu et de la métallurgie. Il n'était pas beau. Et ça doit être pour ça que les chanteurs de *heavy metal* font aussi dur.

Hestia était la déesse du foyer. Elle était le symbole de la fidélité. Elle était aussi vierge. Ce qui est encore la meilleure façon de rester fidèle.

Enfin, le douzième et non le moindre, Poséidon, était le dieu de la Mer. Il était presque aussi puissant que Zeus. Dans tous les sens du termes, puisqu'on lui dénombre plus de 2 000 maîtresses. L'océan peut bien être salé.

Bon, vous avez assez de culture grecque pour impressionner la Cage aux sports durant les 15 prochains jours. Bonnes ailes de souvlaki, tout le monde !

∂∾∾

Le 16 juin 2002

Avoir envie de Mireille Mathieu

Ce matin, j'ai envie d'écouter du Mireille Mathieu. Non, je ne suis pas malade ! Ni en *burn-out* ! La voix de Mireille Mathieu m'a toujours tapé sur les nerfs. Elle sort trop du nez. On dirait un Guy Fournier castra. Pourtant ce matin, je donnerais tout pour l'entendre. Parce que Mireille Mathieu, c'était la chanteuse à mon père.

Personne d'autre que lui ne l'aimait dans la famille. Durant toute l'année, on entendait jouer dans notre demeure les disques de Bécaud et de Brel de ma mère, les disques de Jimi Hendrix et de *Pink Floyd* de mon frère, les disques de Chopin et de Mozart de ma sœur, mes disques des *Beatles* et de Charlebois. Mais jamais, le disque de Mireille Mathieu de mon père. Sauf le dimanche de la fête des Pères. Ce jour-là, pour faire plaisir à mon papa, j'allais moi-même chercher, en dessous de la pile, le 33 tours du rossignol français. Et je le mettais sur la plaque tournante. On brunchait en écoutant :

Acropolis adieu, adieu l'amour
Les roses blanches d'Athénée se sont fanées
On s'est aimé quelques jours
Acropolis adieu !

Mon père souriait. Il était content. Et il disait à chaque fois : « Ça, c'est de la musique ! »

En regardant surtout mon frère et moi. Probablement à cause d'Hendrix, de *Pink Floyd*, des *Beatles* et de Charlebois ! Nous, on souriait. Comme c'était le dimanche de la fête des Pères, on essayait d'abonder dans son sens. On se forçait :

« C'est vrai qu'elle chante juste ta Mireille Mathieu. Pis elle a une belle coupe de cheveux ! »

La face A terminée, j'allais tourner le disque. Sans me presser. Mes oreilles en avaient déjà assez.

Pourquoi le monde est sans amour
Pourquoi l'hiver les oiseaux meurent
Pourquoi le monde est sans amour
De quel droit cueille-t-on les fleurs...

Pendant que Mireille Mathieu roulait ses « r », mon père ouvrait ses cadeaux. Une cravate, des bas, un chandail, des chocolats aux cerises. Il nous disait merci. En nous serrant la main. Puis il se levait pour aller laver la vaisselle. En chantant :

Ça ne peut pas durer toujours, pourquoi le monde est sans amour.

Vers 15 heures, la fête était finie. Mon père sortait faire sa marche de santé. Pour aller au dépanneur, s'acheter des cigarettes. Je me dépêchais de remettre le disque de Mireille Mathieu dans sa pochette. Et je mettais mon Charlebois sur la plaque tournante :

Ent'deux joints tu pourrais faire qu'qu'chose
Ent'deux joints tu pourrais t'grouiller l'cul...

Ouf ! Ça faisait du bien ! Mireille Mathieu retournait en dessous de la pile. Muette pour une autre année.

Pauvre papa ! En exil, dans son propre royaume.

C'est en vous racontant ça que je m'aperçois à quel point il était fin. C'était sa maison. Son tourne-disque. S'il avait voulu, il aurait pu nous inonder de Mireille Mathieu à l'année. *Ma première étoile, Une histoire d'amour, Tous les enfants chantent avec moi, non-stop !* En boucle ! Encore et encore ! Mais non, il nous laissait écouter notre musique. Sans rien dire. Sans se plaindre. Même si c'était pas son *bag*. Il se contentait une fois par année d'écouter sa chanteuse. C'était assez pour lui.

Mon père est toujours resté dans son coin. Allongé sur le divan vert. On le lui a souvent reproché.

Il n'a jamais joué avec nous. Mais il nous a laissés jouer. Il n'a jamais *trippé* avec nous. Mais il nous a laissés *tripper*. Et c'est déjà beaucoup.

Ça prend beaucoup d'amour pour ne pas imposer ses choix à ses enfants. Et les laisser avoir les leurs. Sans qu'ils aient à partir.

Je vais aller sur le Net. Essayer de trouver des MP3 de Mireille Mathieu. Et je vais les faire jouer très fort dans la maison. En espérant que mon père les entende, dans son petit coin au ciel. Et je suis sûr que je vais trouver ça bon !

Move away, Madonna ! Mireille Mathieu est là !

Bonne fête papa !

Bonne fête à tous les papas !

꧁꧂

Pour en finir avec les sondages

A vez-vous vu le dernier sondage ? Non, pas celui d'hier. Celui de ce midi. À moins que vous ne soyez encore en train d'analyser celui de ce matin. Ou que vous attendez celui de ce soir. C'est rendu que durant une campagne électorale, il y a plus de sondages que de menteries. Ça en fait, des sondages ! Tu lis un journal, c'est le PQ 36 %, le PLQ 30 %, l'ADQ 15 %. Tu lis l'autre journal, c'est le PQ 42 %, le PLQ 42 %, l'ADQ 16 %. Tu regardes la télé, c'est le PLQ 40 %, le PQ 38 %, l'ADQ 21 %. Tu regardes l'autre poste, c'est le PQ 38 %, le PLQ 29 %, l'ADQ 21 %. Tu regardes encore un autre poste, c'est Buffalo 4, Canadien 1. Tu deviens tout mêlé !

Y en a pas deux qui disent la même affaire, mais ils t'annoncent toujours ça comme si c'était la grande vérité. La seule vérité. Comme si c'était fait. Réglé. Même plus besoin de voter. Parce que c'est sérieux, leur affaire. C'est une science. Ils font un échantillonnage représentatif de la population québécoise. Ils interrogent 1 000 personnes. Choisies selon leur région, leur âge, leur sexe, etc. Et ils sont capables de déclarer ce que pensent 7 millions de Québécois. Ils sont forts !

Mon *chum* Éric pis moi, on habite le même quartier, on a le même âge, le même sexe, et on n'est jamais d'accord. Voulez-vous bien me dire lequel est le plus représentatif de nous deux ? Ça veut dire que si c'est lui qui reçoit le coup de téléphone, ils vont présumer que son opinion est la même que la mienne, et des milliers d'autres qui recoupent les mêmes données qu'Éric ! Wô, minute !

Si ma machine à calculer est bonne, 1 000 personnes, c'est 0,14 % de 7 millions. Ces 0,14 %-là décident de ce qu'on pense toute la gang ! Ces 0,14 %-là ont le poids de l'opinion du Québec en entier. Me semble que 0,14 %, c'est pas très pesant. C'est léger. Léger, Léger, même ! Je le sais qu'elles sont censées être représentatives, mais en connaissez-vous vous, des personnes représentatives ? Moi, je connais juste des gens qui ne pensent pas pareil. Admettons que vous êtes 30 dans votre parenté. Bien, une firme de sondage appellerait seulement une personne pour déduire ce que votre famille pense. Imaginez qu'ils tombent sur le beau-frère. L'opinion du beau-frère va devenir votre opinion. Ayoye !

Tout dépend où le téléphone sonne. Si tu calcules qu'il y a en moyenne une cinquantaine de sondages durant une campagne électorale et que t'additionnes les élections fédérales, provinciales, municipales et partielles, il y a environ une campagne électorale par année. En plus des sondages que l'on fait chaque mois entre les élections. Ça veut dire que, depuis que je suis né, il y a eu des milliers de sondeurs qui ont interrogé des milliers de personnes. Voulez-vous me dire comment ça se fait que je n'ai jamais été interrogé ? Jamais !!! Pas une fois. Jamais personne ne m'a appelé pour me demander pour qui j'allais voter. J'ai reçu 282 appels pour savoir si je voulais recevoir la *Gazette*. Mais jamais un sur mes intentions de vote. C'est louche ! Et non seulement moi, j'en ai jamais reçu, mais personne que je connais n'en a reçu. Personne. Ma mère va avoir 80 ans, on ne lui a jamais demandé pour qui elle allait voter. Pourtant, les probabilités devraient être fortes. On en arrive à se demander s'ils interrogent toujours les mêmes 1 000 personnes. Et leurs amis dont ils connaissent les numéros de téléphone.

Je sais que ce matin, je vais me faire *pitcher* des roches. Les sondages, c'est une science. On ne remet jamais en question une science. C'est peut-être une science, mais ce n'est pas une science très exacte en tout cas. À les entendre, il y a 10 mois tout le monde était adéquiste au Québec. Tout le monde. Dix mois plus tard, il n'en reste plus un. Ils vont dire que le contexte a changé. Méchant changement ! Quand est-ce que les résultats des élections ont été fidèles aux sondages ? Pas souvent. C'est pour ça que maintenant, ils font plein plein de sondages. C'est sûr que le 14 avril, le résultat va ressembler à l'un des 2 000 sondages publiés au cours des dernières semaines. Ils ont tout annoncé : PQ en avance, PLQ en avance, PQ et PLQ côte à côte, ADQ avec la balance du pouvoir, ADQ rayé de la carte. Si jamais l'ADQ gagnait, ils vont dire qu'ils l'avaient prédit il y a un an. Impossible qu'ils perdent la face. Quoi qu'il arrive, ils l'ont prédit. Il y a seulement si le Bloc Pot forme le prochain gouvernement qu'ils vont accepter d'admettre qu'ils ne l'avaient pas vu venir. À cause du nuage de fumée, probablement. C'est facile de toujours avoir raison quand on s'appuie sur des chiffres.

Mais peut-être que c'est moi qui ai tort. Peut-être que je chiale pour rien. Peut-être que les sondages ont raison. Peut-être que c'est vrai que les 1 000 personnes scrutées lors des sondages sont représentatives de l'ensemble de la population du Québec. Alors pourquoi on perd notre temps à faire des élections pour élire des représentants ? Prenons ces 1 000 personnes-là. Mettons-les au pouvoir. C'est sûr que ça va coûter plus cher. On va passer d'une centaine de députés à un millier. Mais au moins on va être certain que chaque citoyen est représenté. Pas juste les bureaux d'avocats et les grosses compagnies.

En ce moment, on est dirigé selon les sondages. Aussi bien l'être par les sondés directement.

En terminant, j'ai décidé d'ouvrir ma propre firme de sondage. Et pour le premier sondage que j'ai réalisé, je n'ai même pas appelé une personne. Zéro répondant. Et pourtant, je certifie que ma marge d'erreur est de 0 %. Je suis certain que mon sondage est scientifiquement exact. Je vous le révèle : 100 % des Québécois n'ont pas envie de déneiger leur char, ce matin !

Le 1er décembre 2002

Chaque journée est un chocolat

L e matin du 1er décembre 1968, je me lève. Comme tous les matins. Mais la maison n'est plus pareille. Il y a une crèche sur la table de la salle à manger. Avec un petit Jésus en cire, Joseph et Marie à genoux, un bœuf, un âne et un ange debout. Sur les murs, il y a des cocottes. Dans les fenêtres, c'est écrit *Joyeux Noël* en neige. Il y a une couronne sur la porte. Avec des clochettes. Et des petites lumières autour du foyer. Tout y est. Sauf le sapin. Le sapin est une vedette. Il arrive après tout le monde. Il ne faut pas qu'il soit tout sec le soir du réveillon.

Je m'étends sur le tapis du salon, et je regarde les décorations, le visage appuyé sur mes petits poings de petit gars de 7 ans. C'est beau. Bien plus beau qu'hier. Toute l'année, la maison est décorée au goût des grands. Aux fêtes, la maison est décorée au goût des enfants ! Je *trippe* de revoir chacun des accessoires au même endroit que l'année dernière. Et que l'année d'avant. Il ne faut surtout pas qu'ils soient ailleurs. Soudain, j'aperçois sur la tablette qui longe les fenêtres du salon un nouveau trésor.

Je m'approche. Je me mets à genoux sur le divan et je regarde l'objet de près. C'est un gros dessin cartonné. Un paysage d'hiver avec une maison illuminée, une carriole, un bonhomme de neige, un ciel étoilé. Ce qui est bizarre, c'est que sur la maison, la carriole, le bonhomme, les étoiles, il y a plein de chiffres : 1, 2, 3, 4, 5, 6, 7, 8... Plein, plein. Et autour des chiffres, il y a un pointillé. Bizarre, bizarre ! Qu'est-ce que cela ? Je viens pour défaire le pointillé autour du chiffre 10, ma mère entre dans le salon : « Stéphane, attends avant de toucher à ça ! Il faut que je t'explique. » Maman s'assoit près de moi : « Regarde, c'est un calendrier. Derrière chaque date, il y a un chocolat. On défait le pointillé, la petite porte s'ouvre et on prend le chocolat. Mais il faut prendre le chocolat du jour. C'est défendu de prendre celui de demain ou d'une autre journée. Aujourd'hui, tu peux prendre celui du premier. Où il est ? »

Je le cherche. Je le trouve. Il est sur le nez du bonhomme de neige. Je déchire le pointillé, j'ouvre la petite porte et je gobe le chocolat. Ma vie vient de changer ! À partir de maintenant, j'aurai toujours hâte d'être aujourd'hui ! J'approche ma main vers le 2 qui est sur le cheval. Ma mère me dit : « Non, pas tout de suite, il va falloir que tu attendes à demain. » Je fais la moue. À partir de maintenant, demain ne viendra jamais assez vite.

C'est le plus beau mois de décembre de ma vie. Tous les matins, je me lève très tôt, je cours dans le salon et je cherche la date sur le paysage d'hiver. Je la trouve. Elle est sur la lune, sur le foulard de la petite fille ou le nez rouge du renne. J'ouvre la porte. Et je gagne ! Le gros lot est là ! Le chocolat ! Et on dirait qu'il goûte encore meilleur chaque fois ! C'est fantastique ! Ce calendrier en chocolat est la plus belle invention au monde !

Puis arrive le 14 décembre. Le fameux 14 décembre ! Je prends le paysage dans mes mains. Je cherche le 14. Je le trouve. Il est sur le lampadaire. J'appuie sur le pointillé. La petite porte s'ouvre toute seule. Il n'y a rien dedans ! Pas de chocolat. C'est le premier scandale de mon existence ! Où est le chocolat ? Comment se fait-il qu'il ne soit pas là ? C'est le *Chocolatgate* !

Je prends le calendrier dans mes mains et je cours dans la cuisine le montrer à ma mère : « Maman ! Maman ! Y'a pas de chocolat ! » Ma mère reste calme : « Ta sœur a dû passer avant toi ! » Je n'y avais pas pensé à celle-là. Je pensais que tous les jours étaient à moi :

« Est-ce que je peux prendre celui du 15 pour le remplacer ?

— Non Stéphane, tu le sais, celui du 15, on ne peut le manger que le 15. »

Il faudra donc que je me lève tôt. Très tôt. La journée me paraît bien longue sans ma ration de chocolat. Ma mère m'a offert une Aéro ou une Caravane pour compenser, mais j'ai refusé. Je sais que toute une barre d'Aéro ou de Caravane, c'est bien plus à dévorer qu'un petit chocolat mince coincé entre deux cartons. Mais c'est lui qui est spécial. Ce petit chocolat-là. Les Aéros ne sont pas dédiées à une journée. Les Caravanes ne nous conduisent pas à Noël.

On est le 15, à peine. Il est 5 h du matin. Il fait noir dans la maison. J'ai peur. Mais j'y vais quand même. Je m'en vais commencer la journée en beauté. En me plissant les yeux, je trouve la date sur la casquette du vieux monsieur. Le pointillé a déjà été coupé ! Il n'y a pas de chocolat. Ma sœur a triché. Elle a beau avoir 11 ans, elle ne s'est quand même pas couchée après minuit. Elle l'a donc mangé hier ! C'est illégal ! Si elle peut le faire, moi aussi. Je défendrai mon point devant ma mère. Je trouve le 16. Sur le balai du bonhomme de neige. Le pointillé a encore été coupé. Il n'y a pas de chocolat ! C'est trop ! Je cours dans la chambre de ma mère : « Maman ! Maman ! Dominique a bouffé deux journées ! » Ma mère se réveille, lentement :

« Qu'est-ce que tu dis ?

— Dodo a mangé le 15 et le 16. C'est effrayant ! »

Mon père grogne : « Qu'est-ce qui se passe ? » Ma mère lui explique : « C'est rien. Dominique a mangé les chocolats de Noël... » Il ouvre un œil et aperçoit le calendrier : « Ah cette affaire-là, c'est moi qui en a mangé deux avant de me coucher, j'avais faim. » Ma mère secoue la tête :

« Mais Bertrand, on ne peut pas les manger n'importe quand, il faut en manger seulement un par jour.

— Quoi, c'est-tu des pilules ?

— Non, ce sont des dates.

— Des dattes ? Ben non, c'est du chocolat !

— Laisse faire, je t'expliquerai... »

Ma mère me prend dans ses bras : « Stéphane, exceptionnellement, je te donne la permission de manger celui du 17. » Je suis content. Puis j'y repense. Si je mange celui du 17, ça veut dire que le 17, je ne pourrai pas en manger. C'est pas mieux. Et tout le jeu sera défait. Je me lève du lit de mes parents. Penaud, je déclare : « Non, non, c'est bon, je vais attendre le 17. »

Je retourne me coucher. Si c'était juste de moi, je dormirais jusqu'au 17...

Le jour tant attendu arrive enfin. Je me précipite dans le salon. Ma sœur est déjà là. Je l'interpelle :

« Qu'est-ce que tu fais là ?

— Je prends le chocolat d'aujourd'hui !

— Il est à moi !

— Il n'est pas à toi, il est au premier qui le prend lorsque la journée est arrivée.

— OK, mais laisse-moi juste le trouver et te le donner...

— Si tu veux... »

Elle me tend le calendrier. Je cherche le 17. Il est sur la tuque du petit garçon. Je découpe les pointillés et je le donne à Dodo. Tout content. Durant une fraction de seconde, il était à moi.

J'ai mangé celui du 18, celui du 19 aussi. J'ai donné à ma sœur celui du 20. À mon frère celui du 21. À ma mère le 22. Mon père avait pris celui du 23, le 19. N'ayant toujours pas compris. J'ai mangé celui du 24. Et j'ai gardé celui du 25. Dans mon tiroir. C'était le dernier.

Pour la première fois, j'étais presque déçu d'être rendu à Noël. Je venais de comprendre que le bonheur, ce n'est pas le but à atteindre, c'est le chemin pour s'y rendre.

Le bonheur, c'est avant. Bon Avent, tout le monde !

Le discret

Peu importe le groupe, que ce soit une bande d'amis, une *gang* du bureau, les *boys*, les *girls*, ou la famille, il y a toujours une grande gueule, une belle face, un petit comique et un discret. La grande gueule parle fort. La belle face pose. Le petit comique fait le fou. Et le discret écoute. J'ai toujours préféré le discret.

Pourtant, personne ne le remarque. Il regarde les autres prendre le tapis. Ce qu'il pense, il le garde pour lui. Il fait sa petite affaire. Il reste dans son coin. Et il sourit. On pourrait croire que s'il n'était pas là, ça ne changerait rien. Mais au contraire, tout s'effondrerait. La grande gueule parlerait à qui ? La belle face poserait pour qui ? Le petit comique ferait rire qui ? Les autres n'ont plus leur raison d'être sans lui.

Tout repose sur lui. C'est lui le plus solide. Le maillon le plus fort de la chaîne. Car il faut être fort pour ne pas avoir besoin de toujours chercher l'attention des autres. Pour ne pas tirer la couverte de son côté. Ça fait tellement de bien, l'attention. Ça nous fait croire qu'on est bon.

Qu'on est important. Qu'on est aimé. Le discret sait que c'est de la frime. Que l'attention, c'est de l'intérêt. Pas de l'amour. L'amour n'aime pas les sparages. L'amour aime le vrai. Le discret n'a pas besoin de montrer qu'il est meilleur que les autres pour être bien avec lui-même. Et il sait que les gens qui le remarqueront seront des gens qui l'aimeront. Pour lui. Pas pour son numéro.

Bien sûr, les discrets ne sont pas à la mode. On les trouve poignés, gênés, *nerds*. On aime mieux ceux qui *flashent*, ceux qui font des pirouettes. Ceux qui montent sur les tables. Ceux qui volent le *show*. Les ambitieux. C'est meilleur dans les journaux. C'est meilleur à la télé. Les discrets, on les invite quand on est mal pris. On leur donne trois minutes, pas plus. Y sont trop plates.

Pourtant, si demain au travail ou au resto avec les amis, vous preniez le temps de connaître celui ou celle qui est plus dans son coin, vous seriez surpris. Ce n'est pas parce qu'on ne parle pas pour rien, qu'on a rien à dire. Au contraire. Si vous voulez du vrai, tassez votre chaise près de celle d'un discret, d'une discrète. Ça va vous faire du bien. Vraiment.

Le plus célèbre de tous les discrets est mort cette semaine. George Harrison, le *Beatle* timide. Le troisième *Beatle*. Il aurait pu facilement être jaloux des deux premiers. De John, la grande gueule, et de Paul, le beau. Être jaloux que tout le monde ne parle que d'eux. Être jaloux que tout le monde pense que les *Beatles*, c'est Lennon-McCartney. Même les filles criaient plus pour Ringo, le petit comique, que pour lui ! Pourtant, il était bon George. *Something* c'est quelque chose ! Il aurait pu quitter le groupe. Claquer la porte. Comme tant de musiciens à l'ego frustré ont fait. Vouloir que le *spotlight* soit sur lui. Que sur lui. Mais il ne cherchait pas le *spotlight*, il cherchait la lumière. La vraie. Celle du cœur. Alors il est resté un *Beatle* jusqu'à la fin des *Beatles*. Alors il s'est épanoui, à côté des deux autres et de Ringo, sans faire de bruit. Laissant sa guitare parler pour lui. Laissant sa guitare *gently weep*. Et il a même entraîné les autres dans sa quête de spiritualité. C'est peut-être grâce à lui que Lennon est passé de *Help !* à *Across the Universe*. On apprend beaucoup en côtoyant un discret. En regardant un lac calme, on se sent mieux en dedans.

En 10 ans de vie de *Beatles*, on n'a jamais vu George essayer de voler la vedette aux deux autres. Il a laissé John être le leader. Il a laissé Paul être le *cute*. Tout en restant lui-même. Il a écrit moins de chansons que Lennon-McCartney. Mais toutes ses chansons sont parmi les plus belles du groupe.

Être un *Beatle* et être timide, il faut quand même le faire ! La plupart d'entre nous, juste de faire partie du *Boogie Wonder Band*, ce serait assez pour nous enfler la tête. Imaginez, George était un *Beatle* ! Un des quatre musiciens les plus adulés de notre époque. Mais ç'avait pas l'air de le perturber. Il jouait de la guitare, avec la même passion que les gars de Villeray. Pour lui. Pas pour la galerie.

Il y a des discrets qui sont discrets par complexe et qui n'attendent que la gloire pour devenir des monstres. Pour se venger de tout ce temps passé à l'ombre. George était un discret par délicatesse. Un discret de l'âme. La gloire ne l'a pas changé. Il est resté tranquille. Il est resté gentil. Il est resté lui.

Il est mort simplement. Chez un ami. Comme meurent les gens vrais. Sans cirque autour de lui. Sans faux hommages. Sans dernière entrevue exclusive. Il ne voulait que la paix. Pour lui. Et pour nous. *Give me peace on earth.*

Avec tous ces criards qui veulent tant montrer qu'ils sont les meilleurs, les plus grands, les plus célèbres, les plus riches, les plus forts, c'est grâce aux discrets, si ce monde est encore humain.

Merci, *my sweet George.*

৯০৫

Câble TV

Je suis assis à côté du tourne-disque. J'écoute le nouvel album d'Yvon Deschamps, que ma mère vient de me donner.

« Aviez-vous-tu su que j'avais eu l'câbe ? Câbe... Cable TV ! Je l'ai eu... Ben je l'ai perdu ! Non, c'est pas d'ma faute, c'est parce que j'l'avais gagné, mais l'gars dans l'téléphone me l'avait pas dit que même si tu le gagnes, faut l'payer pareil ! »

Je ris ! Tout seul dans le salon, je suis crampé. Yvon, c'est mon meilleur.

« ... Su l'câbe, t'as la guerre en direct... Si nos jeunes pourraient voir ça, y arriverait peut-être pas des maudites folleries comme j'ai vu l'été passé sur la rue Sainte-Catherine. Des p'tits maudits jeunes frais, ça manifestait contre la guerre au Mietnam ! J'les ai vus, moé, y avaient des grosses pancartes : *Les Américains ont pas d'affaire au Mietnam ! Sont trop gros, sont trop grands, sont trop forts ; les autres sont p'tits-p'tits pis y sont jaunes !* Sont p'tits pis y sont jaunes, mais y sont roffes en maudit, par exemple ! »

C'est tellement bon. C'est même pas fini que j'ai déjà hâte de le réécouter avec mon grand frère. Pour l'entendre rire.

« Je l'ai vu, moé, j'l'ai vu dans guerre du jeudi, un reporter, pas n'importe qui, un reporter, y parlait avec un soldat américain... Ben l'soldat, y dit : "J'aime ça, ça fait un an que chus icitte, j'commence à m'habituer. Seulement j'voudrais dire aux jeunes qui sont restés à la maison que c'est pas si facile que ça, de s'adapter, icitte. Moé, j'ai eu une misère du yâbe. Prenez par exemple inque la première semaine, j'en ai tiré neuf qui étaient de notre bord ! C'est gênant, ça ! Non, mais y s'ressemblent toutes ! Tu peux toujours pas leur demander de quel bord qu'y sont avant, c't'un trop gros risque à prendre. On les tire, on leur demande tout de suite après ! J'sais pas comment qu'y ont été élevés, sitôt qu'on les tire, y s'raidissent, y parlent pus. Faut en tirer une gang avant d'en tirer quelque chose..." »

Je m'étouffe tellement je ris. Soudain, je réalise que je suis en train de rire de la guerre. Je me sens coupable. Mais c'est plus fort que moi. C'est trop drôle.

« La quatrième semaine, un jeudi matin, y était à peu près dix heures et vingt, dix heures et vingt cinq, y étaient 6 000, y étaient couchés. Le *General in chief* est arrivé, y dit : "Soldats, deboutte !" Fa qu'y se sont toutes assis... »

Y dit : « Soldats, aujourd'hui, y va falloir prendre un gros village d'assaut. » Les gars y disent : « Comment gros ? » Y dit : « Au moins 250 personnes. » Les gars disent : « On va-tu avoir du renfort ? » Le Général dit : « Non, les 40 000 autres sont sur un village de 300 dans l'moment. » Les gars ont dit : « Vous nous envoyez t'à une mort certaine ! » Y dit : « Non, c'est pour ça qu'y faut attaquer aujourd'hui : on a appris qu'les hommes étaient partis. Mais *watchez-vous*, paraît qu'les femmes pis les enfants sont ben roffes ! »

Il y a quelque chose de bizarre qui est en train de se produire en moi. Plus que je trouve ça effrayant, plus que je rigole. C'est presque nerveux.

« ... Dans la guerre du dimanche, j'ai vu moé un jeune G.I. de 19 ans, y avait été envoyé au Mietnam tout seul. L'hélicoptère a parti. Flac-a-flac-a-flac-a-flac. Rendus au d'sus du Mietnam, y ont ouvert la porte, plunk ! Mais y se sont trompés de place ! Y étaient supposés le pitcher où c'qu'y avait des gens qui l'attendaient ; y se sont trompés, y l'ont *pitché* 40 milles plus loin. C'te p'tit gars-là de 19 ans a tombé dans la forêt vierge noire en pays jaune. Y a eu assez peur, y est v'nu blanc blanc blanc. Pis c'était un nègue... »

« Y dit : "Qu'oss m'a-tu faire ?" Fa qu'y s'est choisi une direction pis y s'est mis à marcher d'dans... Au bout de sept semaines de même, y était tout le temps perdu dans la forêt, fa qu'y s'est arrêté. Y s'est pésé, y s'est aperçu qu'y avait perdu 8 livres. Un tout p'tit G.I. de 19 ans. Ben tout p'tit, six et quatre, 280. Y avait droppé à 272 ! Y s'est dit : "Maigre de même, j's'rais mieux de mourir." Fa qu'y s'est pitché à terre, prêt à mourir pour son pays. Flac ! »

« Mais la manière qu'y a tombé, faut croire qu'y a une providence pour tout le monde. La manière qu'y a tombé, d'un coup, y a vu une p'tite fumée blanche qui montait entre les arbres. Fa qu'y s'est l'vé pis y s'est mis à courir vers la fumée. Pis finalement y a débouché sur une belle p'tite clairière où qu'y avait trois, quatre p'tites huttes qui brûlaient, des enfants morts à terre, des gars pendus après les arbres. Ah, y était assez content ! Y dit : "Enfin la civilisation !" »

Je ne ris plus. Pus pantoute. Je suis sous le choc. Dans ma tête, l'image est claire et horrible. La p'tite clairière, les p'tites huttes qui brûlent, des enfants morts à terre, des gars pendus aux arbres. J'ai peur. Aucune photo de guerre, aucune scène de massacre à la télé n'a été plus insoutenable à vivre que cette image que je me suis faite dans la tête, en écoutant pour la première fois le monologue *Cable TV*. Je ne sais pas si c'est parce que j'avais trop ri avant. Et que mon cœur était grand ouvert. Sans protection. Mais cette vision m'a touché. M'a marqué. Comme une bombe. Chaque fois que j'entends le mot guerre, c'est cette image qui me vient à la tête. C'est cette image qui m'écœure. Une petite clairière, des petites huttes qui brûlent, des enfants morts à terre, des gars pendus aux arbres. Et je réentends la voix crier : « Enfin la civilisation ! » Et ça me donne le goût de brailler sur le monde.

J'avais 10 ans. Yvon Deschamps venait de faire de moi un pacifiste, pour la vie. Je le remercie.

Mais c'est vraiment dommage qu'il y a 32 ans, Mme Bush n'ait pas donné cet album à son fils. Des innocents seraient peut-être toujours vivants. Et la civilisation serait autre chose qu'un champ de bataille. Que l'on regarde à la télé. Sans être vraiment touché.

Le match est dans le sac

C'est la première fois que je vais faire quelque chose d'illégal. Je suis en sueur. Le cœur me débat. J'entre dans la classe. Et je m'assois à mon bureau. Les élèves jasent entrent eux. Comme d'habitude. Mais pour moi, ce n'est pas comme d'habitude. Je regarde partout pour voir si on me regarde. Je mets mon sac sur mon bureau. Le prof entre. Il commence le cours. Je glisse ma main dans mon sac. Je couche ma tête sur mon sac. Je pèse sur le bouton. Ça fonctionne ! J'entends le match à la radio !

C'est le septième match de la série Canada-Russie. Et, à cause du décalage horaire, ça tombe en plein durant le cours de mathématiques. Mais il n'est pas question que je le manque. Alors ce matin, sans que ma mère ne s'en aperçoive, j'ai mis le transistor de la cuisine dans mon sac. J'ai cherché partout le petit écouteur de mon frère, mais je ne l'ai pas trouvé. Voilà pourquoi je suis obligé d'avoir la tête couchée sur mon bureau, avec mon sac qui me sert d'oreiller. J'ai l'oreille collée sur la radio qui est à l'intérieur du sac. Le volume est au minimum. Mais au moins, j'entends ce qui se passe à Moscou.

Le visage ainsi écrasé sur mon pupitre, je fais semblant de prendre des notes. Mais je n'écris pas les formules mathématiques qu'énumère M. Proulx. Non, j'écris Tretiak, Cournoyer, Yakushev, Mahovlich. J'écris ce que dit Jacques Moreau. Le descripteur du match. C'est 2 à 1 pour les Rouges. White est au banc de punition. Les Russes attaquent. Mais Tony Esposito tient bon. Il faut à tout prix que le Canada gagne ce match, et le prochain, pour remporter la série. Je suis sur le gros nerf. Je n'entends pas un mot de ce que raconte le prof. Je suis dans mon monde. Je suis en Russie.

Pendant que Tretiak vole un but à Ron Ellis, quelqu'un donne un coup de pied sur ma chaise. C'est Stéphane L'Écuyer, le bureau derrière moi. Il sait ce que je suis en train de faire. Il veut savoir le pointage. Je ne bouge pas. Je reste la tête bien collée sur mon sac, mais je glisse mes mains dans mon dos. Avec la gauche, je fais deux. Avec la droite, je fais un. Puis je mets mon pouce par en bas. Ça veut dire que c'est 2 à 1 pour l'autre équipe. L'Écuyer transmet le message à son voisin. Qui le dit à son voisin. Quand finalement le gros Messier, assis dans le fond de la classe, sait le pointage, ce n'est plus 2 à 1, c'est 2 à 2! Phil Esposito vient de compter!

Le prof commence à s'inquiéter. Ça fait 20 minutes que je suis couché sur mon bureau. Sans dire un mot. Normalement, je parle tout le temps. Il m'interpelle : «M. Laporte!» Je panique. Je reste la tête écrasée, et je dis :

«Oui?

— Êtes-vous malade?

— Non, non, ça va... »

Le prof poursuit son cours. Ouf! J'ai le dos tout mouillé. Comme si l'attaque massive russe venait de me bombarder. Je pense à tout arrêter. À fermer la radio. Mais le match est trop serré. Je persiste. À l'aréna de Moscou, la deuxième période est terminée, c'est toujours 2 à 2. Au Collège de Montréal, la première partie du cours est terminée. C'est la récré. Les élèves se lèvent. Je ne bouge pas. Je reste aplati. Ils se regroupent tous autour de moi. Je leur dis de s'en aller. Ils vont me faire repérer. Il y a trop de bruit. Je monte un peu le volume. La troisième débute. Rod Gilbert compte, à 2 minutes 13 secondes. Je crie! Le prof est resté à côté de moi durant la récré. Dans mon angle mort. Je ne le savais pas.

« Monsieur Laporte, vous êtes sûr que ça va ?

— Oui...

— Ça fait une heure que vous êtes couché sur votre bureau, et je viens de vous entendre crier, peut-être faites-vous une crise d'appendicite, on devrait vous conduire à l'hôpital...

— Non, pas besoin.

— Monsieur Laporte, pouvez-vous vous relever... »

Je suis fait. Je me relève. Ma tête n'écrasant plus le haut-parleur, on entend très bien la voix de Moreau dire : « De Lutchenko à Maltsev qui remet à Yakushev. Il lance et compte! » Ma vie est finie. Écouter la radio durant un cours de M. Proulx. Je vais être renvoyé du Collège. C'est certain. Je vais être un chômeur toute mon existence. Et pire, le Canada va peut-être perdre!

« C'est quoi que l'on entend ?

— Ma radio...

— Pouvez-vous la sortir de votre sac...

— Tenez...

— Merci. Je vous confisque votre appareil !

— Mais c'est la radio de la cuisine. Ma mère l'écoute quand elle fait ses gâteaux.

— Je pense qu'elle ne vous fera pas de gâteau pour un petit bout temps.

— Pourquoi écoutiez-vous cette radio en classe ?

— C'est parce que c'est le septième match Canada-Russie...

— Ah oui, c'est vrai, c'est combien ?

— C'est 3 à 3 en troisième.

— Oh ! *boy* ! »

La cloche sonne. Le cours recommence. Les élèves s'assoient. M. Proulx met ma radio sur son bureau.

« Chers étudiants, si vous le voulez bien, nous allons écouter la fin du match Canada-Russie... »

Tout le monde crie de joie. Puis, silence total. La classe n'a jamais été aussi silencieuse. Même pas durant un examen. On pourrait entendre une rondelle voler. Il reste trois minutes à jouer. Si le Canada ne compte pas, c'est foutu. M. Proulx me regarde : « Laporte, si le Canada compte, je te redonne ta radio ! »

Jamais je n'ai autant désiré un but. Je dis trois *Notre père* en 10 secondes ! Puis, soudain, la voix sortant de la petite boîte noire dit : « Savard remet à Henderson, qui lance... et c'est le but ! » Yeah ! M. Proulx a les deux bras dans les airs. Les étudiants sautent partout. Deux minutes s'écoulent. Et ça y est. Le Canada a encore des chances. Le prof me redonne ma radio. Je n'aurai pas besoin de la cacher dans mon sac pour le match du siècle. Les autorités du Collège ont compris. Ils nous ont donné congé. De toute façon, on aurait tous été malades. M. Proulx aussi !

C'était il y a 30 ans. En septembre 1972. Tout le monde se remémore, en ce moment, le huitième et ultime match. Mais moi, le match de hockey que j'ai vécu le plus intensément de ma vie, celui pour lequel j'ai risqué mon avenir, c'est celui juste avant.

La Ronde de Dorval

Jeudi, le vol BA223 Londres-Washington a été annulé pour des raisons de sécurité. Dans la nuit de jeudi à vendredi, un avion d'Air France assurant la liaison New York-Paris a été forcé d'atterrir à Saint-Jean (Terre-Neuve) en raison d'un bagage suspect. Vendredi, le vol BA223 a encore été annulé pour des motifs de sécurité, tandis qu'un autre avion de la British Airways a atterri à Washington, escorté par un chasseur Bombardier F-16. Si jamais il s'était passé quelque chose à bord, le F-16 aurait tiré sur l'avion pour éviter qu'il ne s'écrase sur la Maison-Blanche. Hier matin, un avion égyptien s'est écrasé peu après son décollage, causant la mort de 148 personnes.

Pis, avez-vous hâte de prendre l'avion pour aller en Floride ? L'alerte orange, ça donne moins le goût de voir des oranges. Vous allez me dire que les Américains sont devenus paranos, qu'ils paniquent aussitôt qu'un barbu veut monter à bord d'un avion. Peut-être, mais mieux vaut être trop parano que de finir dans les décombres de l'Empire State Building. On peut être trop prudent pour la vie des autres. Jamais pour la sienne. Tous les veufs et les veuves du 11 septembre auraient bien aimé que la sécurité aérienne soit plus vigilante.

Le problème, c'est que bientôt, plus personne ne va vouloir prendre l'avion. Déjà qu'il fallait surmonter l'angoisse de l'accident ordinaire, comme celui d'hier matin, il faut maintenant, en plus, faire abstraction de toutes ces alertes à l'attaque terroriste. C'est trop. Nous revoilà comme au 12 septembre. Figés. On préfère se déplacer à dos de vache folle plutôt qu'en avion.

L'industrie aéronautique est en crise. Et le ciel est bouché. Comment réussir à faire lever toutes ces compagnies en chute libre ? En changeant l'approche. Avant, on misait sur la qualité du service pour attirer les clients. Maintenant, faute d'argent, il ne reste plus que 10 employés chez Air Canada. Quand c'est la même personne qui enregistre tes bagages, nettoie le pare-brise de l'avion, te sert tes *peanuts* durant le vol et conduit le Boeing, ce n'est plus des services, c'est des sévices.

Il faut arrêter de rassurer les gens. De les berner. Soyons francs. Il y a de plus en plus de vieux avions en circulation. De vieux avions qu'on n'a plus les moyens d'entretenir. Donc il va en tomber de plus en plus. On aura beau intercepter toutes les limes à ongles, un terroriste parviendra sûrement, un jour, armé de son dentier, à détourner un avion sur un quelconque bâtiment. Le monde a peur de prendre l'avion. Et il a raison. Il faut miser là-dessus. Car le monde aime avoir peur. Quelle est la destination la plus courue en Amérique ? Disney World. Le monde paie une fortune pour aller avoir peur dans les montagnes russes. Pff ! Qu'est-ce que des montagnes russes à côté d'un vieux 747 ? Il faut transformer les aéroports en Disney World. Oubliez l'aéroport Pierre-Elliott-Trudeau, vive La Ronde de Dorval !

L'avion est le plus beau de tous les manèges. Et celui qui peut procurer le plus de sensations fortes. Profitons-en. Imaginez la panoplie de voyages excitants que les compagnies aériennes peuvent nous offrir. Pour les moins courageux, un vol à petites turbulences. Pour les plus braves, un vol à mégaturbulences. Pour les têtes brûlées, on pourrait offrir un vol dans un avion non entretenu depuis 10 ans. Il y aurait des vols avec figures imposées. Quand t'es en train de manger ton petit poulet pané et que le pilote décide de faire une double vrille, tu capotes pas mal plus que dans le Zipper. Le petit sac en papier va enfin servir. Air Transat pourrait offrir le vol sans essence. Au lieu d'écouter de la musak plate avant le départ, on entendrait *La Bamba* de Richie Valens, la chanson qu'il a chantée avant que son avion privé ne s'écrase. On change-rait la banque des films proposés durant le trajet : place à *Airport*, aux *Survivants*, ce film qui raconte l'histoire de passagers qui ont dû manger leur prochain dans les Andes, et à un documentaire sur le 11 septembre. Tout pour augmenter la sensation d'angoisse. On remplacerait les hôtesses par des agents de bord habillés en ben Laden. Il y aurait des vols avec atterrissage forcé en mer. Là on l'écouterait, la petite vidéo qui nous dit quoi faire. On pourrait, au choix, voler dans le Boeing ou voler dans le chasseur qui escorte le Boeing. Air IKEA permettrait aux passagers de bâtir leur propre avion. On a intérêt à ne pas perdre de petites vis. Et le manège des manèges serait le vol Kaboul-New York sans aucune fouille.

C'est un retour aux sources nécessaire pour la survie de l'aviation. L'aviation a été inventée par des aventuriers.

Des fous qui traversaient l'Atlantique dans une Lada avec des ailes. On a voulu faire de ce moyen de transport une ballade pour pépère. Ce n'est pas ça. Être assis au-dessus des nuages, ce n'est pas normal. Il faut miser sur le danger. L'aviation extrême, les jeunes vont en raffoler. Des slogans racoleurs sauront attirer les voyageurs : « Air Canada, mon bikini, mon testament », « British Airways vous offre un vol direct Londres-Maison-Blanche », « Avec Air Catastrophe, on ne paie que pour l'aller », « Avec Air Retard, vous serez content d'avoir vécu plus longtemps ».

Les transporteurs aériens doivent tout faire pour que les gens qui prennent l'avion deviennent des héros pour leur entourage. Ainsi, l'achalandage reprendra : qui ne veut pas être un héros ? Il faut savoir s'adapter aux choses que l'on ne peut changer.

Zachary Richard avait raison : « Voler, c'est pas beau ! »

ঔৄ৶

L'eau froide de Kennebunk

On y est. Papa gare la voiture à deux rues de la plage. Puis on sort l'attirail du coffre. Bertrand prend la glacière. Dominique prend le sac en toile avec les livres et les revues. Maman prend le panier à pique-nique. Papa prend les parasols et les serviettes. Et moi, je prends le Frisbee et le cerf-volant. Nous sommes chargés comme des mulets. Nous, en m'excluant un peu, bien sûr ! Mais moi, j'ai de bonnes raisons de marcher léger : je suis petit, j'ai 6 ans. Et j'avance un peu croche.

La famille Laporte traverse la plage de Kennebunk Beach. Comme des gitans passant la frontière. Trimballant leur maison. Des colimaçons. On s'en va tout au fond. À l'autre bout complètement. Près de la digue. Loin du monde. En vacances, il n'y a qu'une chose plus précieuse que le soleil : la paix.

Nous y voilà ! Chacun décharge ses paquets. Enfin ! On étend les serviettes. Celle de papa à côté de celle de maman. Puis celle de ma sœur. La mienne est entre celles de ma sœur et de mon frère. Ce sont nos positions. Jour après jour. Année après année. On se déshabille en quatrième vitesse. Et on s'étend. Contemplant la mer.

Ah ! la mer ! C'est pas l'envie qui manque d'aller se jeter dedans. Mais on n'est pas fous. On l'a déjà fait. Lors de notre premier été ici. On n'avait pas mis un pied sur le sable qu'on était allés se *pitcher in the sea*. On en grelotte encore. C'est que, voyez-vous, on n'est pas vraiment dans le sud. On est à Kennebunk. Dans le nord des États. On est plus proche de Brossard que d'Acapulco. La mer n'est pas chaude. La mer est juste bleue. Comme nos jambes quand elles vont dedans.

Alors il faut prendre son temps. Il faut apprivoiser l'idée d'aller se les geler. D'abord laisser le soleil nous taper dessus longtemps. Et quand on n'en pourra plus, quand on sera en train de crever, alors on n'aura pas le choix, il faudra aller se saucer.

Mon père n'a pas pris de risque : il n'a pas apporté son maillot. Il ne l'apporte jamais en vacances. Il est en pantalon long. En pantalon de bureau. Mon père ne vient à la plage que pour nous. On dirait notre chauffeur. Il ne se baigne pas, bronze à peine. Habillé de la tête aux pieds, en chaussettes noires, avec un chapeau de matelot sur le coco, il passe la journée à dormir sur sa serviette. Et ses ronflements se confondent avec le bruit des vagues.

Ma mère, c'est tout le contraire. Pour elle, c'est la plus belle semaine de l'année. Elle est déjà dans l'eau. Elle y passera la journée. Elle nous crie : « Elle est bonne, elle est bonne ! » Mais on ne la croit pas. Ma mère se baignerait en Alaska. Ma mère est la sirène des glaces.

Ma sœur est en train de se mettre de l'huile. Nous sommes dans les années 70. On ne se crème pas pour se protéger du soleil, au contraire : on s'huile pour bronzer davantage. Pour augmenter les effets solaires. Il n'y a pas encore de trou dans la couche d'ozone. Ou s'il y en a un, on ne le sait pas.

Nous avons tous le même but : devenir bruns, le plus bruns possible. Plus on est bruns, plus on se trouve beaux. La plage est couverte de Blancs rêvant d'être noirs. Et la plupart d'entre eux sont racistes. Allez y comprendre quelque chose. En tout cas, moi j'ai 6 ans et je n'y comprends rien.

Je joue au Frisbee avec Bertrand en faisant attention à ne décapiter personne. Mais parfois il y a des bourrasques et notre disque rouge s'égare sur la bedaine d'un voisin ou sur le bikini d'une voisine. *Sorry* est le premier mot anglais que j'ai appris. Oups ! Le Frisbee est tombé dans l'eau.

« C'est ton tour d'aller le chercher. »

Je prends une grande respiration. Je cours sans y penser. J'entre. Je sors. En criant de froid. J'ai récupéré le Frisbee en deux secondes. Le temps de constater que le Gulf Stream est en vacances. L'eau de la Nouvelle-Angleterre n'a jamais été aussi froide.

Trois parties de Frisbee plus tard, deux matchs de soccer, la lecture du dernier Chick Bill terminée, les fruits mangés, la limonade bue, le somme piqué, le château de sable bâti, on n'a plus le choix, il faut se raisonner, il ne reste plus qu'une chose à faire : aller se baigner. Et pour ma mère, c'est sacré. Pas question de retourner au motel sans que mon frère, ma sœur et moi nous soyons saucés. Seul mon père a le privilège de pouvoir rester sec.

Nous avançons vers la grande bleue. On se tient juste au bord, à la limite entre le sable sec et le sable mouillé. La fin d'une vague vient nous caresser les pieds. C'est une caresse de main froide. On ne sait pas si c'est bon ou si ça fait mal. Ma mère est notre *cheerleader*. Elle a de l'eau jusqu'au cou. Elle nous encourage : « Venez ! Venez ! » Elle est la seule à l'eau. Il y a une centaine de personnes sur la plage, mais dans la mer, que ma mère. Et nous. Si on se décide.

Mon frère et moi courons le long de la grève. En zigzaguant. Les pieds dans l'eau. Les pieds au sec. Les pieds dans l'eau. Les pieds au sec. Puis mon frère lâche la phrase fatidique : « Le dernier saucé est une tapette ! » Je ne sais pas ce que c'est, une tapette. Mais comme mon frère ne semble pas vouloir en être une, je ne veux pas non plus. Nous nous enfonçons dans l'eau. Une vague vient nous chercher. Nous sommes submergés. C'est glacial. Au début. Mais c'est comme la vie : on s'habitue. Après 15 minutes, on ne sent plus rien. Notre détecteur de froid doit être gelé.

Ma sœur est restée tout au bord. La menace d'être une tapette ne l'a pas convaincue. Ma mère vient la chercher par la main. Elle se mouille jusqu'au nombril. Et retourne se huiler. Elle est rendue brun chocolat. Elle vise le noir carbonisé.

Mon père est en train de ramasser les affaires. Sa sieste est finie. Il est passé 5 h. Bertrand et moi, on est encore dans l'eau. Pas moyen de nous en extirper. On prend les vagues avec maman en riant. On joue tellement, on se fait tellement aller qu'on est en train de réchauffer l'océan.

Demain, les Américains aussi viendront se baigner. Trois Québécois auront fait monter la température de l'Atlantique de quelques degrés.

&⚬&

Les baguettes en l'air

Paris, jeudi soir. J'y suis en voyage d'affaires, mais j'ai emmené ma blonde. Car être sans amour à Paris, c'est comme être sans parapluie à Londres.

Nous nous promenons sur les Champs-Élysées, main dans la main, les yeux dans la béchamel (il n'y a pas de graisse de *bines* ici !)

La tête dans le ciel, nous traversons l'Étoile pour atterrir dans un joli petit restaurant. On prend la petite table du coin avec la vue sur l'Arc de triomphe. L'accordéon joue *La Vie en rose*. Tout est charmant. Tout est parfait. Mais pas pour longtemps. Car dans quelques secondes le PSF va faire son apparition. Le petit serveur français !

Le petit serveur français est un croisement entre Louis de Funès, Charles Manson et Saddam Hussein. Le petit serveur français regarde son client avec le même dédain que Jean-François Lépine regardait Claire Lamarche être malade. Le petit serveur français se prend pour Napoléon. Le petit serveur français vous prend pour un con.

« Aïe, les petites gens, vous ne pouvez pas vous

asseoir là. La section n'est pas ouverte. Suivez-moi ! »

C'est à nous que le PSF s'adresse. Il a déjà les baguettes en l'air, ce qui est très étonnant pour un Français puisqu'ils ont l'habitude de les avoir sous le bras. Il nous assoit entre un gros monsieur qui fume le cigare et une madame qui mange en tête-à-tête avec son doberman. Titi tente de le convaincre de nous trouver une autre place :

« Pardon est-ce qu'on...

— Non ! »

Le PSF se tire. Ma blonde est bleue. Mais rien ne va gâcher notre soirée d'amoureux. On se met à roucouler...

Ça fait une demi-heure qu'on roucoule. Le petit serveur français n'est toujours pas venu nous voir. Et roucouler, ça donne faim. C'est d'ailleurs pour ça que les pigeons se tiennent tous derrière les McDonald's. Ma colombe s'impatiente. Elle se met à faire plein de signes pour capter l'attention du PSF. Mais il ne cesse de passer devant nous comme s'il ne nous voyait pas. Pourtant, ma blonde fait tellement de signes qu'un avion a failli atterrir dans le restaurant ! Finalement, elle attrape le PSF par le tablier :

« Pardon, monsieur, est-ce qu'on pourrait avoir le menu ?

— Plaît-il ?

— Le menu...

— J'pige pas ce que vous dites ! Vous voulez un minou ?

— Non un menu...

— Un menhir ? »

Ma blonde commence à pomper. J'essaie de l'aider :

« Menu, m-e-n-u, menu, c'est simple, *simonac* !

— Ah vous venez du Québec ! Vous êtes des tabernacles ! Fallait le dire ! Tenez voilà le menu ! »

Le PSF se tire. Ma blonde est blanche. Mais rien ne va gâcher notre soirée d'amoureux. On se met à saliver en lisant le menu...

Ça fait trois quarts d'heure qu'on salive. Le petit serveur français n'est toujours pas venu prendre notre commande. Ma blonde commence à avoir le ton sec :

« Monsieur ! Nous sommes prêts à commander depuis 45 minutes !

— Ça va, ça va ! Comme vous venez du Québec, je me suis dit que vous deviez avoir autant de mal à lire qu'à parler. Alors je vous ai laissé du temps. Le menu a quand même deux pages ! Ha ! Ha !

— Nous allons prendre le filet mignon...

— Le gilet rognon ? J'pige pas ?! »

Titi s'empare de son bloc-notes et écrit elle-même la commande. Le PSF se tire. Ma blonde est rouge. Mais rien ne va gâcher notre soirée d'amoureux. On se fait des petits yeux doux en attendant de manger...

Ça fait une heure qu'on se fait des petits yeux doux. Le petit serveur français n'est toujours pas venu nous porter notre repas. Et les petits yeux doux de ma blonde commencent à ressembler à ceux de Jean-Luc Mongrain. Juste au moment où elle se lève pour se rendre à la cuisine, on reçoit nos assiettes. Par la tête ! Le PSF se tire. Ma blonde est bleu blanc rouge ! Mais rien ne va gâcher notre soirée d'amoureux. On savoure chaque bouchée. Du moins, on essaie. Car on a à peine entamé le plat principal que le PSF vient nous *rusher* avec le dessert ! Il est pressé de fermer sa caisse. Ma blonde consulte la carte :

« Pardon, monsieur, c'est quoi des tortritrounolles à la crapoune ?

— Quoi ? Vous ne savez pas ce que sont les tortritrounolles à la crapoune !?

— Ben non, si je vous le demande...

— Écoutez, moi, je ne suis pas payé pour donner des cours du soir aux sous-doués.

— D'abord, je vais prendre une tarte...

— Madame doit savoir ce qu'est une tarte ? Ha ! Ha !

— Es-tu en train de rire de moi, le *smatte* ?

— Holà ! calmez-vous ma petite dame... »

Là, le petit serveur français vient de faire une grosse bêtise. Il ne faut jamais dire à ma blonde de se calmer. Ça l'énerve. Titi se transforme en Hulk. Après un foudroyant échange verbal à sens unique, le PSF est devenu un PSA. Un petit serveur aplati. Le massacre terminé, Titi se retourne vers moi :

« On va oublier le dessert ! Réglons et allons-nous en !

— Titi, combien on laisse de pourboire ?

— Laisse faire ! En France, le service est compris, c'est le client qui ne l'est pas ! »

Nous sortons du restaurant. La tour Eiffel a mis ses diamants. L'accordéon joue les *Plaisirs démodés*. Tout est charmant. Tout est parfait. Ma blonde retrouve sa bonne humeur, elle me prend par le bras en me disant « Je t'aime ». Et c'est là que je comprends...

Si Paris est la ville des amoureux, c'est grâce aux serveurs des restaurants. Ils se sacrifient pour nous. Dans toutes les autres villes du monde, les blondes se chicanent avec leurs *chums*. À Paris, les blondes se chicanent avec les serveurs. Nous, on reste blanc comme neige. Et lorsque l'on revient à l'appartement, non seulement notre blonde est-elle défoulée, mais elle nous trouve tellement gentil comparé au serveur qu'on a droit au plus délicieux des desserts.

Demain, promis, je retourne au restaurant donner un gros pourboire au petit serveur français !

∽∾

Le thème de La soirée du hockey

« Parapapam... pam... pam... pam ! Parapapam... pam... pam ! Pam... pam... pam... pam... pam... pam... pam... pam... pam ! »

C'est le thème de *La Soirée du hockey*. La plus belle musique au monde. Oubliez les *Beatles*, Beethoven et Mozart. Aucune autre musique ne va plus me chercher que le thème de *La Soirée du hockey*. Toute mon enfance est là. Tout mon bonheur. Tous mes rêves.

« Parapapam... pam... pam... pam ! »

Le rythme est entraînant. Décidé. Joyeux. Gagnant. Il n'y a pas de paroles sur cet air-là, pourtant aucune mélodie ne me parle autant.

Elle me parle de ma famille. Toute rassemblée le samedi soir dans le salon. Mon frère et moi, collés à trois pouces de l'écran. Mon père allongé sur le divan vert. Ma mère qui nous apportait des bonbons et des boissons gazeuses. Et ma sœur qui s'ennuyait à mourir, mais qui était quand même là !

Elle me parle de mes héros. Béliveau, Cournoyer, Lafleur. De toutes les fois où j'ai crié de joie. Où j'ai réveillé mon père qui était en train de ronfler parce que mes héros venaient de compter.

Elle me parle de mes autres héros. Lecavalier, Duval, Garneau. À cause de mes jambes, je ne pouvais rêver de devenir Béliveau, Cournoyer, Lafleur. Alors je rêvais de devenir Lecavalier, Duval, Garneau. Raconter l'histoire. Décrire les exploits. Avec leur noblesse. Avec leur passion. Et leur veston bleu marial.

Elle me parle de mes voisins. Avec qui je jouais au hockey dans la ruelle à 20 sous zéro. En grosses bottes avec une balle de tennis. Avant de faire la mise au jeu, on chantait tous ensemble : « Parapapam... pam... pam... pam ! » La fumée sortait de nos bouches, tellement il faisait froid. Mais cette musique nous réchauffait. Nous donnait le goût de jouer. Comme les vrais.

Elle me parle de mes amis, André-Philippe, Éric, Stéphane. De nos soirées à se raconter des souvenirs de parties de hockey : « Te souviens-tu de la fois où Larry Robinson a plaqué Gary Dornhoefer dans la bande ?! Pis la fois où Dave Schultz a couché John Van Boxmeer ?! Pis la fois où le monde huait Terry Harper, pis y'a traversé la glace et il a compté un but ?! Pis l'arrêt de Dryden contre Pappin. » Ça dure des heures. Vers la fin, on fait juste se nommer des vieux noms de joueurs de hockey et on rit. Gary Sabourin. Syl Apps. Les Binkley. Gilles Villemure. Andy Brown. Chuck Lefley. Gary Bergman. Rod Seiling. Et on termine toujours en chantant *La Soirée du hockey*. À tue-tête !

Elle me parle de mes blondes. Toutes découragées, les unes après les autres, d'être avec le seul gars qui aime encore regarder le hockey. Mais qui me pardonnent quand elles voient mon visage s'illuminer aux premières notes du thème de *La Soirée du hockey*

Cette musique m'a appris très jeune, que le bonheur c'est pas pendant. Que le bonheur, c'est juste avant. Quand tu sais que tu vas être heureux. Quand tu es tout excité à l'idée de l'être. Quand tu espères. J'ai vu plein de matchs, des grands matchs, des matchs ordinaires, et plein de matchs plates. Mais au moment où j'entendais le thème, j'étais certain en dedans que j'allais voir le plus beau match de ma vie. Quand rien n'est joué, tout est permis.

« Parapapam... pam... pam... pam ! »

Il y a aussi l'autre partie de la ritournelle. Celle du générique de la fin. Quand défilent les crédits. Elle est plus douce. Plus nostalgique. Ça fait :

« Toutoutoutou... toutoutoutoutoutou... »

Ce bout-là, il me fout le *blues*. Il me rappelle qu'il fallait que j'aille me coucher. Que le bonheur était fini. Ma mère me disait : « Allez Stéphane, au lit ! » Et moi, je lui demandais au moins de me laisser jusqu'à la fin de la musique avant de me reconduire dans ma chambre. Ma mère me disait oui. Et j'écoutais la *toune*, en espérant qu'elle dure toujours. Que je n'aie pas à aller me coucher. Au fond de la maison. Dans le noir. Seul. Que je puisse rester avec toute la famille dans le salon. Entouré d'amour. Pour toujours.

Le Canadien n'est plus ce qu'il était. Le hockey non plus. Les Béliveau, Cournoyer, Lafleur ne jouent plus. Les voix de Lecavalier, Duval, Garneau se sont tues. Je ne pourrai jamais plus regarder le hockey avec papa. La vie passe trop vite. Mais il reste le thème de *La Soirée du hockey* pour me rappeler que je suis toujours un enfant. Heureusement.

« Parapapam... pam... pam... pam ! »
Joyeuse cinquantième saison à *La Soirée du hockey*
Et surtout, ne changez pas le thème !

Un chèque de deux cents

De 1993 à 2002, les huit agences impliquées dans le scandale des commandites ont versé 650 000 $ dans la caisse du Parti Libéral du Canada. Le toujours pimpant Jean Lapierre a déclaré la semaine dernière que le Parti libéral ne voulait pas de cet argent souillé. Qu'il allait le redonner aux contribuables. Facile à dire ! Comment va-t-il faire ça ? Le Parti libéral va signer un chèque de 650 000 $ à l'intention du gouvernement du Canada. Wow !

Quel grand geste ! Le problème, c'est que le gouvernement du Canada, c'est le Parti libéral ! On prend de l'argent dans la poche de gauche pour le mettre dans la poche de droite. Le Parti libéral va pouvoir faire ce qu'il veut avec cette somme. C'est lui qui va la gérer. Peut-être va-t-il s'en servir pour baisser la dette. Mais peut-être aussi qu'il va s'en servir pour mettre sur pied un nouveau programme. Un nouveau programme extrêmement important. Comme favoriser l'unité nationale ou encourager les Canadiens à marcher davantage. Pour que ce programme se réalise, il va falloir que le gouvernement engage des gens. De préférence des amis. On travaille tellement mieux avec des amis. Les 650 000 $ vont servir à payer les honoraires de ces gens-là. Donc, l'argent souillé parce qu'il provenait des amis de Jean Chrétien va être blanchi en étant remis aux amis de Paul Martin. Ça nous fait une belle jambe. Nous, les amis de personne.

Ce n'est vraiment pas une solution. Jean Lapierre veut redonner l'argent aux contribuables. Parfait. Mais qu'il le redonne vraiment aux contribuables. C'est-à-dire nous. Chacun de nous. Il ne faut pas confondre les contribuables et le gouvernement du Canada. Ce n'est pas la même chose. Pas du tout. Ça, c'est un problème que tous les politiciens ont. Ils essaient de nous faire croire que le gouvernement, c'est nous. C'est pas nous. C'est eux ! Si c'était nous, c'est nous qui nous promènerions en limousine bleue, pas eux. Si c'était nous, c'est nous qui ferions des visites officielles à Paris et à Disney World, pas eux. Si c'était nous, ce sont nos amis qui profiteraient du gouvernement, pas les leurs.

Si le gouvernement et les contribuables étaient la même chose, on n'aurait pas besoin de payer d'impôt. Pourquoi les contribuables perdraient-ils leur temps à s'envoyer de l'argent à eux-mêmes ? On n'aurait qu'à le garder. Ça coûterait moins cher de timbres.

Si le gouvernement, c'était les contribuables, ça voudrait dire que Gilles Duceppe serait au gouvernement parce qu'il est un contribuable. Mais c'est pas ça. Le gouvernement, c'est une *gang*. Avant, c'était la *gang* à Jean. Maintenant, c'est la *gang* à Paul. La plupart des contribuables ne sont dans aucune des deux *gangs*. Nous autres, notre *gang*, c'est la *gang* de malades !

C'est correct aussi. Si on veut que le gouvernement, ce soit nous, on n'a qu'à faire comme eux. Mettre notre grosse face sur des pancartes, serrer plein de mains, prendre des bébés dans nos bras et passer nos journées assis sur notre banquette à écouter le gars d'en face nous obstiner. On ne le fait pas, tant pis pour nous ! C'est eux qui gouvernent. Ce sont eux qui se graissent.

Cependant, quand le Parti libéral a des remords et qu'il veut se soulager la conscience, il faut qu'il fasse le chèque à la bonne personne. Pas à lui-même.

Si Jean Lapierre veut remettre l'argent souillé aux contribuables, il faut qu'il nous fasse un chèque personnel à chacun de nous. On est 30 millions de contribuables au Canada ; 650 000 $ divisés en 30 millions, ça donne deux cents par personne. C'est *cool*. C'est l'intention qui compte. Au moins, on va être certain que ces 650 000 $ ne seront pas investis dans des patentes à gosses. Qu'il vont être partagés de façon équitable.

Messieurs Lapierre et Martin, prouvez que ce n'était pas que des paroles en l'air et agissez illico. Parce que signer 30 millions de chèques, ça risque de vous prendre une couple de jours. Une chance, à deux, ça va mieux.

C'est sûr qu'avec deux cents, on prendra pas une grosse brosse. Mais c'est le principe qui compte. Il faut que nos dirigeants apprennent à nous respecter. Le gouvernement, ça peut pas être eux quand c'est le temps de se remplir les poches pis nous quand c'est le temps de les vider.

Si l'État prend l'habitude de nous rembourser toutes ses erreurs, on va finir riches. La vérificatrice a dit que, dans le scandale des commandites, il y a eu 100 millions de dollars souillés. Ça commence déjà à être plus intéressant. Si on condamne chacun des intervenants dans ce dossier à rembourser aux contribuables les 100 millions, chaque Canadien va recevoir un beau chèque de 3 $. Pas pire ! De deux cents à trois piastres, c'est toute une augmentation. Et ce n'est qu'un début. Parce que l'argent souillé, c'est pas ça qui manque dans le monde. Si on oblige tous les coupables à nous rembourser directement, le peuple va devenir millionnaire.

Si tous les politiciens magouilleurs, tous les présidents de compagnies, crapules, tous les Hells et les mafieux étaient obligés de nous remettre les sommes d'argent acquises frauduleusement, on serait tous en Floride en train de boire un pina colada.

Les deux cents de Jean Lapierre vont fructifier à la vitesse d'un train de VIA Rail. Comme dit le vieux dicton : « Lapierre qui roule n'amasse pas d'argent souillé ». Ou encore, comme dit Paul Martin : « Avant de lancer la première pierre à quelqu'un, demande à Lapierre de le faire. »

❧❧

Le hockey sans arbitre

Samedi matin, 10 h. C'est la matinée du hockey bottine. Les Français contre les Anglais. En direct de l'entrée de garage des Laporte, à Notre-Dame-de-Grâce. Mise en jeu. Mon frère Bertrand fait face au gros Barry. C'est moi qui lance la balle de tennis entre leurs deux bâtons. Puis je me dépêche de revenir devant mon filet. Car je ne suis pas l'arbitre. Je suis le gardien de l'équipe des Français ! Il n'y a pas d'arbitre dans notre ligue de ruelles. C'est ben trop plate !

Heureusement, mon frère gagne la mise en jeu, et j'ai le temps de m'installer devant ma cage. Bertrand s'échappe devant Paul, le *goaler* des Anglais. Steve l'accroche. Bertrand s'écrase sur la glace et la garnotte. François, notre défenseur, crie « Punition ! » Les Anglais disent « *What ?* » Je relève mon masque. « Punition ! Steve a fait tomber Bertrand ! » Steve lâche un « *shit* ! » Puis il va s'asseoir sur les marches de la galerie. Avantage numérique pour les Français. François fait la mise en jeu. Il crie « un, deux, trois, *go* ! » La balle tombe. Le jeu reprend. Bertrand s'empare de la balle, déjoue Barry et passe à François. François lance et compte ! Un à zéro ! *Yes* ! Paul trouve que François a mal fait la mise en jeu. On leur crie « *Loosers* ! *Loosers* ! *Loosers* ! »

Steve revient dans l'action. C'est lui qui lance la balle entre les bâtons de mon frère et de Barry. Bizarrement, cette fois, c'est Barry qui remporte la mise. Il fonce vers moi. Laisse partir un boulet. Ayoye ! Je reçois la balle gelée, en plein là ! Là où ça fait mal ! Je n'ai que 9 ans, mais je viens de réaliser que je suis déjà un homme ! Surtout que cet endroit de mon corps peut me procurer de fortes sensations. Ouille ! Je me roule dans la neige. Je me tords de douleur.

Les Anglais décident de ne pas attendre que j'aie fini ma danse de Saint-Guy. Ils reprennent le jeu. « *One*, *two*, *three*, *go* ! » Barry passe à Steve. Steve lance dans mon but ! Mon frère s'objecte : « Aïe, on n'était pas prêts, Stéphane est blessé ! » Paul réplique : « Y est pas blessé ! Y a juste reçu la balle dans les *balls* ! C'est vrai que les *frogs* sont sensibles de la cuisse... » Oups ! L'atmosphère vient de changer. Mon frère baisse sa tuque jusqu'aux yeux. Ça fait peur ! La fumée lui sort par les oreilles. Il faut dire qu'il fait moins 20 Fahrenheit !

Mise en jeu. C'est un à un. Bertrand lance la balle entre les bâtons. Avec tellement de force qu'elle rebondit dans les airs. François la frappe au vol avec son hockey. La balle entre dans le but des Anglais. C'est deux à *one* ! Nos adversaires rouspètent. « *No good* ! *No good* ! Y l'a frappée plus haut que la hauteur normale des épaules. Le but est pas bon ! »

François se choque. « Elle n'était pas plus haute que la hauteur normale des épaules. Elle était peut-être plus haute que la hauteur normale des épaules de têtes carrées, mais ça, c'est pas la vraie normale ! » Oh ! la la ! Barry ne le prend pas. Il pousse François. François pousse Barry. La bagarre éclate. Barry donne un coup de mitaine sur le nez de François. François lui donne un coup de botte sur le genou. Bertrand intervient pour les séparer. Mais Barry lui enfonce la tuque jusqu'au menton. Mon frère ne voit plus rien. Il donne un coup de tête dans le ventre de François ! François tombe au sol. Barry tombe sur François. Mon frère tombe sur Barry. Paul tombe sur mon frère. Je quitte mon filet. Je prends mon élan. Et je tombe sur le tas. On s'écrase les uns sur les autres pendant 10 bonnes minutes

François, tout en dessous, commence à manquer d'air. Il crie. « Ôtez-vous, vous allez me tuer, *tabarnak* ! » François ne sacre jamais. Ça doit être vrai. On se décolle. On se relève. On a tous le front bleu, les yeux blancs de neige et le nez rouge. Des vrais tricolores ! On ramasse nos hockeys. En grimaçant. Innocemment, je demande : « On continue ? » Barry répond : « *No way, go to hell !* » La bataille a laissé des séquelles. On a trop mal. Les Anglais s'en vont de leur côté. François rentre chez lui. Nous aussi.

C'est plate. La chicane efface le *fun*. La journée est gâchée. Mais on est habitués. Ça fait trois ans qu'on joue dans la ruelle tous les samedis matin d'hiver. Ça fait trois ans, que les parties se terminent en queue de poisson. Ça fait trois ans qu'on rentre à la maison en pleurant.

Une seule fois, on a réussi à terminer le match. C'est parce qu'on avait convaincu notre sœur d'être l'arbitre. Cette fois là, c'est elle qui est rentrée à la maison en pleurant ! On avait passé une heure à lui crier des noms. Elle n'est plus jamais revenue. On a longtemps regretté de l'avoir tant engueulée. C'est vrai qu'elle ne connaissait rien au hockey, mais, au moins, c'était juste pour tout le monde !

À tous les joueurs, instructeurs et directeurs gérants qui se plaignent des arbitres, sachez une chose : les arbitres sont aussi importants que la rondelle. Sans eux, le hockey ne se joue pas. Bertrand, François, Paul, Barry, Steve et moi, on a passé notre enfance à s'en rendre compte.

Et vive Ron Fournier !

L'homme est poussière

Samedi matin. BEDING ! BEDANG ! Je me réveille en sursaut. Quel est ce tapage ? On dirait Fujimori, le président du Pérou, prenant ma maison d'assaut !? Non, ce n'est pas le Pérou. C'est pire. C'est ma blonde qui passe à l'attaque. Opération Ménage du printemps. Ôtez vous d'là ! Rien ne va lui résister. Ça va sauter ! Je me lève avant d'être aspiré. L'homme est poussière et la femme est un aspirateur !

Il n'est même pas 8 h. Titi passe l'aspirateur en écoutant du Martine St-Clair à tue-tête. Je lui demande de monter le volume de sa balayeuse parce que je ne suis plus capable d'entendre *Laver ! Laver !* J'aurais pas dû. Elle arrête l'aspirateur : « Au lieu de te traîner les pieds, va donc faire le ménage de ton bureau ! » Elle a le ton de Franco Nuovo conversant avec Jean-Marc Parent. Elle sait que l'ennemi juré de la propreté, ce n'est pas la coquerelle, c'est le *chum* !

La guerre est déclarée ! Le torchon brûle !

Comprenez-moi bien, habituellement, notre couple vit des petits samedis matin paisibles. On se frotte le dos. On se frotte les orteils. On se frotte le velours. On écoute René Homier-Roy à CBF. Le bonheur. Mais un bon samedi matin, comme ça, sans avertissement, c'est l'alerte rouge ! On frotte le prélart. On frotte les meubles de jardin. On frotte le tuyau d'arrosage. Il faut que tout reluise comme le crâne de René Homier-Roy ! Ça se produit généralement aux changements de saison. Question d'alignement de planètes. Le printemps fait dresser le *spring* de l'homme et le plumeau de la femme.

C'est donc aujourd'hui le jour J. Comme dans chiffon J. Et je suis mieux de faire ma part. Sinon, il va y avoir une scène de ménage, c'est le cas de le dire ! Je suis mieux de troquer l'Internet pour une bouteille de Monsieur Net.

Il faut que je l'avoue, côté rangement, je suis plutôt du genre maire Bourque. Je ne ramasse rien. J'attends que ça fonde !

Honnêtement, je ne suis pas si pire que ça ! Je ramasse au moins un bas sur deux... quand ma blonde est là ! Mais si elle part en voyage quelques jours, le naturel revient en Williams-Renault ! Je me lâche lousse. La pinte de lait sur le comptoir, la boîte de pizza dans le lit. L'orgie. Même mon regard devient crasse ! Dans *Oscar et Félix (The Odd Couple)* je serais Oscar, le gros traîneux, pas Félix, le maniaco-*spic and span*. La plupart du temps, ma Titi ne s'en plaint pas. Elles ne le disent pas fort, mais les filles préfèrent vivre avec un gros traîneux plutôt qu'avec un maniaque de l'ordre. C'est plus agréable de dresser quelqu'un que de se faire dresser. Je suis sûr que Céline, qui est la seule femme à avoir les deux, aime mieux son Oscar que son Félix !

J'entre dans mon bureau. Le casque bleu devrait y être obligatoire tellement la zone est sinistrée. Ginette, notre merveilleuse femme de ménage, n'y vient jamais. Elle en a peur. Et il y a de quoi. C'est la seule pièce de la maison où j'ai le droit de ne pas me ramasser. Comme Daniel Bélanger, j'y vis les quatre saisons dans le désordre. Et j'aime ça. Ce fouillis me procure plein de joies toutes simples. Pour être heureux à la vue d'un rouleau de *scotch tape*, il faut l'avoir perdu. S'il est là, bien rangé, on le tient pour acquis. Mais si ça fait une heure qu'on le cherche et qu'on finit par mettre la main dessus, c'est le bonheur total ! Un simple rouleau de *scotch tape* devient le Saint-Graal !

Je me mets à faire des piles. À faire des petits tas. À déplacer de l'air. L'important, durant la rage de ménage de sa blonde, c'est d'avoir l'air affairé. Pas besoin de travailler pour vrai. Juste se promener de temps en temps avec quelque chose dans les mains ; une chaise, un cadre, un pot. N'importe quoi. Sauf un sac de *chips*. Comme ça, quand la générale Schwarzkopf vous croise, elle croit que vous êtes maté et elle est contente !

Je le sais que c'est pas beau, faire semblant. Mais l'homme n'est pas doué pour faire du rangement en dedans. Freud l'a bien expliqué : « Les organes génitaux de la femme sont internes. La femme aime donc nettoyer l'intérieur de sa maison. Les organes génitaux de l'homme sont externes. L'homme aime donc nettoyer son char dehors. » C'est la nature. Si mon bureau a l'air de la Bosnie, mon char, lui, a l'air de la Suisse. Plus propre que celui de ma blonde ! Le jour où j'aménagerai mon bureau dans mon auto, le problème sera réglé !

Ma blonde est en train de sortir un douzième sac vert plein. Elle ne fait pas semblant, elle. Je suis mieux d'aller y jeter un coup d'œil. Quand Titi est dans sa phase tornade blanche, elle jette toutes les affaires qu'elle juge inutiles. Et ce sont toujours les miennes, bien sûr ! Tel Indiana Jones, je fouille dans les poubelles à la recherche de mes trésors perdus. Je récupère mes cartes de hockey, mon jeu de Mille Bornes, ma vieille paire de claques, mon cube Rubik, mon passeport de l'Expo, mes 45 tours, mes *Sports Illustrated Swimsuit Issue*, ma collection de casquettes et mes photos de voyages où l'on aperçoit mes ex. Je les rentre dans la maison. Et je mets tout ça en piles dans mon bureau !

Samedi soir. Mission accomplie ! Tout brille. La maison est prête à recevoir le printemps. Ma blonde est redevenue presque normale. Avant de crier victoire, elle passe à la loupe chaque recoin. À la recherche d'une saleté, d'un restant, d'un débris, d'une poussière qui lui aurait échappé. Et son regard tombe sur moi...

Mesdemoiselles qui cherchez l'âme sœur, fouillez dans les bacs bleus cette semaine, vous y trouverez plein de gars, en pas pire état, prêts à être recyclés !

Le mur et moi

En face de chez nous, il y a le plus grand adversaire de mon enfance. Le plus grand champion de tennis que j'ai jamais affronté. Meilleur que Borg, meilleur que Connors : le mur de l'école anglaise de Notre-Dame-de-Grâce. Une énorme façade qui s'étend le long de la rue Girouard. Un mur en béton et en brique. Qui ne pardonne pas. Je passe mes étés à servir contre lui. Et il me renvoie toujours la balle. Inexorablement. Il n'en manque jamais une.

Cet après-midi, je suis bien décidé à le battre. Parce que cet après-midi, dans ma tête, c'est Wimbledon. Et je dois gagner. Je sers de toutes mes forces. Mais plus je sers de toutes mes forces, plus il me la retourne à toute vitesse. La balle fonce sur moi. Je la frappe. Elle rebondit contre le mur. Et j'entends le son de l'été. Le plus beau son au monde. Le son d'une balle frappant le béton. Ça fait POC ! Et ça revient. Cette fois, elle revient à droite. Je cours. Tout croche, mais je cours. Avec mes petites jambes et mes tendons trop courts. Et je rejoins la balle, et je la frappe à nouveau. Trop haut. La balle frappe le grillage protégeant les vitres des classes. Ça donne l'effet d'une volée. Je fonce vers le mur pour frapper la balle avant qu'elle ne cesse de rebondir. Trop tard. Mur 15, Stéphane 0.

J'ai chaud. Et y'a pas de bouteilles d'eau. Pas de chaises. Pas de serviettes. Pas de parasol. À l'omnium de tennis de l'école d'en face, il n'y a qu'une balle, une raquette et un grand mur. Si je veux boire, il faut que je traverse la rue. Et que j'aille dans le frigo de la maison. Pas question. Ça va être mauvais pour ma concentration. Je sers à nouveau. Le mur est un grand champion. Mais il ne sait pas servir. Il sait retourner. La balle a frappé le coin d'une brique, elle rebondit en diagonale. Une flèche. Rien à faire. Pas le temps d'y toucher. La balle roule le long de la cour d'école. Avant de s'arrêter contre la clôture. Tout juste avant la rue. Je cours la chercher. C'est tout ce que je fais, courir. Pendant que le mur ne bouge pas. Pendant que le mur garde ses forces. C'est 30-0 pour lui.

Cette fois, je sers avec moins de force. Je commence à être épuisé. Et la balle revient doucement. Une *balloune*. C'est trop tentant. Je la *smashe*. Le mur se choque. Et la balle part en orbite. Elle passe au-dessus de ma tête. Par-dessus la clôture. De l'autre côté de la rue. 0-40. J'en profite pour boire un jus de raisin. Et je reviens.

Balle de match. Je sers. Juste bien. Pas trop fort. Pas trop faible. Le mur retourne la balle vers moi. Parfait. Je la frappe. Le mur encaisse. Je frappe encore. Le mur retourne. L'échange est interminable. 10 coups. 12 coups. 15 coups. Je suis en feu. Mais le mur est en béton. Et il finit toujours par avoir raison. Au 20e coup, je suis trop étourdi, je n'ai plus de jambes. La balle passe à quelques centimètres de ma raquette. Rien à faire. Le mur a gagné.

Le mur gagne toujours.

Bien sûr, je pourrais aller jouer sur le terrain de tennis du quartier. J'y suis allé une fois. Tout le monde m'a regardé de travers. Avec ma démarche d'oiseau blessé. Les joueurs de tennis préfèrent jouer contre d'autres athlètes. Des bâtis comme eux. Ils veulent de la compétition. Au moins, en apparence. Je pense que les joueurs de tennis sont un peu snobs. En tout cas, ceux-là. Je suis resté longtemps assis sur le banc. Personne n'a voulu m'affronter. Ils attendaient tous quelqu'un. Même ceux qui étaient seuls.

Le mur, lui, ne me juge pas. Sept jours sur sept, il est toujours là. Toujours prêt à m'affronter. Et même s'il gagne tout le temps, il ne se lasse jamais de jouer avec moi.

Je me prépare pour un deuxième match. Je fais rebondir la balle sur le sol. Soudain, entre dans mon champ de vision un vrai joueur de tennis. Tout en blanc. Un de ceux qui joue sur le terrain du quartier. Un de ceux qui n'avaient pas montré un grand intérêt à jouer avec moi. Il ralentit devant moi. Intrigué. Je l'invite :

« Avez-vous le goût de jouer ?

— Jouer ?

— On frappe la balle à tour de rôle contre le mur. Celui qui la manque perd le point...

— Je peux bien. Mais pas longtemps... »

Je sers. De toutes, toutes mes forces. Cette fois, je peux. Le retour ne sera pas à moi. Le visiteur, dont je ne sais pas le nom, appelons-le McEnroe, frappe la balle. Le mur me la redonne. Le mur, je le connais. Il a été mon adversaire durant des années. Mon tyran.

Cette fois, il sera mon allié. Je sais où envoyer la balle pour qu'il donne des rebonds impossibles. Je vais en profiter. C'est McEnroe qui devra les retourner. Je frappe la balle contre le coin de la brique. Elle revient en flèche. L'homme en blanc manque son coup. Stéphane 15, McEnroe 0. Je sers à nouveau. Je vise la fenêtre de la classe. La balle retombe lentement. McEnroe se précipite. 30 à 0.

« Je vais servir. »

Big Mac commence à trouver ça moins drôle. Se faire battre par un *tire-la-patte*. Il frappe la balle à la vitesse de l'éclair. La balle revient comme un boulet de canon. Rien à faire. 30-15. C'est à mon tour. Mur, mur, aide-moi, mur. Je sers encore contre la fenêtre. Cette fois, McEnroe se précipite vers la balle. Et la retourne rapidement. Je frappe la balle au ras du béton. Le mur la cogne entre les jambes de l'adversaire. 40-15. Balle de match.

« Faut que j'y aille.

— Ben là, y reste un point. Vous pouvez servir... »

McEnroe bombarde la balle. Mais le mur est fin pour moi. La balle frappe entre deux briques. Je sais que dans ce temps-là, la balle tombe comme une pierre. Je *smashe*. Le mur ne pardonne pas. Il la retourne sur la Lune. Match Stéphane. Et le mur. McEnroe n'a plus jamais traversé la cour des Anglais.

La panique électrique

Mercredi matin, je me réveille au son de la radio : « Message important ! Hydro-Québec demande à tous les Québécois de diminuer leur consommation d'énergie parce... »

La fille n'a même pas le temps de finir sa phrase que déjà je lui obéis en débranchant ma radio. On est comme ça, les Québécois, quand on nous demande quelque chose, on le fait. Tout de suite. On est des bons citoyens. Je prends ma douche à l'eau froide, je ne me sèche pas les cheveux et je mets des vêtements encore humides parce qu'il est hors de question que je fasse fonctionner ma sécheuse. La porte-parole de l'Hydro l'a dit, ça risquerait de faire sauter le réseau. Tout le Québec serait plongé dans le noir parce que j'ai osé vouloir enfiler des bobettes sèches. J'aurais trop honte. Tant pis pour mon confort, il faut sauver le pays. Je vais sûrement attraper une grippe d'homme, mais au moins je serai un héros.

De toute façon, je commence à être habitué. Ça fait deux semaines que, matin et soir, la petite madame d'Hydro-Québec nous interpelle à tous les postes de télé et de radio pour qu'on diminue notre consommation d'électricité. Si jamais ça pète, ça va être notre faute, pas la leur, le message est clair. Ils sont débordés. On ne cesse de briser des records. Le gars aux nouvelles s'énerve chaque fois :

« Un nouveau record absolu de consommation électrique a été établi ce matin. La demande a atteint le cap des 35 441 mégawatts... »

Oh ! là là ! Quel exploit ! Puis, à peine quelques heures plus tard :

« Oubliez le record de ce matin, sur le coup de 17 h 30, le précédent record a été fracassé. La nouvelle marque est de 36 279 mégawatts ! »

Wow ! On dirait qu'on est aux Olympiques de l'électricité. On n'en avait pas assez de s'énerver avec les records de froid, maintenant on s'excite pour les records de mégawatts. On nous donne l'impression de vivre une journée historique. Te rappelles-tu le 14 janvier 2004 ? Ah ! oui ! La journée du record de mégawatts ! Bientôt on va afficher dans le coin de l'écran du téléviseur, à côté de l'heure et de la météo, le compteur électrique de la province. On va pouvoir vérifier à tout instant la consommation du Québec. C'est passionnant. Un nouveau sport est né : l'électricité extrême.

Le danger avec les records, c'est qu'on veut toujours les briser. C'est plus fort que nous. Jeudi matin, j'ai failli passer outre aux directives de l'Hydro et, à 8 h, faire fonctionner en même temps la laveuse, la sécheuse, le lave-vaisselle, l'extracteur à jus, la télé, le séchoir et mon train électrique, juste pour voir si on allait atteindre les 40 000 mégawatts. On aurait été dans le *Guinness* grâce à moi.

Mais je me suis retenu. Parce que la petite madame de l'Hydro nous a bien dit de nous calmer le fil.

C'est quand même fort. Cette semaine, il n'y avait pas d'état de crise au Québec. Pas de pluie verglaçante ni de tremblement de terre. Il faisait froid. C'est tout. Le Québec est situé au nord de l'Amérique du Nord. C'est normal qu'il fasse froid. Quand il fait froid, on chauffe ! Quand il ne fait plus froid, on ne chauffe plus. C'est normal aussi. Hydro-Québec nous a demandé de chauffer moins. Et nous, on le fait. Si c'est pas durant une vague de froid intense qu'on devrait pouvoir chauffer plus, c'est quand ? Au mois de juillet ! On est vraiment des cons... gelés.

Après, ça va être quoi ? L'eau ! Durant la canicule, quand le système d'aqueduc ne répondra plus à la demande, un petit monsieur va nous demander à la radio de ne plus aller à la toilette durant les heures de pointe. Va falloir retenir notre pipi du matin jusqu'à 9 h 30. Ou ne pas tirer la chasse. Déjà qu'on se fait engueuler quand on laisse le siège de toilette levé, imaginez si on laisse flotter nos trésors. Ça va être dur pour le couple.

Puis ce sera le tour du téléphone ! À la Fête des mères, un représentant de *Bell* va nous demander d'appeler notre mère le dimanche précédent pour ne pas faire sauter les lignes. Puis Poste Canada va nous demander d'envoyer nos cartes de Noël en septembre pour ne pas engorger le système.

C'est absurde. On veut bien rendre service à nos services publics. On veut bien les aider. Mais ça devrait se faire dans les deux sens. C'est eux qui manquent à leur devoir, pas nous. Un service en attire un autre. On diminue notre demande d'énergie et vous diminuez vos tarifs. C'est logique. Mais non, ils font l'inverse. On est obligé de prendre sa douche en *Kanuk* parce que la fournaise fournit pas, et en plus on hausse les tarifs.

Faut arrêter de se laisser faire. Organisons un recours collectif pour les pertes de jouissance que nous avons subies au cours des derniers jours. Moi, j'ai eu le cheveu plat toute la journée de mercredi parce que, en Québécois responsable, je ne me suis pas servi du séchoir. Ça vaut quelque chose. Avoir l'air fou, ça se dédommage. Hydro devrait me donner un cadeau pour compenser. Un col roulé, au moins.

Non, le truc qu'Hydro-Québec a trouvé pour montrer qu'elle aussi fait sa part, c'est d'éteindre son Q sur le gratte-ciel de son siège social. Éteindre son Q ! Franchement. En haussant ses tarifs, elle met le feu au nôtre ! D'ailleurs, c'est voulu. C'est la nouvelle source d'énergie pour nous chauffer en économisant l'électricité : le feu au Q.

∂∞∂

Ce qu'il faut savoir avant d'aller à l'école

Ce matin, j'aimerais m'adresser aux petits enfants qui iront pour la première fois à l'école dans quelques jours. Les bambinos qui entrent en première année. Je le sais que vous ne savez pas lire encore, mais demandez à votre grand frère ou à votre grande sœur de vous faire la lecture de cette chronique. Oh ! Excusez ! J'oubliais que votre grand frère et votre grande sœur sont au cégep, ils ne savent pas lire, eux non plus. Demandez à votre père ou à votre mère, d'abord ! OK, vous êtes prêts ? On y va.

Alors, c'est bientôt le grand jour, vous entrez à l'école ? Wow ! Vous êtes chanceux ! L'école, c'est l'endroit le plus spécial où vous irez de toute votre vie. Un endroit magique. On peut en sortir très, très intelligent. En sachant des millions de choses. Et on peut en sortir aussi très, très niaiseux. En ne sachant absolument rien. Ça dépend juste d'une chose. Ça dépend si vous écoutez ou non le monsieur ou la madame en avant. Votre prof. C'est tout. C'est aussi simple que ça. Écoutez ce qu'ils racontent. Mais c'est plus facile à dire qu'à faire.

Au début, bien sûr, on l'écoute, notre professeur. Religieusement. On a les yeux rivés sur lui. C'est la personne la plus extraordinaire de la Terre. On boit chacune de ses paroles. Mais ça ne dure pas longtemps. Environ trois jours ! La quatrième journée de la première année scolaire, les enfants commencent déjà à décrocher.

Et c'est normal. Passer ses journées à écouter des maîtres et des maîtresses parler, ce n'est pas évident. Ça peut devenir ennuyant. Y'a pas d'effets spéciaux. La face de votre prof ne se transforme pas en Pokémon. Et puis, il y a plein de distractions. Tous ces petits enfants autour de vous. Ils sont pas mal plus amusants que le vieux en avant. Et attendez d'être au secondaire ! Entouré de filles en nombril, c'est impossible de se concentrer sur les formules de chimie.

Pourtant ce que raconte votre professeur, c'est ce qu'il y a de plus important au monde. C'est tout le savoir que les hommes ont réussi à acquérir durant des milliers d'années. L'écriture, le calcul, la géographie, l'histoire, les sciences. La Connaissance. Avec un grand C.

Vous vous dites, si c'est si important que ça, pourquoi ne pas attendre que vous soyez grand pour vous apprendre tout ça. Et vous laissez jouer en paix, en attendant. C'est parce que voyez-vous, votre corps est petit, mais votre esprit est beaucoup plus grand que le nôtre. Votre cerveau, il est tout neuf. Il est tout beau. Nous, notre cerveau, c'est une vieille affaire. Il est encombré par plein de niaiseries : nos numéros d'assurance-sociale, nos numéros de NIP, nos numéros de cellulaire, les numéros de cellulaire de la stagiaire, les cotes de nos actions de Nortel, sans parler de toutes nos bibittes, de tous nos préjugés, et de tous nos regrets. Il n'y a presque plus de place dans notre cerveau.

Notre disque dur est saturé. On ne serait jamais capable d'apprendre tout ce que vous vous êtes capable d'apprendre. Ça nous prend trois jours pour apprendre à monter une table IKEA. Alors imaginez, si on avait à apprendre toutes les règles d'addition, de soustraction, de multiplication et de division, ça nous prendrait trois jours multipliés par dix mille ! Si Joe Clark avait appris le français à votre âge, il le parlerait comme Bernard Pivot aujourd'hui. Mais il l'a appris quand il était grand, alors il le parle comme Dave Hilton !

On est limités. Tandis que vous, vous êtes capable d'apprendre le monde entier. En 6 ans, vous avez déjà appris à parler, à marcher, à sourire, à pleurer, à aimer, à manipuler votre mère, à manipuler votre père ! Vous êtes des génies ! Et il reste encore plein de place dans votre cerveau pour enregistrer encore plein d'informations. C'est parce que vous êtes petit que vous pouvez encore être grand.

Bien sûr, il y a des fois où vous allez trouver ça plate. Il y a des fois où vous allez vous endormir. Mais pincez-vous, brassez-vous la tête, remuez-vous. Et re-concentrez-vous sur ce que dit la maîtresse. Car ce qu'elle vous dit, plus personne ne prendra le temps de vous le dire plus tard. Alors, si un après-midi de février, vous n'écoutez pas pendant qu'elle vous explique pourquoi les étoiles brillent, vous risquez de ne jamais le savoir. Et c'est dommage. Parce que quand on sait pourquoi les étoiles brillent, on est capable d'en allumer dans les yeux des autres.

L'école au coin de chez vous, ce n'est pas n'importe quelle école. C'est l'école des Sorciers. C'est l'école d'Harry Potter. C'est là que vous pouvez apprendre tous les secrets de l'Univers.

Ce qu'il faut savoir avant d'aller à l'école, c'est savoir écouter. Quand on sait écouter, on sait tout.

Bonne chance, les mômes ! Un monde fantastique s'ouvre à vous. Amusez-vous bien !

Vous ne savez pas combien on aimerait être à votre place ! Combien on aimerait avoir encore plein de place dans notre coco ! Et plein de temps devant nous.

❧

Le blues de la métropole

Le 4 novembre 2001, j'avais écrit une chronique sur les fusions municipales. C'était un hommage en chansons à toutes ces villes rayées de la carte. On y retrouvait :

Que c'est triste Verdun (sur l'air de *Que c'est triste Venise*, de Charles Aznavour)

Que c'est triste Verdun
Au temps des villes mortes
Que c'est triste Verdun
Quand ça n'existe plus

Kirkland (sur l'air de *Bruxelles*, de Jacques Brel)

C'était au temps où Kirkland rêvait
C'était au temps du cinéma Guzzo
C'était au temps où Kirkland votait
C'était au temps où Kirkland kirklandait

Senneville (sur l'air de *Paquetville*, d'Édith Butler)

Senneville, Senneville
Tu peux ben mourir tranquille
Senneville, Senneville,
Tu peux ben mourir tranquille

Et plein d'autres hymnes citadins à vous arracher le cœur. C'était l'adieu. C'était fini. C'était réglé.

Pas si vite ! C'était sans compter sur Patapouf. Le gouvernement libéral a décidé de tout effacer. On est comme dans *Dallas*. Bobby se réveille. Il a rêvé toute la dernière saison. Tout le dernier régime. Les fusions n'ont pas vraiment eu lieu. À la fin du mois de juin, on saura lesquelles étaient vraies et lesquelles ne l'étaient pas. C'est pas grave. On a juste ça à faire, perdre notre temps. Voulez-vous bien dire pourquoi, tout d'un coup, Jean Charest décide de respecter ses promesses ? On ne peut même plus lui faire confiance pour ne pas respecter ses promesses ! Il en a fait 2 000, faut qu'il respecte seulement celle qui est le plus de troubles ! Celle qui fout le bordel. Celle qui n'a pas d'allure ! Il devrait être juste. Et ne tenir ses promesses pour personne. Celle faite au *West Island* inclusivement.

D'ailleurs, j'espère que le PQ prend des notes. Parce que leurs stratèges ont beaucoup à apprendre des stratèges libéraux. En 16 ans, le PQ est parvenu, de peine et de misère, à tenir deux petits référendums. Et à les perdre tous les deux. En seulement un an au pouvoir, le parti libéral va avoir tenu 89 référendums. Quatre-vingt-neuf ! Un référendum par coin de rue.

Quand le PQ va reprendre le pouvoir, au lieu de vouloir refusionner tout ce qui aura été défusionné, il devrait aller plus loin dans la défusion. Il devrait tenir un référendum à Westmount, Dollard-des-Ormeaux, Beaconsfield, Kirkland, Hampstead, Mont-Royal, Roxboro, *and so and so*. Bref, dans toutes les villes qui ne veulent pas faire partie de Montréal. La question posée serait : « Après vous être séparé de Montréal, aimeriez-vous vous séparer du Québec ? » Le OUI va l'emporter à 90 %. Un coup que le *West Island* ne fera plus partie du Québec, ce sera beaucoup plus facile de gagner un référendum sur la souveraineté du Québec. Fallait y penser ! Jacques Parizeau dirait : « *I'll drink to that !* »

Bon, c'est pas tout. Le retour vers le futur du ministre Fournier m'oblige à changer le texte de mes chansons de 2001. Elles sont désuètes. Caduques. Oublions l'album de la fusion, place à l'album de la défusion, chantant le bonheur des villes retrouvées. Et le malheur de la grande ville démembrée. Avec :

Je reviendrai à Westmount (sur l'air de *Je reviendrai à Montréal,* de Robert Charlebois)

Je reviendrai à Westmount City
Dans une grosse BM bleu acier
J'ai besoin de revoir mon maire
Et ses cravates bien stylées
Je veux pus voir le maire Tremblay,
Il est bon pour les Bougon
Pas pour les Smith ou les Thompson
Nous, on est plus sophistiqués
Je reviendrai à Westmount City

Dans un grosse BM bleu acier
Je reviendrai à Westmount City
Voter OUI for the first time
Voter OUI for the first time

Beaconsfield, Beaconsfield (sur l'air de *New York, New York* de Frank Sinatra)

Start spreadin' the registre,
I'm leavin' today
I want to be a part of it
Beaconsfield! Beaconsfield!
If I can make it here,
I can make it in Toronto
It's up to you
Beaconsfield! Beaconsfield!

Le blues de la métropole (sur l'air du classique de Beau Dommage)

En 2001 tout était beau
C'était l'année d'la fusion, c'était l'année pense gros
Chacun son arrondissement avec une même taxe d'eau
J'avais changé toutes les pancartes, fallait-tu être niaiseux
J'avais une blonde pas mal jolie
A vit à Pierrefonds avec 14 de mes amis
Partie signer le registre et faire campagne
Qui m'aurait dit que la défusion allait un jour voler ma gang
Mais qu'est ce qu'un gars peut faire
Quand y a pus l'goût de boire sa bière
J'peux même pas jouer avec mon membre
Parce que j'ai été démembré

Tous mes quartiers sont disparus
Pis moé non plus j'me r'connais pus
On est juste dix mille dans la grosse ville
Avec le blues d'la métropole

Le dessin du Vendredi saint

Aujourd'hui, c'est congé. Mais ce n'est pas un congé comme les autres. Dehors, il pleut. Dedans, il ne fait pas mieux. On ne crie pas. On ne court pas partout. On ne joue pas comme un fou. Même à 7 ans, comme moi. Aujourd'hui, c'est la journée où l'on réfléchit. C'est maman qui l'a dit.

Elle nous a installés autour de la table de la cuisine, mon frère, ma sœur et moi. Papa a rapporté des grandes feuilles de papier brun du bureau. Et chacun de nous doit faire un dessin. Pas n'importe quel dessin. Pas une maison entre les arbres avec un gros soleil en haut. Pas un bateau qui vogue sur l'eau avec un gros soleil en haut. Pas un joueur du Canadien qui joue au hockey avec un gros soleil en haut. Non, aujourd'hui, maman nous a dit de dessiner la Passion.

Je prends mon crayon Prismacolor vert. Et je dessine une colline. Avec plein de nuages gris au-dessus. Je donne plein de petits coups de crayon pour faire de la pluie. Et en jaune, je trace un éclair foudroyant. Puis je dessine trois croix sur la colline verte. Une grosse au milieu et deux plus petites, une de chaque côté. Sur chacune des petites croix, je dessine un bonhomme. Le sourire par en bas. Puis, la langue sortie parce que c'est difficile, je dessine Jésus. Les bras écartés sur la grosse croix. Les pieds cloués. Je trace son visage. Les yeux levés vers le ciel, la barbe, une couronne d'épines sur la tête. Avec mon crayon noir, je dessine un clou dans chacune des mains. Et un clou traversant ses deux pieds. On dirait que je les sens entrer en moi.

Puis je prends mon crayon rouge. Et je dessine du sang. Des gouttes de sang sur son front. Des gouttes de sang dans ses mains. Et du rouge encore, sur son corps et sur ses pieds. Je n'aime pas ça. Ça me fait mal. C'est la première fois que je dessine du sang. Je regarde mon dessin, et j'ai peur. C'est mon premier dessin sans gros soleil en haut. Le rouge, avant, c'était pour les gros cœurs de la Saint-Valentin. Ou pour le chandail du Canadien. Par pour des blessures. Pas pour l'horreur. Ma mère arrive dans mon dos et me dit : « Oh ! Il est beau, ton dessin... » Je ne comprends pas. Je ne le trouve pas beau. Vraiment pas.

Je regarde celui de ma sœur. Le sien est plutôt joli. Malgré la souffrance. Dominique a dessiné toute une foule sur la colline, Marie et Jean à genoux au pied de la croix. Puis, derrière, en perspective, elle a dessiné la ville de Jérusalem. Plein de petites maisons blanches. Et des fleurs autour. Il y a comme de la vie au loin. Je ne sais pas encore dessiner en perspective. J'ai hâte.

La fresque de mon frère est plus minimaliste. Il y a la colline. Les trois croix. C'est tout. Personne sur les croix. Il dit que ce sont les croix vues de dos. De l'autre côté. Le *reverse angle*. Comme au football. Je pense que c'est parce qu'il était trop pressé d'aller regarder *Ben Hur*.

Je ramasse mon dessin et je m'en vais dans ma chambre. Je m'étends sur mon lit et je le regarde. Longtemps. Pas une photo dans le journal, pas une scène de film, pas un reportage aux nouvelles ne m'a troublé autant. Parce que c'est mon dessin. Parce que c'est moi qui l'ai fait.

Dans tous mes dessins, je suis toujours là. Je marche avec ma mère dans le parc. Je joue au ballon avec mon frère. Je souffle les bougies de mon gâteau d'anniversaire. Même quand je dessine mon idole, Jean Béliveau, au fond, c'est moi. C'est moi en Jean Béliveau. Je sais très bien que dans ce dessin, je suis là aussi. Je suis l'homme en train de mourir sur la croix. Je suis l'homme plein de sang. Je suis Jésus. Et c'est comme si je réalisais, dans ma petite tête d'enfant de 7 ans, que j'allais souffrir, que j'allais mourir. Que dans la vie, il n'y a pas toujours un gros soleil en haut...

Quelle drôle de journée de congé.

DONG ! C'est le clocher de l'église d'à côté. DONG ! DONG ! Il est trois heures. Jésus est mort. Ma mère dit : « Priez, les amis ! » Je ferme les yeux. Et je vois encore mon dessin. Je récite un *Notre Père*. En espérant que ça fasse plaisir à Dieu. En espérant que ça fasse monter Jésus en haut. Au-dessus de la pluie et de l'éclair.

Je laisse mon dessin sur mon lit. Et je me sauve dans le salon rejoindre mon frère. Ben Hur est en train de traverser le désert avec sa montre au poignet. Il en reste encore pour cinq heures !

Je me couche après *Les 10 commandements*. J'ai 10 heures de Charlton Heston dans le corps. J'ai vu Ben Hur se faire fouetter, j'ai vu sa blonde devenir lépreuse, j'ai vu Moïse séparer les eaux en deux, mais c'est toujours mon dessin qui me hante. Qui me fait faire des cauchemars.

Samedi matin. Je me réveille. Il ne pleut plus. La maison s'anime de nouveau. Ma sœur écoute Mozart. Mon frère les *Beatles*. Et moi je pratique mon élan au baseball. Ma mère arrive dans ma chambre et me demande un autre dessin. Elle veut que je lui dessine la résurrection de Jésus et que je le lui donne demain. La résurrection de Jésus ? Pas évident. Je ne l'ai pas vu. Mais je m'essaie. Je dessine une grotte toute grise. Et un barbu qui sort de la grotte. Sur son corps, je dessine plein de Band-Aid. De diachylons. Pour panser toutes les coupures qui m'ont fait si mal hier. Et dans le coin gauche, bien sûr, je dessine un énorme soleil. Maman va être contente.

Aujourd'hui, les enfants n'ont que de belles journées de congé. Des journées de fête, de visite au Biodôme, d'escapade à la Ronde. Ils n'ont plus cette étrange journée du Vendredi saint. Où l'on entrait en soi. Où l'on se recueillait. Où l'on faisait le deuil de toutes les peines du monde. Où l'on sentait la fragilité de notre existence. Où l'on dessinait un homme en train de mourir. Et où l'on se mettait à sa place.

J'espère au moins qu'il existe, pour eux, un parent ou un prof qui a la bonne idée de leur faire faire un dessin différent. Qu'ils dessinent les victimes de la guerre en Irak, qu'ils dessinent les enfants de la famine en Afrique ou qu'ils dessinent les patients malades à l'hôpital. Mais qu'ils dessinent le malheur des autres. Pour que cela les atteigne plus que les images à la télé. Pour qu'ils réalisent que toute cette souffrance est aussi la leur.

Leur prochain dessin avec un gros soleil n'en sera que meilleur. N'en sera que plus vrai.

❧❦

Les problèmes ne se règlent pas

Avril 2007. Grâce au vote en bloc des fusionnistes déçus des défusions réalisées par le gouvernement Charest, le PQ prend le pouvoir. Bernard Landry est tenu de remplir sa promesse et de refusionner les villes séparées. Ce qui met en beau maudit les citoyens du West Island et provoque le départ pour Toronto de plusieurs d'entre eux. Le PQ en profite pour tenir, en décembre 2009, un référendum sur la souveraineté du Québec, qu'il remporte par la faible marge d'un vote. Paul Martin, le premier ministre du Canada (doit-on le préciser ?) décide d'envoyer l'armée au Québec. Malheureusement pour Paul, l'armée canadienne n'ayant pas le budget nécessaire pour équiper ses *chars* de pneus à neige, elle ne parvient pas à quitter le Manitoba. Le PQ réalise l'indépendance. C'est l'allégresse générale. Tous les Québécois partent sur la brosse. C'est la Saint-Jean tous les jours. Toutefois, le peuple déchante lorsque Stéphane Dion met en demeure George Gillett de changer le nom du Canadien de Montréal. Budget oblige, le propriétaire décide de déménager l'équipe à Hamilton pour ne pas avoir besoin d'acheter de nouveaux chandails et de la nouvelle papeterie. Les Montréalais sont sous le choc.

Ce qui permet à Pierre Paradis, nouveau chef du Parti libéral, de prendre le pouvoir en février 2011, grâce à sa promesse de « déséparer » le Québec. Les libéraux tiennent en septembre 2012 un référendum sur la réintégration du Québec dans le Canada. Le OUI, qui est désormais l'ancien NON, remporte la victoire, lui aussi, par la faible marge d'un vote. Probablement celui de Guy Bertrand, qui aurait changé d'idée. Quelques semaines plus tard, Paradis rencontre Ben Mulroney, nouveau premier ministre conservateur du Canada, et signe un amendement à la Constitution, qui joint à nouveau le Québec au reste du Canada. Malheureusement, le club de hockey Canadien ne peut revenir s'installer à Montréal, car il a été vendu à Jeffrey Loria, qui l'a déménagé à Fort Lauderdale. D'ailleurs, le Canadien de Fort Lauderdale remporte en 2013 sa première coupe Stanley depuis 20 ans. Le peuple québécois se sentant floué dans toute cette histoire réélit au pouvoir le Parti québécois, maintenant dirigé par Chantal Renaud. Les souverainistes tiennent au printemps 2016 un référendum sur la souveraineté du Québec, qu'ils remportent encore avec un vote de majorité. Ben Mulroney voudrait bien envoyer l'armée au Québec, mais le convoi envoyé là-bas sept ans plus tôt vient à peine d'arriver en Colombie-Britannique, car les boussoles de l'armée étaient défectueuses et les militaires se sont trompés de côté. Le Québec est à nouveau libre. Mais pas pour longtemps, car David, le lofteur conscientisé qui s'est sauvé du loft en 2003, est maintenant le nouveau chef du Parti libéral. Et grâce à sa stratégie, qui consiste à passer toute la campagne électorale enfermé 24 heures sur 24 dans une salle avec quatre journalistes vicieux, en direct à la télé dans l'émission *À hauteur de couteaux qui volent bas*, les libéraux balaient la province et reprennent le pouvoir à l'automne 2019. Un référendum sur la réunification du Québec et du Canada est tenu à l'hiver 2020 et... OK, OK, j'arrête !

Tout ça pour dire qu'on tourne en rond. Jamais cela n'a été aussi évident. Et c'est pas fini ! Y a pas juste le Québec qui tourne en rond. Le Canada aussi. Tout ce que le gouvernement Chrétien est en train de faire, le gouvernement Martin va le défaire dans quatre mois. Donne une subvention, coupe la subvention, vote une loi, annule la loi, nomme quelqu'un, congédie quelqu'un. Pis nous, les caves, on les regarde faire sans dire un mot. Bien sûr, ils nous font croire qu'ils travaillent fort. Qu'ils gèrent l'État. Ils donnent des mots savants à leur tournage en rond. La *réingénierie* de l'État, ça fait savant. Mais la vraie expression, ce serait l'enlevage de ta *gang* et le plaçage de ma *gang* ! C'est pas leur faute. Il n'y a rien d'autre à faire. C'est ça, la politique. Nous, on les élit pour régler les problèmes. On n'a pas compris que ça ne se règle pas, des problèmes. Les problèmes dans la santé, les problèmes de violence, les problèmes économiques, les problèmes constitutionnels, ils sont là depuis toujours, et ils seront toujours là.

Que ce soit la *gang* de Charest, de Landry, de Dumont, ils vont passer leur mandat à essayer de nous faire croire que les problèmes sont en train de se régler, même si ce n'est pas vrai. Et au fond, on sait qu'ils ne régleront rien. On les élit pour trouver des coupables. On sait que, durant les prochaines années, ça va être la faute à Charest. Pas besoin d'angoisser, de se culpabiliser, ça va être sa faute. Pis quand on va en avoir assez que ce soit sa faute, on va élire le PQ. Pis ça va être à son tour d'être le bouc émissaire.

Et ce n'est pas comme ça seulement en politique. C'est ainsi en toute chose. Il est temps de réaliser la plus grande vérité de notre existence : les problèmes ne se règlent pas. Dès qu'un problème existe, il ne disparaîtra plus. On peut croire pendant un certain temps qu'il est réglé, mais il va toujours revenir. C'est le syndrome de la Palestine. Le problème de l'identité québécoise ne se réglera jamais. Le problème de l'identité de Baie-d'Urfé ne se réglera pas non plus. Votre problème au dos ne se réglera jamais. Votre problème de couple ne se réglera jamais. Un problème peut disparaître pendant un petit bout, mais il va toujours finir par réapparaître. Et quand il réapparaît, ça fait encore plus mal.

C'est pour cela que, lorsqu'on fait quelque chose, il faut bien y penser. Parce que si jamais nos actes engendrent un problème, on va être pris avec tout le temps. Toute notre vie. Il faut être conscient de cela. Ce sont les Alcooliques anonymes qui ont raison. Leur problème d'alcool n'est jamais réglé. Ils vont lutter contre ce démon toute leur vie. C'est pareil pour nous. En étant conscient qu'un problème ne se règle pas, on le gère mieux. Il nous nuit un peu moins.

J'espère ne pas vous avoir trop déprimé, en ce dimanche d'automne. Mais s'il y a des gens qui savent que les problèmes ne se règlent pas, ce sont bien les lecteurs de journaux. Tous les jours, vous lisez les mêmes nouvelles sur les fusions, l'Irak, Israël, la violence, l'attaque du Canadien et la survie des Expos et du Grand Prix. Et heureusement pour nous, vous ne vous en lassez pas.

Au fond, entre vous et moi, les problèmes, on doit aimer ça. Car s'il y en avait pas, on s'ennuierait, dans notre loft.

လ⊷ళ

Le baseball dans la ruelle

C'était au temps où l'été, il faisait beau. En 1970. On joue au baseball dans la ruelle. Tous les jours. Mon frère, le voisin et moi. Je sais, jouer au baseball à trois, ce n'est pas évident, mais que voulez-vous, à Montréal, il n'y a jamais grand-monde au baseball ! On s'est fait nos propres règlements. Il y a un lanceur, un frappeur et un joueur à la vache. Quand le frappeur est retiré, c'est au tour de celui qui a réussi le retrait de frapper. C'est pas compliqué. Le marbre est devant la haie des demoiselles Pilon. Le premier but est devant le mur en brique de la maison de madame Lajoie. Le deuxième but est dans notre entrée de garage en garnotte. Et le troisième but est sous l'escalier en fer forgé des Friedman. Quand la balle tombe sur le balcon des Durocher, c'est un circuit !

Je suis au bâton. Mon frère Bertrand lance. Et François, notre voisin, joue à la vache. Premier lancer. Je passe dans le beurre. Prise ! Deuxième lancer... Non, le deuxième lancer n'arrivera pas tout de suite. Pas avant cinq bonnes minutes. Parce que voyez-vous, le gros inconvénient à jouer au baseball à trois, c'est qu'il n'y a pas de receveur. Personne pour arrêter la balle quand le frappeur s'élance dans le vide. Ce qui arrête la balle, lors d'un match de baseball dans la ruelle, c'est la haie des demoiselles Pilon. Et je suis en ce moment, à quatre pattes, en train d'essayer d'extirper notre balle de leur haie très fournie. Qui est quand même de moins en moins fournie à mesure que notre saison de baseball avance !

Une des demoiselles Pilon sort sur sa galerie : « Bon, vous êtes encore sur mon gazon ! Allez-vous arrêter d'abîmer mon beau gazon !? Pis ma haie !? » Ma mère sort sur son balcon : « Excusez-les, mademoiselle Pilon, ils vont faire attention. Les garçons, pourquoi vous n'allez pas jouer dans la cour d'école en face ? »

On ne répond pas. Tous les jours, maman nous pose cette question. Et tous les jours, on fait comme si on ne l'entendait pas. C'est sûr que juste en face de chez nous, il y a une belle grande cour d'école avec un losange de baseball tracé sur le béton. Et une clôture en grillage tout autour. Comme les vrais. On y serait bien. On aurait de la place. Mais pour nous, le baseball, ça se passe dans la ruelle. On y joue depuis qu'on est petits, et même lorsqu'on sera rendus gros comme Boog Powell, Harmon Killebrew et Frank Howard, on y jouera encore. Question de cachet, d'atmosphère et de souvenirs.

Mademoiselle Pilon secoue la tête et rentre dans sa maison. Ma mère aussi.

Je récupère finalement la chère balle et je l'envoie à mon frère. Prêt pour le deuxième lancer. Cette fois, je fais contact. Mais... C'est une fausse balle. Et une fausse balle, lors d'un match de baseball dans la ruelle, ça veut dire que la balle atterrit en plein milieu de la rue Old Orchard. Mon frère part à courir. Une auto klaxonne. Mon frère réussit à récupérer la balle avant qu'elle ne roule jusqu'à la Côte-Saint-Antoine. Ma mère a entendu le klaxon. Elle sort sur le balcon :

« Bertrand, fais attention ! C'est dangereux, les autos vont vous écraser ! Pourquoi vous n'allez pas jouer dans la cour d'école en face ? »

« On va faire attention. » C'est ce qu'on répond. Ma mère, découragée, retourne dans la maison. Troisième lancer, je frappe la balle en flèche, au-dessus de la tête de Bertrand. François plonge pour la saisir. Raté ! La balle rebondit dans les poubelles des Brunelle. Je contourne le premier but. François plonge son bras dans les déchets. Je contourne le deuxième but. François essuie la balle sur son chandail et la lance à mon frère. J'essaie d'éviter le gant de Bertrand en me tassant à droite. Et je me cogne la tête sur l'escalier en fer forgé des Friedman ! Je suis retiré au troisième. Je pleure ! Ma mère sort sur le balcon :

« Bon, Stéphane s'est encore cogné la tête sur l'escalier ! Pourquoi vous n'allez pas jouer dans la cour d'école en face ? Répondez ! »

J'arrête de pleurer. « J'ai rien ! J'ai rien ! » Ma mère retourne dans la maison. Tannée. C'est au tour de mon frère de frapper. C'est moi qui lance. J'ai 9 ans. Mon frère en a 16. C'est comme si Rodger Brulotte lançait à Mark McGwire. Mon frère catapulte la balle. Qui s'en va à la vitesse de l'éclair briser la vitre du solarium des Lacombe ! Pour la troisième fois de l'été ! On ne bouge pas. Mon frère ne fait même pas le tour des buts. C'est comme si quelqu'un avait mis la partie sur pause. On attend. On attend Hiroshima. Il arrive. Madame Lacombe sort sa tête du solarium : « Vous avez pas encore brisé ma fenêtre ! Mes chenapans ! »

La porte de notre balcon s'ouvre. Cette fois, ce n'est pas ma mère qui en sort. C'est mon père ! Il nous dit deux mots : « Dans' maison ! » On y va ! La partie est finie. Mon frère et moi entrons chez nous, le bâton entre les deux jambes. Et François retourne chez lui, la mite à terre.

Fini le baseball dans la ruelle. On était rendus trop grands. Trop forts. Surtout mon frère. On a dû se résigner. Nous n'étions plus des petits culs. C'est pas facile à accepter. Même quand tu as juste 9 ans. Le lendemain, nous sommes allés jouer dans la cour d'école en face. Dans le béton. Loin de la haie des demoiselles Pilon et des poubelles des Brunelle. On avait de la place. Trop de place. Ce n'était plus le petit jeu inventé de notre enfance. C'était le vrai jeu. La vraie affaire. Beaucoup moins plaisant.

Au lieu de jouer une fois par jour, on ne jouait plus qu'une fois par semaine. Puis une fois par mois. Puis plus du tout. L'équipe de baseball à trois de la ruelle Notre-Dame-de-Grâce a cessé d'exister.

C'est triste la fin d'une équipe de baseball. Triste comme la fin de l'enfance.

Des ballons et des confettis

Chers politiciens, chères politiciennes ! Taisez-vous un peu ! Deux minutes ! C'est à notre tour ! Non mais c'est vrai, depuis le début de l'été qu'on vous écoute discourir. Pas pour rien qu'il pleut tout le temps ! D'abord, il y a eu le festival des élans verbaux des candidats aux élections fédérales. Puis, on vient de passer la semaine à entendre le carnaval des épanchements partisans des démocrates en congrès à Boston. C'est assez ! Jamais vu autant de monde parler sans rien dire.

C'est toujours la même mise en scène : le politicien entre sous les applaudissements. Avec de la grosse musique. Que ce soit Paul Martin, Stephen Harper ou John Kerry, c'est l'hystérie. On dirait Elvis. C'est bizarre. Quand un politicien se promène dans la rue, j'ai jamais vu les gens lui arracher ses vêtements. Même que la plupart du temps, les gens se sauvent. Mais là, soudainement, ces hommes *drabes* déclenchent les passions. Les militants doivent être sur la drogue. Non mais c'est vrai, les avez-vous vus ? Ils sont en extase. Ça gigote de partout. Ça brasse son petit chapeau. Martin ! Martin ! Martin ! ou Kerry ! Kerry ! Kerry ! Voyons donc ! Ce sont deux *mononcles* endormants. Leurs pancartes sont plus charismatiques qu'eux. Franchement !

Durant les ovations, le politicien se promène sur la scène en faisant des tatas. Des tatas à gauche. Des tatas à droite. Si le pays recevait une piastre par tata, la dette serait payée en cinq minutes. C'est tout ce qu'ils savent faire, des tatas. Tant qu'à faire, allons au bout du ridicule. Que le politicien saute à pieds joints sur la scène comme David Lee Roth. Qu'il se déhanche comme Mick Jagger. Qu'il tire sa cravate et son veston. Se dénude une épaule. Et se lance dans ses partisans pour faire du *body surfing* à travers le plancher de la convention. Vous voulez être reçus en *rock star*, donnez de quoi en retour. Suez un peu. Des tatas, ça fait tata.

Puis le politicien se met à parler. Là, le monde se calme. Rapidement. Ça doit être pour ça que les gens applaudissent autant quand il fait son entrée, au moins pendant qu'ils applaudissent, le politicien ne parle pas. Ça retarde l'échéance. Parce que tous les discours de politiciens sont pénibles. À part ceux de Bill Clinton. C'est vrai, ses discours sont excitants. Il doit y avoir quelqu'un de caché en dessous du lutrin, c'est pour ça que Bill est aussi allumé. Comme un cigare. Mais à part Bill 69, tous les autres orateurs semblent diplômés de l'école Claude Julien. Ils sont hypnotisés par le télésouffleur. Un peu plus, ils vont s'endormir sur leur texte.

Si au moins, ils étaient plates parce qu'ils tenaient des propos arides et lourds de sens. Pas du tout. Ils répètent des banalités. Ils disent au monde ce qu'il veut entendre. Et c'est ça le problème, messieurs dames. Pourquoi perdre son temps à écouter quelqu'un nous dire ce que l'on veut entendre. On va le dire nous-mêmes. On est capable de parler. N'importe quel *tawoins* peut monter en avant et dire : « Priorité à la santé ! », « Plus de sécurité ! », « Vive le Canada ! », « Vive les USA ! ».

Vous êtes censés être des leaders. Pas des perroquets. On compte sur vous pour trouver de nouvelles idées. Pas pour répéter des clichés. On veut pas des vœux pieux. On veut des solutions. C'est quand la dernière fois qu'un politicien nous a appris quelque chose ? Qu'il nous a ouvert l'esprit ? Que l'écoute de son discours a changé notre façon de voir les choses ? George Washington ? La tête à Papineau ?

Dire ce que le monde veut entendre, c'est ce que font tous les politiciens d'aujourd'hui. Et c'est pas mal de notre faute. Dès qu'il y en a un qui ose exprimer quelque chose de différent, on tape dessus. Gaffe ! Bourde ! Pied dans la bouche ! Il est obligé de s'excuser. Pardonnez-moi d'avoir pensé différemment. D'avoir provoqué un débat. Je ne le ferai plus. Alors, ça finit qu'ils font tous le même discours. Ils pourraient même se le passer d'un parti à l'autre. Il faudrait juste qu'ils changent les noms dans le paragraphe des insultes. Parce que Bush qui insulte Bush, ça ferait bizarre. C'est leur seule originalité. Les attaques entre eux. Ils disent tous que l'autre fait des affaires pas correctes, et pourtant ils disent tous qu'ils vont faire la même affaire. Améliorer la santé. Baisser le déficit. Augmenter la sécurité. Comment ? On verra après.

Ils parlent d'eux aussi. Beaucoup. Ils racontent leur vie. À quel point ils sont bons. Ils en mettent tellement, on dirait qu'ils sont morts. C'est pas le moment ! S'ils veulent se confier, qu'ils aillent à *Oprah*. Quand on s'adresse au peuple, on devrait plus parler du peuple que de soi.

Durant le discours, les partisans applaudissent souvent. Faut les comprendre. Ils font ça pour se réveiller. Et à la fin, c'est le tremblement de terre. Le délire. Vingt minutes de propos mous sont saluées par un Woodstock d'applaudissements. Sous une pluie de ballons et de confettis. Cherchez pas qui sont les grands gagnants des assemblées politiques. Ce sont les compagnies de ballons et de confettis. Elles font fortune. À la fin du congrès démocrate, il est tombé des confettis du plafond du Fleet Center durant 30 minutes. Trente minutes ! Assez de confettis pour couvrir l'État du Rhode Island au complet.

Je sais pourquoi les politiciens aiment autant les confettis. Ils sont comme leurs discours. Des petits bouts de papier au vent. Anodins. Distrayants. Le temps de tomber. Et après, on en a pour quatre ans à les ramasser. Quand la fête est terminée, les confettis deviennent saletés.

Le regard de papa

Dimanche midi. Il fait beau. Mais pas chaud. Je passe prendre ma mère et ma sœur, chez elles. Et on s'en va à l'Hôtel-Dieu. Mon père y est hospitalisé depuis trois jours. Il ne va pas très bien. Toujours son emphysème. Son maudit emphysème.

On traverse le long corridor qui mène à sa chambre, le cœur noué. On se demande comment il est. On espère qu'il va mieux. On entre dans sa chambre. Il est là, bien assis. Il respire librement. Sans masque à oxygène. Librement. Mais difficilement. On lui dit bonjour. Il fait un geste de la tête. Sec. Il semble préoccupé. Dérangé. Pas comme d'habitude. D'habitude, il est toujours content de nous voir. Surtout moi. Je suis son bébé. Et il me voit si peu souvent. Je suis tellement occupé. C'est peut-être pour ça qu'il est sec. Il est peut-être fâché que je ne vienne pas le voir plus souvent. Il aurait raison. Je suis con d'être si occupé. On a juste un papa.

Il nous regarde bizarrement. Puis il se met à dire des choses difficiles à comprendre. Qu'il prononce à peine.

Ma mère baisse les yeux. Ma sœur retient ses larmes. L'infirmière nous avait avertis qu'hier, mon père était un peu confus. Quand on fait beaucoup d'emphysème, vient un moment où l'on a trop de CO_2 dans son organisme, et ça nous fait délirer. J'avais beau être averti, je suis sous le choc.

J'ai déjà vu mon père malade. Mon père fâché. Mon père triste. Mon père souffrant. Mais je n'ai jamais vu mon père confus. Je n'ai jamais vu mon père ne pas être mon père. Je me sens mal. Je me sens petit. Je me sens seul.

Papa continue son jargon. Parfois, on dirait qu'il revient à lui. Il me demande des nouvelles de Pascale, de Richard, d'André-Philippe. Puis son visage se crispe à nouveau. Et il se remet à marmonner. À parler de feu, de chevaux, de monde qui lui en veut. On ne le contrarie pas. On l'écoute. Religieusement.

Ma mère et ma sœur sortent de la chambre. Elles s'en vont parler avec le médecin. Je reste seul avec papa. Il ne parle plus. Il semble plus calme. Il me regarde. Il me fixe. L'air encore fâché. Je lui souris. Ça ne change rien. Il continue de me fixer. Toujours fâché. Le regard lourd. Je continue de lui sourire. Mais au fond de moi, je suis en train de capoter. De pleurer très fort. Par en dedans. Mon père m'a déjà regardé avec un air sévère. Un air pas content. Un air fâché. Mais il suffisait que je lui sourie, pour qu'il me sourie aussi. Pas beaucoup. Juste un peu. Juste du bord des yeux. Juste assez pour que je sache qu'il m'aimait. Au fond.

Mais là, j'ai beau lui sourire de tout mon cœur. De toute mon enfance. Ça ne change rien. Ça ne marche pas. Pour la première fois, en 38 ans, il m'est impossible de voir dans les yeux de mon père la petite étincelle qui nous unit.

Qui fait que je suis son fils. Sa suite. Qui fait que je sais qu'il est toujours près de moi. Même quand je suis loin.

Papa continue de me fixer. Durement. Sans aucune lueur. Moi, je regarde ailleurs. Je regarde dehors. Et je pense à la chance que j'ai d'avoir eu un père à qui il suffisait que je lui sourie pour qu'il me sourie. Il a fallu qu'il ait trop de CO_2 dans le corps pour que je réalise que durant 38 ans, même les jours où il me chicanait, même les jours où il me grondait, même les jours où il était fâché contre moi, je pouvais toujours voir dans les yeux de mon papa l'amour qu'il avait pour moi..

Aujourd'hui, pour la première fois en 38 ans, je n'arrive pas à le voir. Je sais qu'il est encore là. Quelque part dans son cœur. Je sais que c'est juste une question de chimie qui m'empêche de le voir dans ses yeux. Mais ça me donne des frissons dans le dos. Ça me transperce l'âme. Dire que j'aurais pu passer toute ma vie avec un père qui m'aurait toujours regardé comme ça. Avec un père qui serait resté de glace devant mes sourires. Devant mon affection. Devant mon amour.

Heureusement, je n'ai pas vécu ça. Au contraire. Mon père n'a jamais été le plus joyeux des papas. Ni le plus affectueux. Mais pas une seconde je n'ai douté qu'il m'aimait. Il a toujours su me le faire sentir. À travers ses yeux. À travers son regard. À travers son silence.

Non, je n'oublierai jamais comment mon père me regarde en ce moment. Je n'oublierai jamais ce regard troublé. Ce regard sans rien. Toute ma vie, ça me rappellera la chance que j'ai eue d'avoir un père qui me regardait droit dans les yeux. Avec bonté.

Je continue de sourire. Mais je me trouve bien égoïste. Je suis là, à côté de mon père malade, et au lieu de penser à lui, je pense à moi. Je cherche l'amour de mon papa...

On demeure toute sa vie un bébé.

Soudain, il me tend la main. Il me dit : « Merci d'être venu me voir. Tu peux y aller, t'es ben occupé. » Ça, c'est mon papa. C'est la ligne qu'il me lance chaque fois que je viens le voir. Sauf que normalement, il me fait un clin d'œil. Pas cette fois. Ma mère et ma sœur reviennent dans la chambre. Il me semble que ça fait une éternité qu'elles sont parties.

J'embrasse mon père sur le front. En lui disant que je l'aime. Je n'ose pas le regarder dans les yeux. Je me tourne et je sors de la chambre. Je préfère croire qu'au moment où je lui ai dit ça, la petite lueur est revenue dans son regard...

Je n'ai pas dormi de la nuit. Je n'ai pas arrêté de voir les yeux troublés de mon papa. Lundi midi, ma mère m'a appelé pour me dire qu'il allait un peu mieux. Que le taux de CO_2 était redevenu normal. Qu'il n'était plus confus. Qu'il était lui.

Cet après-midi, je retourne à l'hôpital avec ma sœur. J'ai hâte de le voir. J'ai hâte qu'il me voie. Qu'il me regarde. Comme avant. Comme papa.

J'ai vu ma petite madame...

J ean Charest a déclaré, cette semaine, à *La Presse* : « J'ai
vu ma petite madame Carbonneau il y a peut-être un
mois, à Québec. » Petite madame, grosse gaffe. Tous
les observateurs se sont empressés d'accuser le premier
ministre du Québec d'antisyndicalisme, de sexisme, d'ar-
rogance et de condescendance.

Ils font fausse route. Les propos de Jean Charest ne
révèlent qu'une chose : l'amour. Jean Charest est en amour
avec Claudette Carbonneau, présidente de la CSN. Ça,
c'est de la perturbation !

Pour vous prouver ma théorie, réanalysons ensemble la
déclaration du premier ministre.

D'abord, situons-la dans son contexte. M. Charest
expliquait aux journalistes qu'il était toujours prêt à
dialoguer avec les leaders syndicaux : « Je suis très dispo-
nible, M. Vaudreuil, de la CSD, est venu au bureau il y a
deux semaines, et on a eu une bonne discussion. Et j'ai vu
ma petite madame Carbonneau il y a peut-être un mois,
à Québec. »

Notez que, pour François Vaudreuil, il n'y a aucun qualificatif. Il ne dit pas le petit monsieur Vaudreuil ou plutôt le gros monsieur Vaudreuil. Si Jean Charest voulait manifester son antisyndicalisme, il aurait traité les deux leaders avec la même familiarité. Voilà pourquoi plusieurs accusent le premier ministre de sexisme. Si Charest avait dit « la grosse madame », je serais d'accord. Mais il a dit « ma petite madame », et ça change tout

D'abord, il y a le mot « petite », qui est toujours porteur de tendresse. Ma petite chatte, ma petite fée, ma petite pitoune, mon petit loup, mon petit trésor, mon petit amour. Quand c'est petit, c'est qu'on aime.

Et puis, surtout, il a dit « ma », et non pas « la ». C'est pas une petite madame parmi tant d'autres. C'est sa petite madame à lui. Il se l'approprie. Il la veut. Réalisez-vous la portée de ses paroles ? Il est en plein conflit avec les leaders syndicaux. Ceux-ci essaient de virer le Québec à l'envers. Ils font tout pour avoir la tête de Charest. Et malgré tout, c'est SA petite madame Carbonneau. Faut qu'il l'aime en maudit.

Un classique !

Quand on y pense bien, ce n'est pas si étonnant que ça. L'histoire d'amour entre Jean et Claudette est un classique. Quand un homme et une femme s'affrontent, se tiennent tête, il naît toujours des sentiments entre eux. L'opposition crée une tension sexuelle. C'est le syndrome *Cheers*.

Cheers est une série culte de la télé américaine des années 80. Sam Malone était en éternel conflit avec la gérante du bar, Diane Chambers. Ils se faisaient les pires coups. Mais plus ils se faisaient suer, plus ils se désiraient.

Plus Claudette organise des manifestations pour faire damner Jean, plus Jean rêve d'intimité avec sa petite madame. Ainsi est fait l'homme. Plus on lui résiste, plus il insiste. Et c'est la même chose pour la femme. C'est la guerre entre le mâle conquérant et la femelle envahissante.

Durant les prochains mois, le Québec sera donc l'innocente victime du jeu de séduction entre Jean et Claudette. Plus Jean va se montrer ferme et dur, plus Claudette va le vouloir. Plus Claudette va s'opposer et manifester, plus Jean va brûler pour elle.

Les journées de perturbation seront nombreuses. Les séances de négociation risquent de se multiplier. Et de se terminer très tard dans la nuit. Faudra remarquer le col de chemise du premier ministre à ses points de presse. Claudette risque d'avoir moins de rouge à lèvres aux siens.

Au bout de longs mois de grève, Jean Charest démissionnera-t-il, franchira-t-il les piquets de grève pour s'enfuir avec la femme qu'il aime ? *Live* sur RDI. Oubliez *Loft Story* : *Bunker Story* risque d'être beaucoup plus croustillant. Oubliez *Occupation double* : *Négociation double* aura de bien meilleures cotes d'écoute.

Oui, Jean Charest a fait une gaffe, cette semaine. Mais ce n'est pas celle que l'on croit. « J'ai vu ma petite madame »... C'est le cri du cœur d'un homme qui n'en peut plus de cacher son amour. Car bien sûr, il y a Michou. La merveilleuse Michou, qui appuie toujours son politicien de mari. Jean ne veut sûrement pas lui faire de peine même si, entre eux, ça ne doit plus être comme avant. Ce couple, tel Bill et Hillary, est lié par une même ambition. Maintenant que le but est atteint, que Jean est enfin PM, la flamme s'étiole. Michou, c'est la complice, la partenaire, l'assistante. Celle qui épaule. Tout le contraire de Claudette. Michou ne s'oppose jamais. Michou ne contrecarre jamais. Il arrive que les hommes aient besoin de changement. Le désir naît de l'inconnu. Claudette, c'est l'inconnu.

Michou surnomme Jean « Patapouf ». C'est *cuuuute* ! Mais ce n'est pas très excitant. « Viens, mon Patapouf », ça ne prédispose pas à une nuit érotique. Jean préférerait sûrement se faire appeler mon petit, plutôt que mon Patapouf. Ce n'est pas par hasard que Jean a jeté son dévolu vers une petite madame. Il veut se prouver qu'il n'est pas si Patapouf que ça. Qu'il est capable de charmer une petite.

Jean et Claudette se sont-ils déjà déclaré leur amour ? Ont-ils déjà croqué la pomme ou cette histoire est-elle encore dans leur inconscient, dans le bunker de leur cœur ? C'est difficile pour nous de le savoir. Dans la phrase « J'ai vu ma petite madame... », le verbe « voir » peut vouloir dire bien des choses. Il y a bien des façons de voir une petite madame.

Surtout que Charest ajoute : « J'ai vu ma petite madame Carbonneau il y a peut-être un mois, à Québec. » S'il reste si vague à propos de la date de leur rencontre, c'est peut-être qu'il ne veut pas que Michou sache que c'est le soir où il est rentré à 4 heures du matin, prétextant une longue réunion avec le ministre Couillard.

On n'a pas fini d'entendre parler de Jean et de Claudette. Québécois, Québécoises, l'hiver va être chaud !

Jouer aux autos

Samedi après-midi, 17 h. Ma Porsche 917 bleu acier traverse les rues de Montréal. À toute vitesse. VROOOM ! Je poursuis depuis une demi-heure une Cadillac noire aux vitres teintées. Au coin des rues Ontario et Papineau, le feu tombe au rouge. La Cadillac passe tout droit. Je n'ai pas le choix. Je brûle le feu moi aussi. Au même moment, un taxi jaune se présente au carrefour. Trop tard pour l'éviter. BADANG ! C'est la collision ! Le taxi multiplie les tonneaux. Ma Porsche, propulsée par le choc, passe par-dessus un gros autobus rouge et va heurter la structure du pont Jacques-Cartier. La Cadillac noire s'échappe au loin. Heureusement, mon frère Bertrand arrive à la rescousse avec son gros camion de pompier. Il se met en travers de la route et bloque le passage à la Cadillac. Elle tente de faire demi-tour. Pas si vite ! J'ai eu le temps de monter dans mon auto de police. Je lui bloque l'autre issue. Mission accomplie ! Don Pizza, le parrain de la mafia est enfin incarcéré. Je donne la main à mon frère. On a gagné. Encore une fois.

« Les garçons, venez souper ! »

C'est ma mère qui nous appelle. Faut y aller. On se lève. Les genoux tout rouges de s'être traînés dans tous les coins du sous-sol pour faire avancer nos *Dinky Toys*. Mais le cœur content. J'ai 5 ans. Et c'est ça ma vie. Mon bonheur. Jouer aux autos avec mon grand frère de 12 ans. Je ne demande rien d'autre.

On avale notre souper en troisième vitesse. En se donnant des petits coups de coude pour s'agacer. Pour jouer. Aussitôt le dessert terminé, on se regarde. On se fait un petit signe de la tête. Et on redescend au sous-sol.

Bertrand m'aide un peu parce que l'escalier de la cave est très à pic. Pourtant, je n'ai jamais autant aimé descendre un escalier que celui-là. Parce qu'il conduit à mon endroit préféré sur la planète. La petite ville imaginaire que mon frère et moi avons bâtie. Où une boîte à chaussures devient une maison. Où un tuyau devient un gratte-ciel. Un rideau devient une montagne et un calorifère devient un barrage électrique. C'est notre royaume. Notre Amérique. Le pays de nos petites autos. C'est là où moi, je deviens un héros. Où je deviens mille héros. Quand ma petite main fait rouler ma Mustang décapotable bleue, je suis Steve The Door, la vedette de cinéma. Et je fais des cascades. Allez hop ! Ma Mustang plonge en bas de la bibliothèque ! Quand ma petite main fait rouler mon gros camion vert, je suis Steph Grobras, le routier, et je traverse toute la maison pour aller chercher une cargaison de Smarties dans la cuisine. Quand ma petite main fait rouler mon Aston Martin dorée, je suis James Laporte, l'agent secret 001. Et je vais relancer les bandits dans le quartier sombre et malfamé de la ville située en arrière de la fournaise.

Ce soir, je suis Stéphano Laporto, au volant de ma Ferrari rouge, et je me prépare pour le Grand Prix du Sous-Sol. Mon frère est Bert Fastcar, pilote de la Lotus noire et or. Et c'est le départ! La Lotus prend les devants dans la grande ligne droite du tapis *shag*. Ma Ferrari se rapproche d'elle dans la chicane de la table à cartes. Le long du mur en *stucco*, nous sommes presque coude à coude. Mais la Lotus reprend la tête dans la grande courbe du réservoir à eau chaude. Puis on s'engage dans le tunnel sous le vieux divan bleu. Au bout duquel se trouve la grande ligne droite du tapis *shag*. Un tour de complété. Il en reste 49. C'est dur pour les genoux! C'est dur pour la gorge aussi. Parce que pendant presque une heure, mon frère et moi, on n'arrête pas de faire VROOOOM VROOOOM! C'est le règlement. Si on s'étouffe, nos moteurs s'étouffent. Nous sommes rendus au dernier tour. La Lotus est toujours en avant. Je crie mes vroom vroom plus fort pour faire avancer ma Ferrari plus vite. Ça marche! J'essaie de dépasser mon frère dans le tunnel du divan bleu. Mais il me bloque le passage. J'ai ses souliers dans le visage! Puis tout juste avant d'arriver sur le tapis *shag*, mon frère perd le contrôle de sa Lotus qui va s'écraser dans l'armoire à balais. J'ai le champ libre. Et je remporte le Grand Prix du Sous-sol! Viva Ferrari!

Je capote! J'ai rarement été aussi heureux. Je sais bien que Bertrand a sept ans de plus que moi. Qu'il m'a probablement laissé gagner. Comme Coulthard a laissé gagner Hakkinen. Mais c'est pas ça qui compte. Ce qui compte c'est de voir que mon frère s'amuse autant que moi. Que ça ne l'ennuie pas de jouer avec un p'tit bout de 5 ans. Ça doit être parce qu'il aime beaucoup jouer aux autos. Ou parce qu'il aime beaucoup son petit frère.

Ou les deux. Sûrement les deux.

Ce qui compte surtout, c'est qu'il m'ait appris qu'avec une petite auto et un peu d'imagination, on pouvait aller très loin. Plus loin qu'aucun gros *char* n'ira jamais. Ça risque de me servir plus tard...

Mon frère me prend sur ses épaules et me porte en triomphe. Puis on brasse chacun une bouteille de *Canada Dry*. Et on s'arrose abondamment !

« Les garçons, venez vous coucher ! »

C'est encore ma mère qui nous appelle. Faut y aller. On ferme la lumière. Notre ville tombe dans le noir. On a le cœur gros. On serait restés ici toute la nuit. Bertrand me donne la main et on remonte l'escalier. De retour dans le monde des grands...

Aujourd'hui, je ne vois plus souvent mon frère. Il est toubib au Nouveau-Brunswick. Je m'ennuie de lui. Heureusement tous les ans, il vient au Grand Prix de Montréal. Les grosses autos ont remplacé les petites. Et ce soir après la course, il va venir souper à la maison. Avec sa petite famille. On va parler, boire et manger. On va bien s'amuser. Mais je suis sûr qu'après le dessert, on va se regarder. Et dans nos yeux, il y aura la même pensée. La même nostalgie. Le même regret de ne plus être des enfants. De ne plus pouvoir laisser tout le monde là, et descendre dans notre ville, jouer aux autos. Faire VROOM VROOOM. Et courir à nouveau le Grand Prix du Sous-sol. Comme avant.

Je pense que je vais aller acheter des *Dinky Toys*...

Le monde préfère leur cellulaire

Jeudi midi, je dîne au Latini avec mon ami Éric. On est en pleine conversation. En pleines confidences. Deux gars qui parlent ensemble, c'est profond. Ça s'ouvre :

« Moi je pense que Hilton va gagner...

— Oui mais ça serait le *fun* que Ouellet gagne...

— Ouais, c'est vrai... »

Soudain le téléphone cellulaire d'Éric sonne. C'est son assistante, Julie. Il fronce les sourcils : « Faudrait que j'aille à Toronto lundi matin !!? Mais j'ai pas un *meeting* avec Morrissette à Québec ? À moins que j'y aille mardi... »

Je n'existe plus. Éric est complètement absorbé. Je prends une bouchée de steak et une gorgée de vin. Je regarde à gauche. Je regarde à droite. Je regarde en haut. Je regarde en bas. Il n'y a pas grand-chose que je puisse faire. Je suis en tête-à-tête avec Éric, et Éric n'a plus sa tête là.

Avant, quand on allait manger avec quelqu'un, c'était un moment privilégié. La rencontre la plus intense que l'on pouvait faire. Notre invité nous appartenait durant une couple d'heures. Personne ne pouvait nous déranger.

Parfois, très rarement, un serveur venait nous interrompre, en nous informant que quelqu'un nous demandait au téléphone. L'angoisse s'emparait de nous. La panique ! On savait qu'il devait s'agir d'une terrible nouvelle. Pour que l'on ose nous déranger au restaurant. En tête-à-tête.

Maintenant grâce au cellulaire, le monde nous appelle n'importe où, n'importe quand, pour n'importe quoi. Notre blonde veut savoir où l'on est. Notre secrétaire cherche un dossier. Notre associé veut savoir le nom de la nouvelle stagiaire. Un anglophone veut nous abonner à la *Gazette*. N'importe quoi. Et nous comme des chiens de Patof ou de Pavlov, je ne me rappelle jamais auquel des deux étaient les chiens, on répond à la sonnerie. On a beau être avec René Angélil, Bernard Landry ou Laetitia Casta, si notre cellulaire sonne, on répond. C'est vital. Et dès que l'on répond, l'autre personne disparaît de notre monde. Il n'y en a que pour notre interlocuteur numérique. Adieu la présence physique. Bienvenue la présence virtuelle !

L'existence de l'autre n'est tellement plus importante, que les gens ne veulent même plus voir, ni entendre autrui, ils chattent avec leur prochain sur le Net. On ne le voit pas. On ne l'entend pas. C'est parfait. Il ne peut pas nous tomber sur les nerfs. Et si ce qu'il écrit ne fait pas notre affaire, on le zappe. Tout simplement.

Éric est encore en train de parler avec son assistante. J'ai fini mon entrecôte. Elle était délicieuse. Comme toujours. (Non, je ne suis pas en train de me téter un repas gratis. Je tète tout court.) Je regarde l'heure. Une heure et demie. Va falloir que j'y aille Je regarde la table voisine. Il y a deux hommes d'affaires qui sont en train de dîner ensemble. L'un parle à son cellulaire. L'autre envoie un courrier électronique avec son Palm, son petit ordinateur portatif. Bel échange ! Je regarde dehors. Il y a une fille qui marche avec un gars sur le boulevard René-Lévesque. La fille parle à son cellulaire. Le gars regarde ses souliers. Il a l'air habitué.

Éric hausse les épaules. Il se rend compte que ça commence à être long. Je lui fais signe que je comprends. Le mien aurait pu sonner. Et c'est moi qui l'aurais fait patienter. C'est ça, l'an 2000. Il faut être atteignable, partout en tout temps. Être à tout le monde en même temps. On n'habite plus un quartier. On habite la planète.

Au début de la colonie, quand tu voulais dire quelque chose à quelqu'un, tu sautais sur ton cheval et t'allais le voir. Si la personne était à trois jours et trois nuits de chez toi, tu galopais pendant trois jours et trois nuits. Et à ton arrivée, si l'être recherché n'était pas chez lui, tu l'attendais. Une heure, une journée, une semaine. Quand finalement, tu lui mettais la main dessus, tu étais content. Et lui aussi. Car ce que tu avais à lui dire était important. Personne ne fait trois jours et trois nuits de cheval et un siège d'une semaine pour demander à quelqu'un s'il voulait recevoir la *Gazette* chez lui ! C'était au temps du monde en chair et en os.

Éric cause toujours. J'aurais dû m'apporter un livre. La prochaine fois, c'est ce que je ferai. Dorénavant, quand tu es avec quelqu'un, ça ne veut pas dire que cette personne ne sera pas avec quelqu'un d'autre. Et c'est toujours le dernier arrivé qui a la priorité. Faut donc toujours s'arranger pour être le dernier.

Bon ben, *if you can't beat them, join them.* Je prends mon cellulaire. Et je signale. Ça sonne un coup. Deux coups. Trois coups.

« Viens-tu regarder le combat chez nous ?

— C'est qui ? Hé que t'es niaiseux ! »

La deuxième ligne d'Éric a sonné. Il s'est excusé à sa Julie en lui disant qu'il avait un autre appel. On prend toujours sa deuxième ligne. Au cas où ça serait quelqu'un de plus important que la première ligne. Les digitaux *bumpent* les corporels, mais ils se *bumpent* aussi entre eux! Éric a donc répondu à sa deuxième ligne. Et c'était moi! En personne, je ne pouvais mettre fin à sa conversation. Mais en micro-ondes, je le pouvais. C'est la dictature du cellulaire.

Le serveur vient nous porter l'addition. Je la ramasse. Éric réagit.

« Donne-la moi! Je t'invite!

— Laisse faire, c'est moi qui t'invite, toi, ton dîner va t'avoir coûté assez cher de cellulaire! »

❧

Deux vieux chums

Vendredi midi. Mon chum Ronald va venir faire son petit tour à la maison. Comme il le fait environ une fois par semaine depuis l'âge de 16 ans. Avant, c'était chez mes parents. Maintenant, c'est chez nous. Mais la routine est la même. Il entre. On se dit bonjour. On descend au sous-sol jouer au hockey. On niaise. On fait des farces. On boit un *Coke*. On parle du Canadien qui va bien. On se raconte des vieux sketches de Paul et Paul. Toujours les mêmes. Et on les rit toujours autant.

Puis c'est l'heure de retourner travailler. Lui à Leucan, où il passe ses journées à essayer de trouver des fonds pour venir en aide aux enfants atteints de leucémie. Et moi, devant mon ordinateur, où je passe mes journées à essayer de trouver des *jokes*. Alors, on finit notre *Coke* en vitesse. On se donne une petite tape dans le dos. On se dit bye bye. À la prochaine.

Voilà. C'est tout. On n'a pas échangé d'états d'âme. De grandes confidences. De pieux serments. Rien que d'indispensables futilités. Qui pour nous deux veulent dire beaucoup.

Nos blondes, qui se connaissent depuis seulement deux ans, se sont déjà révélé des centaines de secrets. À propos de leurs enfances. De leurs vies de couple. De leurs vécus de femmes. Elles se font régulièrement des soupers à la Janette Bertrand où elles se vident le cœur.

Pas nous. On ne s'est jamais raconté les blessures de nos enfances. De nos vies de couple. De nos vies d'hommes. Nous, on est des gars. On garde ça en dedans. On se dit bonjour. On descend au sous-sol jouer au hockey. On niaise. On fait des farces. On parle du Canadien. Ce qui compte, ce n'est pas ce qu'on se dit. C'est qu'on soit encore ensemble à s'écouter parler. Après 20 ans. À se raconter les mêmes niaiseries. Et à se trouver encore drôles. Parce qu'on s'aime. C'est ça, une amitié de gars.

Midi et vingt, ça sonne. C'est Ronald. Bonjour! Bonjour! On se dirige vers le sous-sol. Comme d'habitude. Pourtant, il y a quelque chose qui cloche. Son bonjour n'était pas le même que d'habitude. Il avait le bonjour brisé. Je le regarde. Il a une drôle de mine. Il n'a pas l'air de *filer*.

Je lui demande : « Ça va ? »

Il me répond : « Ça va. »

Mais ça n'a pas l'air d'aller. Je ne sais pas trop quoi lui dire. Peut-être qu'il ne veut pas en parler. Et nous, les gars, on comprend ça, quelqu'un qui ne veut pas parler. Le silence de nos pères, on en a hérité. Mais là, il a l'air vraiment trop triste. Trop sur le bord de chavirer. Tout d'un coup que je pourrais l'aider. Je m'essaie encore une fois :

« T'es sûr que ça va ? »

Cette fois, il dit : « Non, ça va pas ! »

C'est la première fois en vingt ans qu'il me dit que ça ne va pas ! Je suis viré à l'envers. On s'est toujours dit que ça allait bien. Même les jours de cafard. De peine d'amour ou de peine de *job*. Ça nous permettait de parler d'autre chose. De *M.A.S.H.* ou des *Beatles*. De se faire croire que ça allait bien. Et ça marchait. On finissait par oublier nos grands malheurs. Et à être vraiment bien. Ensemble. Durant une couple d'heures au moins. C'est déjà mieux que rien.

Mais là, ce n'est plus ça. Mon *chum* vient de me dire qu'il ne file pas. Ça doit être grave...

Il s'assoit dans le salon. Je le regarde. Mais lui ne me regarde pas. Il regarde droit devant lui. Les yeux un peu mouillés. Gêné de se montrer à moi comme ça. Vulnérable. Pourtant, il ne devrait pas. Parce qu'en le voyant tout triste, je réalise à quel point je l'aime. À quel point c'est important pour moi de le voir sourire. De le voir heureux. Qu'est-ce que je peux bien faire pour l'aider ? J'essaie de faire ma Janette :

« Ronald, peut-être que ça te ferait du bien de me dire ce qui ne va pas...

— Non, non, c'est correct, on va aller jouer...

— Ronald, t'es sûr ? »

Il fait signe que oui. Il se lève. Et il se met à pleurer. Pas longtemps. Une ou deux secondes seulement. Mais devant moi, pour lui, c'est beaucoup. Là, il n'a plus le choix. Il faut qu'il dise quelque chose. Il faut qu'il explique. Il se rassoit. Résigné.

« C'est juste qu'en sortant du bureau, y'avait un père avec son enfant. J'ai demandé au petit gars "Quel âge as-tu ?" Il m'a répondu "6 ans". Je lui ai dit "C'est quand ta fête ?" Y m'a dit "Le 10 décembre". Et le père a rajouté "On espère qu'il va se rendre jusque-là..." »

Je prends une grande respiration. C'est ma façon de pleurer. Moi, le chagrin ne me fait pas couler des yeux. Moi, le chagrin me coupe le souffle. Je ne sais pas trop ce qui me fait le plus de peine. Le destin du petit gars ou la tristesse de Ronald. Je dis à mon *chum* :

« C'est effrayant. J'sais pas comment tu fais. J'serais pas capable de faire face à cette souffrance tous les jours...

— D'habitude j'y arrive. Mais aujourd'hui... Aujourd'hui...

— Qu'est-ce qu'il y a aujourd'hui ? »

Je ne le saurai jamais. Ronald se lève. Pour de bon. Il descend au sous-sol. Les confidences sont finies. Je le suis. Et on se met à jouer. On ne niaise pas beaucoup. On ne parle pas du Canadien. On joue. Presque en silence. Des fois, j'essaie de faire une petite farce. Mais Ronald ne la rit pas. Je lui dis « Ça vas-tu » ? Il me dit oui. J'insiste pas. À 13 h 30, faut se quitter. Je vais le reconduire à la porte. Je lui serre la main. Un peu plus fort que d'habitude. Et ma tape dans le dos est plus douce que d'habitude.

La semaine prochaine, tout sera revenu à la normale. On ressortira nos vieilles *jokes* de Paul et Paul. Et on rira comme des fous. Tout ira bien.

Je ne saurai jamais pourquoi il était plus sensible aujourd'hui. Peut-être qu'il n'y avait pas de raison. Peut-être qu'il ne *filait* simplement pas. Pas besoin de tout savoir. Juste besoin d'être là. D'être toujours là. C'est ça, deux vieux *chums*. Deux vieux gars.

Bien sûr, cette semaine, il y a eu les massacres en Algérie, les émeutes au Congo, la famine en Afghanistan, la guerre de la margarine et la guerre des Céline. Mais voir un ami pleurer...

☙❧

Le 14 décembre 1997

Casse-Noisette

C'est le samedi avant Noël. J'ai 9 ans. Le Canadien joue contre Boston. Mais je m'en fous. Ce soir, c'est spécial. Je m'en vais voir *Casse-Noisette* avec Dominique, ma grande sœur de 13 ans.

Quand j'ai dit à mes petits copains que je ne regarderais pas la partie ce soir parce que j'allais au ballet, ils ont pensé que je les niaisais. Mais je ne les niaisais pas. J'aime le ballet. Parce que j'aime ma sœur. Ma sœur est ballerine. Du chignon jusqu'au bout des pieds. Depuis l'âge de 7 ans, elle suit des cours à l'école de ballet de Madame Hélèna Voronova, une ancienne danseuse étoile des Ballets de Sofia. Tous les jours. Matin et soir. Ma sœur s'installe à la barre et écoute tout ce que dit Madame Voronova. Car Madame transforme les petites filles en princesses. Elles les fait danser, sauter, virevolter. Elle les fait toucher le ciel. Tant que la musique joue. Mais lorsque la musique s'arrête, les princesses retombent sur terre. Et quand ma sœur enlève ses pointes, elle a les pieds en sang. Mais elle serre les dents. Comme dit Madame, quand on souffre, on danse mieux. Les ballerines sont des religieuses qui prient avec leurs pieds.

Déjà 19 h 30. Il faut se dépêcher. On va être en retard. On monte dans l'auto. Ma sœur a mis des fleurs dans son chignon. Elle est belle. Je suis content de sortir tout seul avec elle. Je ne la vois pas souvent. Elle est toujours dans son monde. Le soir, lorsqu'elle revient du ballet, elle s'enferme dans sa chambre. Elle écoute Chopin, Bach ou Mozart. Et elle fait ses devoirs. Parfois, je vais la déranger. Sur la pointe des pieds. Elle me montre ses livres sur les grands danseurs. Je les regarde. Attentivement. Pour être longtemps avec elle. Je suis sûrement le seul ti-cul de ma gang qui connaît aussi bien Rudolf Noureïev que Rogatien Vachon, Margot Fonteyn que John Ferguson !

19 h 45. Ma sœur me prend par la main et on monte ensemble le grand escalier de la Place des Arts. On doit être drôles à regarder. Dominique, même quand elle marche, on dirait qu'elle danse. Les deux pieds grands ouverts, le pas gracieux, le cou étiré. Moi quand je marche, j'ai les deux pieds par en dedans, le pas hésitant, la tête baissée. Un cygne avec un petit canard. Mais quand je tiens la main de ma sœur, j'ai l'impression d'être un cygne moi aussi. C'est la magie du pas de deux.

Pa-parapapa-pa-pa-pa-pa... *Casse-Noisette* vient de commencer. Les enfants dansent autour de l'arbre. Puis dans un écran de fumée, l'oncle Drosselmeyer apparaît. Il vient porter un cadeau à la petite Clara. Le fameux casse-noisette.

Chaque fois que la musique devient enlevante et que les danseurs font des prouesses, je regarde ma sœur avec un grand sourire. Et j'allume les lumières dans mes yeux. Pour lui montrer combien j'aime ça. Elle me sourit. Elle a l'air contente. C'est tout ce qui compte pour moi. *Tripper* avec ma sœur.

Si Dominique avait aimé la lutte gréco-romaine, je serais allé avec elle voir de la lutte gréco-romaine. Et je me serais arrangé pour aimer ça. Pour faire partie de son monde. Pendant quelques heures.

Fritz vient de briser le casse-noisette. Clara se met à pleurer. Mais le bon oncle Drosselmeyer le répare. Alors Clara se met à rêver. Et le casse-noisette devient un prince charmant.

C'est beau. Mais je trouve que ça manque de *jokes*! Si Dominique Michel jouait la petite Clara et Olivier Guimond interprétait l'oncle, ce serait plus à mon goût. Mais je ne le dis pas à ma sœur. Je garde ça pour moi. Je ne veux pas lui faire de peine.

Durant l'entracte, je demande à Dominique pourquoi elle aime autant le ballet. Elle me répond que c'est parce la danse permet d'exprimer toutes ces choses qu'on ressent et qu'on ne parvient pas à dire avec des mots. Car plus le sentiment est grand, plus les mots pour l'exprimer paraissent petits. Et des sentiments trop grands, ma sœur en a beaucoup dans son petit cœur. C'est pour ça qu'elle danse autant.

La petite fille s'est réveillée. Le casse-noisette est redevenu en bois. La musique s'est arrêtée. Le ballet est terminé. Papa nous attend devant la Place des Arts. Dans l'auto, je me colle sur ma sœur. Elle me demande si j'ai aimé ma soirée. Je lui dis oui, que c'était fantastique. Incroyable. Merveilleux. Mais que je j'aime encore mieux le ballet quand c'est elle qui danse. Elle sourit. Je la remercie de m'avoir invité. Elle me remercie de l'avoir accompagnée. On s'embrasse.

Sitôt entré dans la maison, je cours dans le salon regarder les nouvelles du sport. Pour savoir si le Canadien a gagné. Ma sœur entre dans sa chambre, elle met un disque de Stravinsky et referme sa porte. Je suis de retour dans mon monde. Elle est toujours dans le sien. Tout est revenu à la normale.

Samedi soir dernier. J'ai 36 ans. Je suis en train de regarder le Canadien jouer contre les Rangers. Le téléphone sonne. C'est ma sœur. Elle pleure. Madame Voronova vient de mourir. La fée qui l'avait fait entrer dans un monde de rêve et de brume est disparue. Comme dans un ballet. La musique s'est arrêtée. Pour toujours. Dominique a du chagrin. Elle vient de perdre une deuxième mère. J'essaie de trouver les mots pour lui faire ressentir combien je l'aime. Pour que mon amour fraternel la protège durant cette épreuve. Mais je ne les trouve pas.

Plus le sentiment est grand, plus les mots pour l'exprimer paraissent petits...

Il faudrait que je sache danser comme toi, petite sœur, pour que tu comprennes à quel point je t'aime. Mais je ne sais pas. Alors je t'ai écrit cette chronique...

Le déclin de l'empire masculin

Annika Sorenstam a joué +5 au tournoi Colonial de la PGA. Ça veut dire que dans moins de 100 ans, l'empire masculin se sera écroulé. L'homme n'existera plus. Messieurs, commencez à vous y préparer psychologiquement.

Les plus inconscients vont dire qu'elle n'a pas si bien joué que ça. Quelle n'a même pas réussi à éviter la coupure. C'est sûr qu'Annika n'a rien démontré pour faire peur aux Tiger Woods et Fred Couples. Mais avez-vous pensé aux Mark Brooks ? Vous ne savez pas qui est Mark Brooks ? Il n'y a pas grand monde qui sait qui est Mark Brooks. Pourtant, Mark Brooks a cumulé des gains de 731 671 $ dans le circuit de la PGA l'an dernier. Il a participé à 32 tournois et a terminé deux fois parmi les 10 premiers. C'est un joueur moyen, comme il en existe des dizaines dans le circuit de la PGA. Il a joué +6 au tournoi Colonial. Un coup de plus qu'Annika. Mark Brooks s'est fait battre par une femme. Comme des dizaines d'autres. C'est le début de sa fin.

La venue des femmes dans le circuit masculin ne met pas en danger la carrière des joueurs doués, mais elle met en danger la carrière des joueurs ordinaires, qui n'auront plus d'endroit où aller. Les joueuses normales continueront de jouer dans les circuits féminins, les joueuses extraordinaires iront jouer dans le circuit masculin avec les très bons joueurs. Et les hommes moins bons que les meilleures femmes rentreront chez eux. Ou se convertiront au *mini-putt*.

La longue marche des femmes suit son cours. Mark Brooks aurait peut-être voulu être médecin. Mais ses notes étaient moins bonnes que celles des filles de sa classe. Alors pendant que ses consœurs devenaient docteurs, il a décidé de devenir golfeur. En se disant qu'au moins, il ferait ce que font les médecins la plupart du temps. Il pensait ne plus devoir se mesurer aux femmes du reste de sa vie. Il était bien dans son monde d'hommes. Assuré d'avoir sa place. Il s'est trompé.

À partir de maintenant, quoi qu'il fasse, l'homme n'a plus le droit d'être ordinaire, sinon une femme prendra sa place. Dans tous les domaines, c'est idem. Que ce soit la police, la politique, la business ou le sport, les hommes juste pas pires se font *flusher*.

L'année dernière, Mark Brooks pouvait être un bon petit joueur de golf et gagner près de 1 million par année. D'ici cinq ans, les femmes l'auront écarté du classement, et il aura même de la difficulté à être leur *caddy*.

Pendant des milliers d'années, la condition masculine se portait bien. La femme restait à la maison et élevait les enfants, l'homme travaillait et jouait au golf. Chacun son monde. Mais ça n'a duré que 20 000 ans. Un jour, la femme s'est d'abord mise dans la tête de travailler. Parfait, l'homme lui a trouvé de beaux métiers : infirmière, secrétaire, danseuse. Des métiers complémentaires aux siens. Ça faisait pas. Elles voulaient les nôtres. Elle est devenue avocate, ingénieure, ministre. Après, elle a décidé de faire du sport. On lui a trouvé de beaux sports : la ringuette, la nage synchronisée, la gymnastique rythmique. Ça fait pas non plus. Elles veulent les nôtres. Elle devient hockeyeuse, golfeuse, boxeuse.

Comprenez-vous, maintenant, chers hommes inconscients, ce qui s'annonce ? Voyez-vous le monde de demain ? Il ne peut pas y avoir plus de médecins que de malades ! Il ne peut pas y avoir plus de golfeurs que de balles ! Si les femmes entrent dans les domaines des hommes, il faut que les hommes en sortent. C'est mathématique.

Ce sont les plus faibles qui sont les premiers à être tassés. Mais les plus forts suivront aussi. Pour l'instant, les leaders masculins font leurs gentilshommes. Les grands médecins, les grands politiciens, les grands golfeurs sont tous pour la venue des femmes dans les secteurs masculins. Ils ne doutent de rien. Ils se croient bien en selle. C'est sûr que le monde est encore dirigé par des hommes, mais pour combien de temps ? Ça fait juste 60 ans que la femme a le droit de vote. Ça fait 20 000 ans que l'homme est le roi, le souverain, le président. On a une longueur d'avance. Mais à la vitesse où les femmes font leur chemin, il n'y aura plus un homme aux commandes dans 100 ans. Pas juste les hommes ordinaires. Tous les hommes. Même les meilleurs seront écartés. À son premier tournoi avec les hommes, la femme a joué cinq coups au-dessus de la normale. Quand ça va faire trois générations de femmes qui jouent avec les hommes, les hommes ne seront plus dans la course. Tiger va avoir l'air d'une minoune à côté d'elles.

Déjà les meilleurs médecins sont des femmes et on a 500 ans d'avance. Si la femme devient notre égale, ce n'est que dans son ascension pour devenir notre supérieure. C'est certain.

C'est le mouvement du balancier. Ce fut d'abord un monde d'hommes, ce sera bientôt un monde de femmes. C'est irréversible. Tout le monde fait son temps. Et le gars aura bientôt fait le sien. La femme s'est préparée à ça pendant toutes ces années. À elle de mener.

L'heure est venue pour l'être humain poilu de se recycler. Si l'homme de Cro-Magnon partait chasser l'ours, c'est parce que la femme n'était pas folle et qu'elle ne voulait pas y aller. Il va donc falloir trouver des occupations qui ne tenteront pas les femmes. Pour être sûr de les garder. Sorteux de vidanges, ouvreux de bouteilles de ketchup, programmateurs de magnétoscopes, des métiers dont on est certain que les femmes ne voudront pas s'emparer. Bien sûr, ils seront moins prestigieux, mais ils nous occuperont.

Notre tour reviendra un jour. Lorsque, après des milliers d'années à diriger le monde, la femme s'en lassera et relâchera un peu. Elle deviendra moins vaillante. Moins brillante. Il lui arrivera ce qui nous arrive en ce moment. Et nous en profiterons pour prendre le relais.

Messieurs, nous sommes nés 20 000 ans trop tôt ou 100 ans trop tard. C'est selon. Une chose est sûre, notre temps est écoulé. Bonne chance, les filles. Soyez miséricordieuses avec nous.

L'empire masculin se rétracte.

Cette semaine, sur le terrain de golf Colonial, l'homme a commencé à prendre son trou.

☙❧

Le matin de la fête des Mères

Dimanche, 8 h. C'est la fête des Mères. Bertrand, mon grand frère de 14 ans, Dominique, ma grande sœur de 11 ans et moi, le petit pou de 7 ans, nous nous levons, sur la pointe des pieds. Et nous allons dans la cuisine. Sans faire de bruit. On veut faire une surprise à maman. Toute l'année, chaque matin, elle nous prépare notre petit déjeuner. Ce matin, c'est à notre tour. On va lui servir son petit déjeuner au lit.

Ça fait au moins cinq ans que le matin de la fête des Mères, on lui prépare la même surprise. Et pourtant, ça marche à tout coup ! Chaque fois, elle a l'air tellement surprise et contente qu'on se promet de remettre ça l'année suivante. Et on prend ça au sérieux. On ne veut pas rater notre coup. On est affairés...

Bertrand sort le plateau, rangé tout en haut de l'armoire. C'est le seul de nous trois qui est capable de le rejoindre ! Dominique se met à faire cuire un œuf, pendant que mon frère prépare le bacon. Et moi, je mets des Corn Flakes dans un bol. Je n'ai jamais vu ma mère manger des Corn

Flakes de sa vie. Mais moi, tout ce que je sais faire, en cuisine, c'est mettre des Corn Flakes dans un bol. Alors j'espère qu'elle aimera ça. Je sais aussi faire des rôties. Je mets deux tranches de pain dans le grille-pain. Ma sœur vient pour déposer son œuf dur dans le petit cocotier. Mon frère veut voir s'il est bien cuit. Il le frappe sur le coin du comptoir. Et il le casse en deux. Ma sœur devient bleue. Elle commence à crier après Bertrand. Mon frère lui répond avec sa grosse voix. Moi je crie très fort : « Chut, vous allez réveiller maman ! » Tout le monde se ferme. Ma sœur, l'œil contrarié, fait cuire un autre œuf. Pendant que mon frère, les dents serrées, enlève son bacon tout ratatiné du feu. Au même moment, le grille-pain me renvoie mes deux rôties. Carbonisées. Je vais en faire d'autres. Il n'y a plus de pain. Je vais gratter celles-là. Je suis déçu. Je dis à mon frère et ma sœur :

« Si vous vous étiez pas chicanés, j'aurais pas raté mes rôties ! »

La chicane reprend. On rehausse le ton. Tout à coup, on entend mon père tousser très fort. On se la ferme. Chaque fois que mon père voulait nous faire taire, il n'avait pas besoin de parler, il avait juste à tousser très fort. On comprenait ce que ça voulait dire. Taisez-vous, sinon je vais m'en mêler. On se taisait. Ma sœur dépose son œuf dans le coquetier. Mon frère met son bacon ratatiné dans une assiette, à côté des toasts calcinés. Et moi je verse le lait sur les Corn Flakes. Tout est prêt. Bertrand prend le plateau, pendant que ma sœur me demande :

« Stéphane, as-tu la carte ? »

Oups ! J'ai oublié de faire la carte. Je devais la dessiner hier soir. Mais j'ai oublié. J'ai dessiné des joueurs de hockey à la place. Mon frère dépose le plateau. Je m'en vais chercher mes crayons-feutres et du papier. Et je m'installe sur la table de cuisine...

Je sors ma langue et je m'applique. Je dessine mon frère, ma sœur et moi en train d'apporter le petit déjeuner à ma mère. Puis je dessine ma mère dans son lit avec un grand sourire. Et mon père, à côté d'elle, qui ronfle. Et ma chatte, elle aussi, à ses pieds. Puis de l'autre côté de la feuille, je dessine un grand cœur, et dedans j'écris : « Maman, on t'aime ! » Et je signe Stéphane avec plein de becs. Mon frère signe son nom et ma sœur aussi. OK c'est beau, on est prêts ! Mon frère ramasse le plateau. Oups, non, attendez ! J'ai oublié de signer le nom de Fétiche, notre chatte. Mon frère dépose le plateau. Je reprends la carte. Et je rajoute le nom de Fétiche.

Cette fois, c'est vrai. On est prêts ! Mon frère reprend le plateau dans ses bras. On se dirige vers la chambre de mes parents. Je demande à ma sœur si elle a le cadeau. On a oublié le cadeau. On retourne dans la cuisine. On a acheté des fleurs à ma mère. Et pour qu'elle ne les voie pas, on les avait cachées dans la garde-robe de ma sœur. Depuis jeudi. Elles sont un peu fatiguées. Pour ne pas dire fanées. Mais c'est pas grave. C'est l'intention qui compte.

On est repartis. Mon frère reprend le plateau dans ses bras. Ma sœur tient le pot de café. Et moi, j'ai les fleurs de jeudi dans les mains. On approche de la chambre de nos parents. Sans faire de bruit. Et puis arrivés près de leur lit, on crie : « Bonne fête des Mères, maman ! » Ma mère se réveille. Toute surprise. Et heureuse. Mon père tousse un peu et continue de dormir. Mon frère installe le plateau sur les jambes de maman pendant que ma sœur lui met des oreillers dans le dos.

« Les enfants, que vous êtes fins, vous n'auriez pas dû.

Je m'attendais vraiment pas à ça... »

On tasse un peu mon père et on s'installe dans le lit. Les trois. Ma mère commence par lire la carte. Elle sourit. Elle nous embrasse. Elle met ses jolies fleurs fanées dans le pot sur sa table de chevet. Il était déjà là. Quel drôle de hasard. Puis elle regarde son petit déjeuner en disant :

« Hum, que ça a l'air bon... »

Et elle se met à manger son œuf cuit dur pas trop cuit et très froid, son bacon ratatiné et froid, ses rôties carbonisées et froides. Et même ses Corn Flakes toutes molles. Elle mange tout. Sans rien laisser. L'amour d'une mère n'a pas de limite.

« Les enfants, je n'ai jamais mangé un aussi bon petit déjeuner... »

On est contents. On est fiers de notre coup. On se regarde, Bertrand, Dominique et moi. Et on se fait des clins d'œil. On pense déjà à refaire la même surprise à maman, l'an prochain. Pour la sixième fois...

Un jour, il est venu un temps où on n'a plus fait cette surprise à maman. On était devenus trop grand. On s'est mis à acheter des belles fleurs fraîches et à l'amener dans des beaux restaurants. C'est bien agréable. Mais j'ai toujours l'impression qu'au fond d'elle, maman regrette les petits déjeuners d'antan. L'odeur des rôties brûlées et des Corn Flakes molles.

Ma chère maman, je veux simplement que tu saches que je me suis autant appliqué pour écrire cette chronique que je le faisais jadis pour dessiner ta carte de la fête des Mères. Et tous ces souvenirs que je ramène, c'est ma façon à moi de te faire un grand cœur et d'écrire dedans : « Maman, on t'aime ! » Toujours autant. Même encore plus.

ও‌৵ও

La revanche des comptables

Bonjour, je m'appelle Luc Langelier, et je suis comptable. Vous ne me connaissez pas ? Ça ne me surprend pas. Personne ne connaît les comptables. Et d'ailleurs, pourquoi les connaître ? *Who cares about* un comptable ? On est rien. Zéro moins zéro. On passe dans le beurre. Avec nos cheveux propres. Nos petites lunettes. Notre petit complet gris. Et notre porte-documents. Le monde ne nous remarque jamais. On est plates. Ennuyants. Inintéressants. Drabes.

Les médias préfèrent s'intéresser aux artistes, aux politiciens, aux sportifs, aux motards, aux avocats, aux policiers, aux médecins, aux itinérants. À n'importe quoi. Sauf aux comptables. Les comptables ne comptent pas.

Eh bien c'est fini, ce temps-là ! À partir de maintenant, les comptables vont compter ! Enron, Worldcom, Xerox, ce n'est que le début ! Des scandales économiques, il va y en avoir d'autres. Il va y en avoir plein. Les journaux vont parler de nous. Tout le temps. Vous pensiez qu'on était une bande de morons qui ne faisaient que vérifier si la colonne balançait. On additionnait 1 plus 1. Et on disait : « Ça donne deux. » Eh bien non ! Nous aussi, on est capables d'être des ratoureux. D'être délinquants. Mario Duquette est devenu Mom Boucher ! Un plus un, ça donne 10 millions !

Soyez prêts ! Les Hell's Angels, c'est de la petite bière à côté des comptables de l'enfer. *Les Hell's Accountants* ! Les *Rock Machine* à calculer ! On va virer le système à l'envers. Pas besoin de risquer sa vie, de braquer des banques, de vendre de la drogue pour s'en mettre plein les poches. Il suffit de savoir jouer avec les chiffres. Fallait y penser.

Vous croyiez qu'on était des *nerds*. On était des petits *smattes*. Durant toutes ces années, on a fait exprès pour passer inaperçu. Pour avoir l'air nuls. Pour avoir l'air de rien. Pour se confondre avec le papier peint. On disait « Oui monsieur ! », « D'accord monsieur ! », « C'est comme vous voulez monsieur ! ». Mais en arrière, ça y allait sur la calculette !

C'était pas évident. Avoir l'air aussi *straight*. Aussi coincés. À côté de nous, Mario Dumont ressemble à Éric Lapointe ! Mais, on a bien joué notre rôle, et c'est comme ça qu'on a réussi à vous endormir. Vous nous avez laissés nous occuper de votre argent. On a l'air tellement inoffensif. Tellement innocent. Vous nous avez fait confiance. Vous auriez pas dû. On est comptables. Mais pas cons. À force d'additionner des millions, ça donne le goût d'en encaisser.

L'heure de la revanche des comptables a sonné. On a tous viré sur le *top*. Vous n'avez pas idée du nombre de bilans financiers altérés. Du nombre de colonnes croches. Qui sait, Microsoft a peut-être un plus petit chiffre d'affaires que Brault et Martineau ? Les Expos font peut-être plein de fric ? Et Loto-Québec, pas un sou ?

Il y avait une seule chose sûre dans la vie : c'était la ligne d'en bas. La différence entre les profits et les dépenses. Elle ne l'est plus. Vous ne le saviez pas, mais on peut faire dire n'importe quoi aux chiffres. On le fait depuis des années. Mais contrairement au français ou à l'anglais, les chiffres, il n'y a que nous qui comprenons leur langage. On a le monopole.

Qui vérifie les vérificateurs d'Enron ? D'autres vérificateurs. D'autres comptables. Qui vous dit que ce ne sont pas les vérificateurs des vérificateurs qui comptent mal ? Pour le savoir, il faudrait faire vérifier les vérificateurs des vérificateurs par d'autres vérificateurs. Ce seront d'autres comptables. Il n'y a que nous qui comprenons les budgets. Même les présidents d'entreprises n'y pigent rien. Ils ont de la difficulté à calculer leur carte de golf ! Nous avons le contrôle absolu de l'Empire. Les comptables sont devenus les maîtres du monde.

Vous ne vous regarderez plus jamais de la même façon. Nous sommes maintenant des rebelles. Des gens *cool*. Capables des plus gros coups. Bonnie and Clyde, c'est nous. Les filles vont se faire tatouer des tables de multiplication sur les fesses. Elles vont toutes rêver de sortir avec un comptable. Le comptable est le nouvel aventurier du XXIe siècle.

Finis les films sur les boxeurs, les policiers, les avocats, les docteurs. Maintenant on pourra voir sur nos écrans : *Autant en emporte le bilan, Lance et compte recevables, Les Aventuriers du rapport perdu, Le fabuleux destin d'André Hains. Fini E.T., l'extra-terrestre,* courez voir *C.A., le comptable agréé ! Fini Terminator, vive Verificator !*

Le monde a changé. Un jour, c'est certain, Claude Dubois va chanter : « J'aurais voulu être un comptable ! »

❧❧

Astérix et Marie-Laure

Un samedi de mai 1969. Ma mère vient de rentrer de chez Eaton. Avec une surprise pour moi. Le nouvel album d'Astérix. *Astérix et le chaudron*. Je saute partout dans la maison, comme si je venais de boire de la potion magique ! Astérix, c'est ma bande dessinée préférée. Je les ai tous. *Astérix le Gaulois, La Serpe d'or, Astérix et les Goths, Astérix le gladiateur, Le tour de Gaule, Astérix et Cléopâtre, Le Combat des chefs, Astérix chez les Bretons, Astérix et les Normands, Astérix légionnaire, Le Bouclier Arverne, Astérix aux Jeux olympiques*. Il ne m'en manque pas un. Ma collection d'Astérix, c'est ma richesse. Mon trésor. Avec mes cartes de hockey, c'est tout mon petit capital d'enfant de 8 ans. Et ça vaut plus que la fortune des Molson.

Ils sont tous bien rangés, précieusement, dans ma petite bibliothèque. Et quand il pleut trop fort pour que j'aille m'exciter dehors, ou quand mon frère n'a pas le temps de venir jouer avec moi parce qu'il a du travail à faire, ou quand j'ai été trop tannant et qu'on m'a mis en pénitence dans ma chambre, je sors un de mes vieux

Astérix de la pile. Je m'assois dans mon fauteuil préféré. Et je le relis pour la centième fois. Comme si c'était la première. Et ma vie cesse d'être grise. J'entre dans cet univers fou, où les petits villages battent des empires, où les porteurs échappent leur chef à terre, où le plus petit est le plus fort. Et je deviens Astérix. Et je deviens le plus fort. Et ma vie devient bleue. Je vais mieux.

Voilà pourquoi, quand ma mère arrive avec un nouvel album d'Astérix, je suis si content. Elle ne me donne pas seulement un livre de BD. Elle me donne un voyage. Un remontant. Je cours dans ma chambre, avec *Astérix et le chaudron* sous le bras. J'ai hâte de le lire. Mais je ne le lirai pas tout de suite. Je vais attendre Marie-Laure. Comme je fais toujours.

Marie-Laure, c'est la grande amie de ma tante Laurette, la sœur de ma mère. Et je l'aime comme ma tante. Elle est française. Elle a autour de 30 ans. Elle est très belle. Très très belle. Et elle est très fine. C'est elle qui m'a fait découvrir Astérix. Quand j'étais trop petit pour savoir lire, je m'installais avec elle sur le divan, et elle me lisait chacune des cases pendant que je regardais les dessins. Elle tenait le livre d'une main et me caressait les cheveux de l'autre. J'étais tellement bien. Je ne comprenais pas toutes les blagues mais quand Marie-Laure riait, je riais aussi. Simplement parce que Marie-Laure riait. Et que ça me faisait plaisir. Ça durait une grosse heure. Une grosse heure de bonheur.

C'est dans l'espoir de revivre ça, que j'attends encore Marie-Laure. Mais cette année, j'ai peur. Parce que j'ai 8 ans. Je suis grand. Je sais lire. Et j'ai peur que Marie-Laure ne veuille plus être ma lectrice. Quand j'ai eu *Astérix et les Jeux olympiques,* l'année dernière, elle me l'a lu. Mais j'avais 7 ans. J'étais encore petit. J'ai peur que cette fois, elle me dise que je peux le lire tout seul, mon Astérix. C'est sûr que je peux le lire tout seul. Je vais d'ailleurs sûrement le lire tout seul des dizaines de fois. Mais la première fois que je découvre un nouvel album, il faut que ce soit au son de la voix de Marie-Laure. C'est sacré pour moi.

Le souper de famille du dimanche soir vient de se terminer. Marie-Laure est en train de parler avec mon père. Je m'approche d'elle. Très gêné. Les jambes molles. J'ai l'air d'Obélix devant Falbala. Ma voix tremble un peu : « Marie-Laure, j'ai le nouvel Astérix, est-ce que ça te tente de le lire ? »

Elle me sourit. Elle me dit oui. Elle prend le livre dans sa main. J'ai peur qu'elle le lise toute seule. Dans son coin. Mais non, elle m'ouvre les bras. Et je me blottis contre elle. Comme avant. Elle commence la lecture. Elle lit la petite présentation en haut du premier dessin.

« Le calme printanier d'un petit village que nous connaissons bien, est troublé par l'annonce d'une visite officielle. »

Je *trippe*. La voix de Marie-Laure est si douce, si expressive, si enjouée. Je suis heureux comme un bébé. Elle fait tous les personnages. Changeant de ton selon leurs caractéristiques. Le ton moqueur quand elle fait Astérix, le ton lourdaud quand elle fait Obélix, le ton faux quand elle fait Assurancetourix ! Et puis au milieu de l'histoire, sans s'en rendre compte, elle se met à me jouer dans les cheveux, et le récit devient encore meilleur. Quand finalement arrive la dernière case, celle du grand banquet avec le barde suspendu à l'arbre, je suis presque endormi. Et un peu triste. Que ce soit déjà fini. Marie-Laure retourne parler avec les grands. Alors moi, je reprends mon *Astérix et le chaudron*, et je le relis pour la deuxième fois. Le cœur et le corps, encore tout chaud et tout *buzzé*, par la tendresse de Marie-Laure. J'ai déjà hâte que le prochain album paraisse. J'espère que ça va être bientôt. Pour que je ne sois pas trop grand.

Je n'ai jamais été trop grand pour Marie-Laure. Il y a eu plein d'autres Astérix. *Astérix chez les Helvètes, Le Domaine des Dieux, le Devin, la Grande Traversée*. Et j'avais beau avoir 10 ans, 12 ans, 14 ans, elle me les a tous lus de sa belle voix. J'avais peut-être l'air d'un grand niaiseux, recroquevillé dans ses bras, mais ça ne me faisait rien. J'étais assez peu niaiseux pour savoir qu'on reste toute sa vie un enfant. Et que les bonheurs d'enfant sont ceux qui nous rendent le plus heureux. Peu importe notre âge.

Ce week-end, le film *Astérix et Obélix contre César* prend l'affiche. Je ne suis pas sûr d'aller le voir. J'ai peur d'être déçu. On a beau avoir pris les meilleurs acteurs du cinéma pour jouer les rôles et avoir dépensé des millions en effets spéciaux, aucun film ne peut égaler un souvenir d'enfance. À moins que j'y aille avec Marie-Laure. Et qu'elle me joue dans les cheveux.

Hey Jude

Un petit dimanche du mois d'avril 1970. J'ai 9 ans. Il pleut. On vient de finir de dîner. Je prends mon grand frère de 16 ans par le cou :

« Pis Bertrand, qu'est-ce qu'on fait cet après-midi ?

— Je vais au cinéma.

— OK, j'y vais avec toi...

— Non, pas aujourd'hui, j'y vais avec une amie.

— Ben, j'peux y aller avec toi pis ton amie.

— Pas vraiment, c'est notre première sortie... »

Je baisse la tête. J'ai compris. J'ai compris qu'à partir d'aujourd'hui, mon frère jouerait moins souvent avec moi. Et qu'il jouerait plus souvent avec les filles. Je suis triste. J'erre dans la maison comme une âme en peine. Je m'ennuie. Un dimanche sans mon frère, c'est pire qu'un lundi. Je m'en vais niaiser dans sa chambre au sous-sol. Je fouille dans ses disques des *Beatles*. Même si je n'ai pas le droit. J'en mets un sur la table tournante. Et ça fait...

Hey Jude don't make it bad
Take a sad song and make it better
Remember to let her into your heart
Then you can start to make it better

Wow! Ces paroles me font du bien même si je ne les comprends pas toutes. Je cherchais quelqu'un pour me consoler. Et j'ai trouvé une chanson. Une voix avec de la musique. Un gars qui me dit que malgré tout, la vie est belle. Et sa chanson l'est tellement qu'il me donne envie de le croire. Surtout le bout où ça fait *da, da, da, da, da, da, da, da, Hey Jude* ! Cette montée-là, c'est plus beau que le bonheur. C'est l'espoir. On voudrait que ça ne finisse jamais. Je passe l'après-midi à écouter *Hey Jude*. À remettre l'aiguille sur le sillon. Je m'ennuie toujours autant de mon frère. Mais ça fait moins mal. Ça fait presque du bien !

Then you'll begin to make it better, better, better, better, better, better, oh !

Automne 1977. J'ai 16 ans. C'est ma première journée au cégep. Ma première journée avec des filles ! Après cinq ans dans un collège de gars. Je capote ! Comme Ginette Reno devant un sundae ! Comme le maire Bourque devant un géranium ! Comme le député Stéphan Tremblay devant un fauteuil ! Je tombe en amour avec la première que je vois. Elle s'appelle Chantal. Elle est belle. Elle est fine. Je lui demande de m'accompagner au *party* de l'initiation. Elle me dit non. Elle y va avec un autre. C'est clair. Mais c'est dur. Surtout pour moi. Première demande. Premier rejet. Je rentre chez nous. Penaud. Blessé. Ouais, c'est pas facile, les filles. Ma mère me dit de venir souper.

J'viens pas. J'ai pas faim. Je m'étends sur mon lit et j'écoute Paul et ses trois amis chanter...

Hey Jude don't be afraid
You were made to go out and get her
The minute you let her under your skin
Then you begin to make it better...

La *toune* n'est pas encore finie que ma peine d'amour l'est. Oui monsieur, je vais *make it better*. Tant pis pour Chantal. Je pense déjà à la prochaine. En sachant, que je suis mieux de garder mon disque d'*Hey Jude* pas loin, parce qu'avec les filles, je risque d'en avoir souvent besoin.

Je sors de ma chambre : « Pis maman, qu'est-ce qu'il y a pour souper ? »

Na na na na na na na na na yeh...

Mai 1993. Je marche dans le parking de l'hôpital Saint-Luc. J'ai de la peine. Comme j'en ai jamais eu durant toute ma vie. Mon *chum* Denis Farmer vient de mourir. C'est pas juste. C'était le meilleur gars au monde. Et le meilleur *drummer* ! Le cœur sur la main et les baguettes dans les doigts, il jouait de la batterie comme un enfant joue du tambour. Avec toute son âme. Avec toute sa joie... de vivre. Je monte dans ma voiture. J'ai trop de peine pour pleurer. Trop de peine pour appeler quelqu'un. Je veux être seul. Avec ma douleur. Sans ami. Sans parent. Quand on *file* solitaire, la seule chose qu'on accepte à ses côtés, c'est une chanson. Je mets une cassette dans le lecteur. Et je me promène dans la ville sans aller nulle part. Les yeux perdus, je chantonne tout bas *Hey Jude*. En tapant sur le

volant de mon auto. Comme Denis tapait sur son *drum*.
Pas aussi bien. Mais avec autant de cœur. Et dans ma tête,
je vois Denis battre la mesure. Le Ringo de Gatineau.
Et je souris presque. Je ne vais pas mieux. Mais je sais que
je vais pouvoir continuer. Garder le *beat*. Malgré tout. Il y
a des chansons qui sont des bouées. Qui permettent de
suivre le courant. De survivre aux icebergs.

And any time you feel the pain
Hey Jude refrain, don't carry the world upon your shoulder
For well you know that it's a fool who plays it cool
By making his world a little colder

Dimanche dernier, j'entends aux nouvelles que Linda,
la femme de Paul McCartney, est morte. Ça me fout le
blues. L'auteur de mon *Hey Jude* est en deuil. J'aimerais
tellement, à mon tour, faire quelque chose pour lui. Il m'a
si souvent aidé à traverser mes petits et grands chagrins.
Mais je ne peux rien faire. Il ne me connaît pas. Il ne sait
même pas que j'existe. J'espère seulement, qu'il y a, pas
trop loin de lui, en ce moment, une chanson pour lui tenir
la main...

Da Da Da Da Da Da Da Da Hey Jude...

La main de ma mère

Le 6 septembre 1966. Il est 8 h 20. J'ai 5 ans et je marche sur le trottoir en tenant la main de ma mère. Très fort. J'ai peur. Je m'en vais à l'école pour la première fois. Je ne sais pas ce qui m'attend. Tout ce que je sais, c'est que je ne serai plus avec maman. Et ça me brise le cœur. Car elle est toute ma vie.

Le matin, dès mon réveil, je m'en vais la voir en courant. Elle m'ouvre les bras et m'embrasse. Puis je la regarde préparer le déjeuner. Toute la famille s'assoit à la table. En coup de vent. Je n'ai pas le temps de finir mes céréales que papa est déjà parti au bureau. Et le grand frère et la grande sœur sont en route pour l'école. On reste seuls. Juste nous deux. Je m'en vais jouer dans ma chambre. Maman range la cuisine. J'aime l'entendre faire du bruit avec les marmites pendant que je joue aux polices et aux bandits. Les bandits me font moins peur.

Puis on sort faire des courses. Elle m'aide à mettre mon manteau. Je la suis par la main jusque chez Steinberg. Là, elle me laisse pousser le chariot. On parcourt l'épicerie.

Je choisis ma sorte de biscuits préférés. À la caisse, la madame lui dit qu'elle a un beau garçon. Ça lui fait plaisir. Moi aussi, ça me fait plaisir. Mais pas autant qu'à ma mère ! Sur le chemin du retour, elle est chargée comme un chameau avec ses deux gros sacs dans les bras. Alors je tiens ma boîte de biscuits dans ma petite main pour l'aider.

Midi. Papa arrive pour dîner. Je l'écoute parler avec maman. Ils jasent d'une espèce de grosse fête qui s'appelle l'Expo, d'un train qui roule sous la terre et d'un petit monsieur chauve nommé Jean Drapeau. Papa dit que ça va coûter cher. Maman dit que ça va être amusant. Je suis petit, je ne comprends pas tout. Mais j'aime les écouter parler ensemble. Je sens qu'ils s'aiment. Même s'ils ne se le disent pas.

Papa repart travailler. Maman m'amène jouer au parc. Il y a un moineau qui picosse près de la balançoire. Je m'approche de lui pour lui dire bonjour. Je veux qu'il devienne mon ami. Mais il s'envole dans le ciel. Ça me frustre. Je demande à maman pourquoi je ne peux pas voler comme lui. Elle me répond que c'est parce que je n'ai pas d'ailes. Mais que ce n'est pas grave parce que j'ai un cœur. Et qu'avec un cœur on peut rejoindre les autres, plus facilement qu'avec des ailes. Il faut juste savoir s'en servir. Je suis petit, mais je comprends.

On revient à la maison. Maman a du lavage à faire. Elle me demande de lui faire un dessin. Je m'assois à ma petite table et je sors mes crayons. Je sors aussi ma langue pour m'appliquer. Je dessine une maison, un arbre, un soleil. Et dans la maison, je dessine une mère et son garçon. Et un énorme cœur. Je cours le montrer à maman. Elle dépose sa boîte de Tide et s'assoit pour regarder mon dessin. Elle sourit. Elle me dit qu'il est beau, que je suis fin et qu'elle m'aime. Je lui dis que moi aussi je l'aime. On s'embrasse. Et je retourne dans ma chambre lui en faire un autre.

Maman fait son repassage, en écoutant un disque de Jacques Brel. Elle chantonne avec lui : *Quand on n'a que l'amour...* Je les écoute. Je trouve ça beau. Et je dessine des cœurs encore plus gros.

Puis c'est l'heure de mon petit dodo de l'après-midi. Maman vient me lire une histoire. C'est celle de Don Quichotte. Un chevalier qui se bat contre les moulins à vent pour impressionner celle qu'il aime. Les gens disent qu'il est fou. Que c'est un perdant. Ma mère me dit que les gens ont tort. Qu'on n'est jamais perdant quand on écoute son cœur. Je la crois. Et je m'endors. J'aurais aimé rêver à ma mère, à mon ami le moineau ou à Don Quichotte. Mais je rêve au petit monsieur chauve nommé Jean Drapeau ! On ne choisit pas toujours ses rêves ! C'est la bonne odeur du gâteau en train de cuire qui me réveille.

Je cours dans la cuisine rejoindre maman. Elle me demande si je veux quelque chose. Je lui réponds non, je veux juste la regarder cuisiner. Mais elle sait qu'au fond, je veux qu'elle me donne le plat dans lequel elle a fait le glaçage du gâteau, pour gratter le fond avec une fourchette. Je n'ose pas le demander. Parce que si je le demande, elle va répondre que ça va gâcher mon souper. Alors je la regarde sans rien dire. Après quelques minutes, elle n'en peut plus de me voir si sage. Elle me dit :

« Si je te laisse gratter le bol, me promets-tu de tout manger ton steak, ce soir ? »

Je réponds oui. Et j'ai droit de gratter le sucre du bonheur !

À 16 h, je m'en vais dans le salon regarder *Bobino* pendant que ma mère termine son ménage. Mais elle vient quand même me porter une petite collation. Du jus de raisin avec mes biscuits préférés. C'est bon. Puis mon frère et ma sœur reviennent de l'école et Papa revient du bureau. Tout le monde raconte sa journée à maman. Et maman, elle, leur raconte mes dernières finesses. Et maman leur montre mes dessins. Et moi, je leur dis comment le gâteau va être bon. Et on se regarde maman et moi. Complices.

Tout ça, c'est du passé. On est arrivés à l'école. Je dois laisser la main de ma mère. C'est fini, mes journées avec elle. Dorénavant, je passerai mes journées avec des étrangers. Certains m'aimeront, d'autres pas. Mais personne ne m'aimera autant que ma mère. Pourtant, il faut que je la quitte quand même. Pour que j'apprenne à voler de mes propres ailes. Pour que j'apprenne à me servir de mon cœur. Pour que je réussisse à rejoindre les autres. Pour que j'apprenne à aimer. Je devrais pouvoir y arriver. Ma mère me l'a si bien montré.

On est devant la porte de la classe. Tous les autres enfants me regardent. Cette fois, je n'ai plus le choix. Je lâche la main de maman. Et je m'en vais passer ma vie à en chercher une qui ira aussi bien dans la mienne...

ॐ

La vengeance de l'électeur

Vous n'êtes pas faciles à suivre. Peut-être parce que vous ne savez pas où vous allez. Paul Martin, c'était le Bon Dieu. Y était parfait. Beau, grand, intelligent, proche des Québécois et du reste *of the Canada*. Le premier ministre idéal. Jean Chrétien venait à peine d'être réélu qu'il fallait qu'il s'en aille, qu'il déguerpisse pour laisser la place à son Flipper, à son dauphin. Ouste, ti-Jean ! Vous veniez de lui confier un mandat de quatre ans, mais fallait qu'il sacre son camp sur-le-champ, en courant ! Vous aviez trop envie de Paul Martin. Chrétien l'a pas trouvée facile. Être tassé par son propre parti. Mais il n'avait pas le choix. Le peuple voulait Martin. Comme Juliette voulait Roméo. Alors Jean est parti. Putsch ! Il a disparu. Et Martin est arrivé. Heureux d'être content. Prêt à vivre sa belle histoire d'amour avec le Canada.

Le problème, c'est que l'électeur est « agace ». Il jette son dévolu sur quelqu'un, il lui monte la tête, il lui fait plein de promesses, il lui envoie des douzaines de sondages roses. Et puis quand le candidat, tout excité, s'offre, l'électeur n'en veut plus. Aussitôt que Paul Martin est devenu chef du PLC, on s'est mis à jouer les saintes-nitouches. Finalement, Paul Martin n'est pas si beau que ça. Il a la peau pendante, un peu. Il est grand, mais il est gros aussi. Pis intelligent, on n'est plus certain. Finalement, on était bien avec Chrétien.

L'électeur est cruel. Pauvre petit Paul. Il peut bien avoir des grands yeux d'épagneul tout tristes. Il était si sûr de son coup. On l'attendait comme le Messie. Ces élections devaient être son couronnement. Une nuit de noces torride entre lui et la population canadienne. Mais la mariée est en train de changer d'idée. Harper est pas *laitte*. Peut-être qu'il embrasse bien. Même s'il est Anglais ! Ou l'on va peut-être se donner à Martin, mais en minorité. Ça veut dire avoir le droit de voir son amant de temps en temps. Peut-être même de renverser le mari, après un an, un an et demi.

C'est pas la première fois que l'électeur agit de la sorte. Pensez au pauvre Jean Charest. Jean Charest avait un rêve. Un seul. Devenir premier ministre du Canada. Être le maître des Appalaches et des Rocheuses. Mais à un moment donné, l'électeur québécois est tombé en amour avec lui. On ne voulait plus rien savoir de Daniel Johnson à la tête du PLQ. Ça prenait Charest et personne d'autre. C'est pas grave, s'il était bleu, on allait le faire rougir. Si Charest s'en venait au provincial, on lui donnait tout. La popularité et le pouvoir. On le trouvait beau, fin et intelligent. On trouvait même qu'il avait de beaux cheveux. Charest a renoncé à son *canadian dream*. Et il est venu aux secours de la veuve et de l'orphelin québécois. Aussitôt qu'il est devenu le chef du PLQ, on a pris nos distances. Finalement, il est patapouf. Pis il a de bien drôles de cheveux. On s'est mis à le critiquer. Et à vouloir divorcer avant même d'avoir consommé. Pauvre ti-Jean numéro deux ! Il a quitté Ottawa pour se retrouver chef de l'opposition à Québec. Il a fallu qu'il nous fasse la cour durant quatre ans, qu'il promette plein d'affaires de fous comme les défusions pour finalement être élu. Et dire que le Québec était censé être à ses genoux. Le pire, c'est lorsqu'il regarde Stephen Harper, il doit se dire que, s'il n'avait pas écouté le chant des sirènes en 1998, il serait à trois semaines de devenir premier ministre du Canada. De réaliser son rêve. Et il mangerait avec le président Bush au lieu de manger avec le maire Tremblay.

Pourquoi sommes-nous comme ça ? Pourquoi jetons-nous notre dévolu sur un leader pour dégonfler sa *balloune* aussitôt que celui-ci répond à notre appel ? Lisez tous les sondages des dernières années, si Paul Martin devenait chef du Parti libéral, il était porté au pouvoir avec une majorité écrasante. Paul Martin est devenu chef du parti libéral et il va probablement prendre le pouvoir avec une minorité écrasée. Au fond, l'électeur se venge. Il est comme cette amoureuse amère qui se venge de ses aventures malheureuses en maltraitant ses nouveaux amants. Il y a tellement de politiciens qui ont trompé les électeurs que, maintenant, les électeurs trompent les politiciens.

On a monté un bateau à Paul Martin. On a monté un bateau à Jean Charest. On a même monté un bateau à Mario Dumont. Faut le faire ! Faut vraiment être sadique. Pauvre ti-pit ! Il a même pas le nombril sec encore. Durant 10 mois, on lui a fait croire qu'il allait devenir le prochain premier ministre du Québec. Il était tout excité, comme un pubère découvrant les joies du corps. Il menait dans les sondages. Il remportait toutes les partielles. Tout pour l'amener au bord de l'extase. Et quand les élections sont arrivées... Pouet ! Pouet ! C'était une farce. Il ne s'en est pas remis encore.

Mettez-vous à la place de Paul Martin si, le 28 juin, Stephen Harper devient le premier ministre du Canada. Il ne s'en remettra pas non plus. Il était bien. Il était millionnaire. Il avait plein de navires dans le Sud. Il n'avait pas besoin d'être humilié publiquement. Avez-vous pensé à quel point Jean Chrétien va rire de lui ? Peut-être même va-t-il revenir lui ravir son poste. Les militants libéraux sont sans pitié avec les chefs qui perdent les élections. Ils sont même sans pitié avec ceux qui les gagnent.

Mais on ne s'émouvra pas trop longtemps sur le sort du beau Paul. Après tout, les politiciens ont les électeurs qu'ils méritent.

❧

La fièvre heureuse

Ma mère entre dans ma chambre : « Stéphane, dépêche-toi, il est déjà 7 h 30. Tu traînes tout le temps, le lundi. » J'ouvre l'œil. Juste un. Et difficilement. Je tousse deux fois : « Heu ! Heu ! » Ma mère s'inquiète :

« Qu'est-ce que t'as ?

— J'sais pas. Ça me pique dans la gorge... »

Elle me touche le front : « T'es un peu chaud. Attends, je vais aller chercher le thermomètre. » Elle sort de la chambre. Je suis tout excité. Serait-il possible que je fasse de la fièvre ? Je ne peux pas le croire ! Faire de la fièvre, ça veut dire pas d'école. J'aime ça la 5e année, mais un petit congé, une fois de temps en temps, ça ne se refuse pas. Ma mère revient avec le thermomètre. Elle me le met dans la bouche : « Reste comme ça durant cinq minutes, je vais revenir ! » Je suis comme un acheteur de billets de Loto-Québec attendant que Magdalena donne le numéro gagnant. Si je fais seulement 99, je vais à l'école. Si je fais 100 ou plus, le *jackpot*. Congé !

Ma mère me retire le thermomètre. Elle le regarde. J'essaie de voir jusqu'où est monté le mercure, mais je ne suis pas capable. J'ai jamais compris comment ma mère faisait pour le voir. Il faut que je me fie à elle. Ces quelques secondes semblent durer des heures. Finalement, elle dit : « 101. Tu restes à la maison. »

J'aurais le goût de sauter de joie. De l'embrasser très fort. De crier. Mais il ne faut surtout pas que je fasse ça. Il faut que j'aie l'air abattu. Souffrant et déçu. Alors, je dis : « T'es certaine ? Je ne veux pas manquer mes cours... » Il y a des Oscars qui se perdent ! Mon interprétation est tellement juste, tellement crédible, j'en mériterais deux ! Du grand Brando ! Ma mère me répond : « Non, non, recouche-toi, je reviendrai te voir tantôt. » Elle ferme la lumière. J'enfonce ma tête dans l'oreiller. Je pense à mes amis qui se les gèlent dehors. Les pauvres ! Je me rendors. Tout chaud.

Dix heures. Ma mère vient me voir :

« Comment ça va ?

— Ça va. Mais je me sens faible.

— Je t'ai fait un bon jus d'orange frais pressé et des rôties avec du miel. Ça va être bon pour ta gorge... »

Le bonheur ! J'empile mes oreillers. Je me redresse. Et je déguste mon petit déjeuner au lit. Quand on est malade, on est le *King* !

« Voudrais-tu autre chose mon beau ?

— Je prendrais peut-être ma collection d'Astérix. Elle est dans la garde-robe.

— Il ne faut pas que tu te fatigues, Stéphane.

— Non, je vais juste en lire quelques pages. »

Me voilà installé pour une belle journée. Il ne me manque que la radio. Je vais la chercher. Sans faire de bruit. Et voilà. Je suis un pacha. Je lis *Le Combat des chefs*. J'écoute les lignes ouvertes. À toutes les heures, ma mère vient vérifier si je n'ai pas besoin de rien :

« Heu ! Heu ! Je prendrais bien un autre jus d'orange, s'il vous plaît !

— Ça ne sera pas long, mon chéri. »

Dix-sept heures. Mon père revient du bureau. Il vérifie mon état. Ça tombe bien, en fin de journée, la fièvre grimpe toujours un peu. Il me touche : « Ouais, t'es encore chaud. » Il remonte mes couvertures. Et m'embrasse sur la tête. Puis il me glisse dans la main un paquet de cartes de hockey qu'il vient d'acheter au dépanneur. C'est la totale ! Je suis dans un film de Walt Disney !

Mon frère et ma sœur éprouvent moins de compassion. Bertrand me dit : « Y paraît que t'es malade !? » Dominique ajoute : « T'as pas l'air ! » Je sens qu'ils doutent de la gravité de mon mal. Heureusement, ma mère les interpelle : « Sortez de la chambre de Stéphane, vous allez attraper sa grippe ! » Mon frère répond : « C'est aussi ma chambre ! » Ma mère lui dit : « Ce soir, tu dormiras dans la chambre de ta sœur ! »

« Ah non ! C'est même pas grave ce qu'il a, il tousse même pas ! »

Et c'est là que je fais : « Heu ! Heu ! »

En soirée, curieusement, je vais un peu mieux. Assez pour regarder la télé, en pyjama dans le salon. Mais aussitôt que *Batman* est terminé, le frisson me poigne. Il faut que j'aille me coucher. Mon père me demande :

« Penses-tu être assez bien pour aller à l'école demain ?

— J'espère ! »

Les enfants feraient des bons politiciens ! Je me couche en espérant qu'une chose : faire encore de la fièvre demain.

Et je suis exaucé. Mardi, 101. Mercredi, 100. Jeudi, 100. Vendredi, 98 et demi.

« Es-tu certaine, maman ?

— Oui, tu vas mieux. Habille-toi. Tu peux aller à l'école. »

Retourner à l'école un vendredi, quel gaspillage ! J'avais lu tous mes Astérix, mais il me restait plein de Tintin et de Michel Vaillant. Fini le spa. Je retourne à l'école en boudant un peu. Je serais même prêt à embrasser une des filles de ma classe, si ça me redonnait la fièvre. C'est vous dire !

Puis j'ai grandi. Et j'ai su. J'ai su les infections. La grippe espagnole. La fièvre aphteuse. La méningite. Et tous ces fléaux qui finissent en « ite ». Et je n'ai plus jamais voulu faire de la fièvre. Mais je regrette parfois, cette douce inconscience de l'enfance qui transforme un malheur en bonheur. Que ce soit la grippe ou les tempêtes de neige. Même la crise d'octobre est presque dans mon cœur un beau souvenir. Parce que j'avais 9 ans. Que je n'avais pas d'école. Et que je passais mes journées avec mon papa à écouter CKAC.

« Heu ! Heu ! » Bon, je tousse et ça me pique dans la gorge. J'espère que je ne suis pas malade. Quoiqu'il y a un nouvel Astérix qui vient de sortir... Oh ! maman, viens toucher le front de ton enfant !

☙❧

La vue du pont Champlain

Les valises sont dans l'auto. On est prêts. Les vacances de l'été 71 sont terminées. Bye Bye Kennebunk ! On rentre à la maison. Dans l'Impala 65 de mon père, chacun est à sa place. Papa au volant. Ma mère à ses côtés avec la carte routière. Mon frère, près de la fenêtre, derrière mon père. Ma sœur prise dans la craque. Moi, près de la fenêtre, derrière ma mère. Et notre chatte à mes pieds, dans son panier d'osier.

On roule devant le bord de mer. Personne ne parle. On se remplit les yeux. Le sable, les vagues, l'infini. On ne les reverra pas avant un an. Alors on en profite. Une dernière fois. Il fait si beau. Dire que j'aurais pu encore jouer sur la plage. Toute la journée. Mais quand c'est fini, c'est fini. C'était du samedi au samedi. Dorénavant, on peut juste rêver.

Mon père nous ramène à la réalité : « C'est-tu ici qu'on prend la 1-A ? ». Ma mère lui répond :

« Ben, ça pas changé, c'est au même endroit que l'an passé...

— J'suis pas sûr que c'est ici...

— Pourquoi tu me le demandes après avoir pris la sortie ? T'aurais dû me le demander avant.

— Je pensais que tu suivais... »

On repasse devant le bord de mer. Non, ce n'était pas là qu'on prenait la 1-A.

Je souris. Si on pouvait perdre notre chemin. Si on pouvait être pris à rester ici. Au moins aujourd'hui.

« À droite, c'est ben à droite ?

— Ben oui ! C'est écrit à droite. Donc, c'est à droite.

— Je prends à droite d'abord ?

— C'est ça ! »

C'était bien à droite. On rentre dans les terres. Adieu la mer ! Cette fois, on est vraiment partis. Ma sœur pousse un cri d'effroi :

« Maman ! Je plume !

— Je t'avais dit de mettre de la crème.

— Ça pas de bon sens. On n'est même pas encore arrivés et je plume déjà. De quoi je vais avoir l'air ? »

Elle va passer le reste du trajet à se gratter et à s'arracher des grands bouts de peau séchée. Pendant que ma mère lit. Que mon frère écrit ses cartes postales qu'il va poster de Montréal. Que mon père conduit en grillant une cigarette. Que la chatte miaule à chaque fois qu'on dépasse un gros camion. Et que moi, je regarde le paysage défiler sous mes yeux. En me racontant des histoires. Dans ma tête.

Rendu dans les montagnes Blanches, il a beau être trois heures de l'après-midi, tout le monde dort. À part papa, bien sûr. Je ne sais pas pourquoi, mais on dort toujours dans les montagnes Blanches. Ça fait cinq fois que je vais à Kennebunk et je ne les ai jamais vues.

« *Where are you coming from ?* »

La voix autoritaire du douanier réveille la famille. On est déjà aux lignes. Mon père baragouine quelques mots en anglais. Le douanier ne comprend rien. Mais on n'a pas l'air très dangereux. Alors il nous laisse passer.

Est-ce l'excitation d'être au Québec sur les routes défoncées, mais on ne dort plus, on est tous bien réveillés. Étonnés d'être déjà si proche de chez nous. C'est drôle quand on va quelque part, c'est toujours très long, et quand on revient chez soi, c'est toujours très court. À croire qu'on habite tous le creux d'une vallée. Et que la route du retour est toujours une pente descendante.

Une odeur de fumier m'extirpe de mes pensées. Ça pue ! Toujours au même endroit. Dans les terres, près de Coaticook. Mon frère, ma sœur et moi retenons notre souffle. Ma mère nous dit de prendre des grandes respirations. Que c'est bon pour les bronches. On s'en fout. On est presque bleus. Heureusement, au bout de 15 minutes, l'odeur paysanne est remplacée par une bonne odeur de pollution. On approche de Montréal !

Cette fois, c'est vrai. Le voyage achève. Les vacances aussi. Je pense à l'école. Je monte en 6e année. Dernière année de primaire. C'est énervant. Dernière année avec ma *gang*. Avant qu'on se perde de vue au secondaire. J'étais si bien hier. Pendant que je faisais mon château de sable. Je pensais à rien de ça. Je pensais à rien du tout. Je ferme les yeux. Pour retrouver la mer. Et j'entends : « BEDING ! BEDANG ! BEDING ! BEDANG ! ». C'est le bruit des pneus de l'Impala sur la structure du pont Champlain. J'ouvre les yeux. Et je vois Montréal. Je vois les gratte-ciel le long du fleuve. La place Ville-Marie. La place Victoria. La montagne en arrière. Et ça me fait un effet. Je trouve ça beau. Tellement beau que je suis content d'être là. Je suis content de revenir dans cette ville-là. Je ne regrette plus les vacances. Kennebunk. La mer. Le sable. Tout ça, c'est disparu. Envolé. À la simple vue de Montréal en entrant par le pont Champlain. C'est magique. Tous les ans, cette image me redonne le goût de la ville. De la vraie vie. De ma vie. L'auto continue à faire « BEDING ! BEDANG ! » Et moi, je continue à regarder Montréal. Je n'ai plus peur du secondaire. Plus peur de vieillir. Au contraire, j'ai envie d'être grand. D'être grand comme la place Ville-Marie.

Je ne sais pas si l'effet du pont Champlain agit sur tout le monde, mais soudainement, toute la famille est de bonne humeur. Tout le monde est content de revenir à la maison. Ma sœur a hâte de revoir son amie Sylvie. Mon père a hâte de lire ses journaux. Mon frère a hâte de jouer au baseball. Ma mère a hâte d'arroser ses plantes. Ma chatte a hâte de retrouver sa ruelle. Et moi, j'ai hâte de retrouver ma chambre. Mes disques, mes BD, mon cahier et mon crayon.

Papa stationne l'auto devant la maison. On dirait que ça fait 100 ans qu'on ne l'a pas vue. Et ça fait seulement sept jours. On se dépêche d'entrer les valises. Ça sent le renfermé. Pendant quelques instants, on est comme en voyage dans notre propre demeure. Le salon, la cuisine, la chambre, tout a l'air différent. Tout a l'air plus beau. C'est une sensation très agréable. Mais elle ne dure pas. Dans une heure, tout sera revenu à la normale. On ne verra plus Montréal du pont Champlain. On sera dedans. On ne verra plus notre vie de loin. On sera dedans jusqu'à l'an prochain.

❧

Le 4 avril 2004

Tout le monde jackasse !

Tout le monde se scandalise ! Tout le monde s'énerve ! Ça jacasse fort ! C'est-tu pas effrayant, le phénomène *Jackass* ! Ça n'a pas de bon sens ! Se donner des coups de marteau sur les testicules, s'écraser des ampoules sur la tête, s'envoyer du jus de citron dans les yeux, c'est la décadence ! Il ne faut pas que les jeunes voient ça ! Faut leur interdire l'accès ! Faut les sortir de là !

Un instant. Premièrement, est-ce qu'un parent qui fume deux paquets de cigarettes par jour est si bien placé que cela pour interdire à son enfant d'aller voir quelqu'un qui s'automutile ? Son gamin passe sa vie à regarder quelqu'un qui s'automutile ! C'est même moins pire de s'éteindre une cigarette sur le gros orteil que de la fumer. La cigarette éteinte ne donne pas le cancer du gros orteil. Soyons crédibles. Prêchons par l'exemple.

Deuxièmement, le *show* de *Jackass* est-il pire que d'autres spectacles où les mineurs sont acceptés ? Pas certain. C'est sûr qu'on est loin du Cirque du Soleil. On ne se met pas à chanter *Alegria* quand on reçoit un coup de pied dans les parties. Mais c'est une forme de cirque quand même. C'est un cirque où tous les artistes manqueraient leur coup. *Les Sous-doués font du cirque :* le magicien coupe vraiment la fille en deux. Le fakir se brûle vraiment les pieds en marchant sur le feu. L'équilibriste tombe à califourchon sur le fil de fer. Ayoye ! C'est un cirque-réalité. C'est le cirque de la désillusion.

Ce spectacle de mutilation n'est pas des plus édifiants pour la jeunesse, mais on les amène où, nos jeunes, si on les prive de *Jackass* ? Au hockey ? C'est tellement plus sain de voir le gros Todd Bertuzzi casser le cou à Steve Moore plutôt que de voir Steve-O se brocher le scrotum... Car dans la société, il est plus convenable de voir quelqu'un péter la gueule à quelqu'un d'autre que de voir quelqu'un se la péter à lui-même. Un boxeur qui affronte un adversaire et qui reçoit des coups de poing sur la tête jusqu'à en tomber sans connaissance, ça, c'est bien. C'est du sport. Tous les jeunes peuvent voir ça. Mais une personne qui se frapperait elle-même au point de tomber dans les pommes, ça, c'est abject. C'est une mauvaise influence. Tape sur ton voisin, mais tape pas sur toi. Fais à l'autre ce que tu ne voudrais pas te faire à toi-même. Voilà notre morale.

Violence pour violence, coups pour coups, *Jackass* n'est pas pire que tous les autres spectacles basés sur nos instincts primaires. Il est juste plus dérangeant. Car voir quelqu'un faire mal à quelqu'un d'autre, c'est accepté depuis la nuit des temps. C'est même normal. On le comprend. Y a rien comme une bonne bataille au hockey. Tous ceux qui ont le goût de varloper quelqu'un s'identifient à l'agresseur.

Mais voir quelqu'un se faire mal à lui-même, ça nous trouble. Ça nous place devant une réalité trop vraie. Nous n'avons pas envie de réaliser que c'est à nous-mêmes que nous voulons faire mal. Que nous ne nous aimons pas. C'est plus simple de passer sa frustration sur quelqu'un d'autre, mais, au fond, si la personne agressive visait juste, c'est elle-même qu'elle agresserait. Car ce qu'elle fait à l'autre, c'est à elle-même qu'elle voudrait le faire. L'autre est juste à la mauvaise place au mauvais moment. Et il reçoit la haine que la personne a contre elle-même.

Les gens qui haïssent les étrangers, les petits, les gros, les femmes, les gais, ne haïssent au fond qu'une seule personne : eux-mêmes. Le raciste n'aime pas sa race. L'agresseur n'aime pas sa peau. Et il se trouve de fausses raisons pour retourner sa violence vers les autres. C'est un phénomène de protection. Un réflexe. Quand on veut se taper, notre main est détournée et tape quelqu'un d'autre.

Il ne donc faut pas interdire *Jackass*. Au contraire, il faut le répandre. Il faut le substituer à toutes les autres formes de violence. Fini la guerre, fini les génocides, place à *Jackass* !

Prenez la gang d'Al-Qæda : ils pratiquent une violence qui s'apparente à une version extrême de *Jackass*. Conduire un avion dans un building, c'est du *Jackass*. Le problème, c'est qu'il y a à bord de l'avion et dans le building des gens qui ne sont pas consentants. Là, ce n'est plus du *Jackass*. Là, c'est de l'horreur.

Mais si au lieu de terroriser les autres, ben Laden se brochait le scrotum, le monde s'en porterait mieux. Si au lieu de bombarder tout le monde, Bush se mettait un pétard vous savez où, ça ferait beaucoup moins de victimes. Bref si tous les violents faisaient comme Steve-O, il n'y aurait plus d'innocentes victimes.

En conclusion, c'est évident qu'il est préférable que notre jeunesse ne voit pas des spectacles où les gens s'auto-mutilent. Pas besoin de leur mettre ce genre d'idées dans la tête. Mais pour nous autres, la vieillesse, qui sommes déjà pourris, qui avons déjà plein de violence et d'idées malsaines, *Jackass* est peut-être la façon la moins dommageable de tout sortir.

Allez, violents de tous les pays, brochez-vous !

Urgence Neige

« Notre père qui es aux cieux, que ton nom soit sanctifié, que ton règne vienne, que ta volonté soit faite sur la terre comme au ciel... »

Je suis en train de dire ma prière. Avant de faire dodo. J'ai 10 ans. En ce soir de janvier 1971. Et comme tous les soirs de ma petite vie, je remercie le ciel :

« Merci Bon Dieu pour mes parents, mon frère et ma sœur. Et pour la belle journée que j'ai passée. Merci aussi pour la victoire du Canadien. Au nom du Père, du Fils et... Oups ! Bon Dieu, j'ai oublié de vous dire quelque chose, j'ai une petite faveur à vous demander. Demain, on a un examen d'écologie à l'école. Pis j'ai pas eu le temps d'étudier parce que j'ai trop joué avec le magnétophone que j'ai reçu à Noël. Si vous pouviez envoyer une grosse tempête de neige sur Montréal demain matin. Pas trop grosse pour faire des blessés. Mais assez grosse pour que l'école ferme. Ça me donnerait le temps d'étudier. Si vous ne pouvez pas, je vais comprendre. Mais ça serait ben le *fun*, si vous pouviez. Bonne nuit ! Au nom du Père, du Fils et du Saint-Esprit. »

Je ferme les yeux. Et je m'endors. En espérant très fort que le Grand Météorologue tout-puissant m'exauce. Ce n'est pas la première fois que je lui fais une telle demande. Ça m'arrive une dizaine de fois durant l'année. Quand pour toutes sortes de raisons, je n'ai pas le goût d'aller à l'école, la tempête de neige devient mon ultime espoir. Ma dernière chance. Mais ça ne marche jamais. La demande d'une tempête de neige au Bon Dieu est à l'enfant ce que l'achat d'un billet de Super Loto est à l'adulte. Un rêve fou. On sait qu'il ne se réalisera pas, mais on s'essaie quand même. Au cas...

« Stéphane ! Debout ! C'est l'heure ! »

Ma mère vient de passer devant ma chambre. Il est 7 h. Il faut que je me lève. J'ouvre l'œil. Il neige dehors. Je m'approche de la fenêtre. Il neige beaucoup dehors. Je n'en reviens pas. Mais il ne faut pas que je m'emballe trop vite. Dans la maison, ça semble être un matin comme les autres. Ma mère prépare notre petit déjeuner. Mon père lit son journal. Mon frère Bertrand repasse ses leçons. Ma sœur Dominique s'éternise dans la salle de bains. *Business as usual*. Je m'assois à la table de la cuisine.

« As-tu vu papa, il neige vraiment beaucoup dehors. Pis il vente pas mal aussi !

— Oui, il risque d'avoir beaucoup de trafic. Dépêche-toi, on va partir plus tôt. »

Ce n'est pas vraiment la réplique que j'espérais. Je me tourne vers ma mère.

Elle est en train de faire mon lunch en écoutant Radio-Canada FM.

« Maman, on devrait peut-être mettre la radio à CKAC. Tout d'un coup que ce que l'on voit dehors, c'est une tempête de neige. Eux autres, ils le savent ! »

Mon père m'appuie. Mais c'est parce qu'il est tanné d'écouter du Chopin !

« Le petit a raison, change donc de poste. »

Aussitôt arrivé à la fréquence 730, on entend une sirène et une voix qui dit : « Urgence Neige ! Vous écoutez l'émission spéciale Urgence Neige ! » Du coup, tout change dans la maison. Mon père fronce les sourcils et tend l'oreille. Ma mère arrête de faire mon lunch. Mon frère cesse d'étudier. Ma sœur sort de la salle de bains. Vive CKAC ! Maintenant, toute la famille est consciente qu'une tempête de neige fait rage. Ce n'était pas suffisant de la voir par la fenêtre, il fallait l'entendre à la radio !

Jacques Proulx est en train d'énumérer la liste des écoles fermées. Je croise les doigts. Il faut qu'il nomme le Collège de Montréal. S'il vous plaît Bon Dieu, ne fais pas les choses à moitié !

« La commission scolaire des Mille-Îles... fermée, la commission scolaire de Boucherville... fermée. Le Collège LaSalle... fermé. Le Collège Villa Maria... fermé ! »

Ma sœur lâche un cri ! C'est son collège ! Elle retourne dans la salle de bains enlever son uniforme. Proulx continue :

« La commission scolaire de Saint-Jérome... fermée, la CECM... fermée. Le Collège Notre-Dame... fermé. Le Cégep André-Grasset... fermé. »

Mon frère lâche un cri. C'est son cégep. Il appelle ses *chums*. Ils vont aller jouer au hockey. Moi, je commence à angoisser. Ça ne se peut pas. Il ne peut pas ne pas nommer mon collège...

« Le Collège Marie-de-France... fermé, la commission scolaire des Érables... fermée. Le Cégep du Vieux Montréal... fermé, comme d'habitude ! Le Collège de Montréal... »

Ça y est ! Je souris de bonheur.

« ... ouvert ! »

Quoi ? Ça ne se peut pas ! Je deviens blanc. Plus blanc que le paysage dehors. Les sulpiciens ont décidé de rester ouverts. Mon père me donne une tape dans le dos.

« Prépare-toi mon garçon ! Il y a juste toi qui embarques avec moi, ce matin. »

Ma mère m'enroule mon foulard autour de la bouche. Puis elle me donne un bec sur la tuque. Et me voilà parti pour l'école. Pendant que mon frère et ma sœur restent à la maison. C'est le ciel qui me punit pour avoir souhaité une tempête de neige. On ne met pas toute une ville dans le trouble parce qu'on n'a pas étudié pour son examen d'écologie. *Mea-culpa*. Je ne souhaiterai jamais plus de malheurs.

Mon père est en train de déneiger sa voiture pendant que je l'attends assis en avant. Pour la première fois. D'habitude, c'est la place de Bertrand. J'allume la radio. Jacques Proulx redonne la liste des écoles fermées. Les chanceux ! Soudain je l'entends dire : « Le Collège de Montréal... fermé. » Youppi ! Les sulpiciens ont compris le bon sens ! Je sors de la voiture et je me lance dans le banc de neige. Je viens de gagner la Super Loto ! Au diable mon *mea-culpa* ! Merci Bon Dieu !

Un an après la tempête de pluie verglaçante, on se demande encore ce qui a bien pu causer une telle catastrophe. C'est simple. Il y avait un enfant, quelque part, qui n'avait pas étudié pour son examen. Un enfant, quelque part, qui a pris une chance. Et il a gagné le gros lot !

❧❧

Moman Céline

Las Vegas. Le samedi 17 octobre 1998. Le spectacle de Céline vient de se terminer. La foule en délire continue de l'applaudir. Un triomphe de plus. André-Philippe aussi, a cassé la baraque. Comme tous les soirs. Tout est parfait. Pourtant, je suis sur le gros nerf. Je traverse, à la hâte, les longs corridors du Caesar's Palace. René et Céline m'ont donné rendez-vous, tout de suite après le *show*, dans leur *penthouse*, tout en haut du casino. Je m'en vais leur livrer le contenu du sketch que Céline et André-Philippe feront au gala de l'ADISQ. Pascale, mon adjointe, m'accompagne. À deux, je suis moins gêné.

Si les grandes vedettes ont le trac, juste avant de monter sur scène, les petits auteurs, eux, ont le trac, juste avant de montrer aux vedettes le texte qu'ils leur ont écrit. Parce que lorsque les vedettes n'aiment pas notre texte, ça nous fait mal. On n'en parle pas, bien sûr. On dit qu'il n'y a rien là. Qu'on comprend. Qu'on va jeter ce bout de papier à la poubelle. Et tout recommencer. Pas plus compliqué que ça. C'est notre *job*, après tout. Mais au fond, on a le cœur gros. Parce que dans n'importe quel texte, il y a un morceau de l'âme de celui qui l'a écrit.

Un gardien de sécurité nous conduit dans l'ascenseur privé qui mène au *penthouse.* Tout en regardant les chiffres s'allumer, je me demande comment René et Céline vont réagir. Elle est la plus grande chanteuse au monde, et je veux lui faire jouer le rôle de Moman ! Elle qui est toujours en Chanel, je vais lui demander de se mettre en chemise de nuit avec un bonnet sur la tête. Elle qui chante avec Pavarotti, je vais lui demander de chanter *steak, blé d'Inde, patate, steak, blé d'Inde, patate* ! Tout d'un coup qu'ils ne trouvent pas ça drôle. Tout d'un coup qu'ils me prennent pour un fou !

La porte de l'ascenseur s'ouvre. Martin Lacroix, l'assistant de tournée, vient nous chercher. Il me dit que René n'est pas arrivé encore, mais que Céline est prête à me recevoir. J'entre dans le palais. Tout est en colonnes et en marbre. C'est beau. On est loin de *La Petite Vie.* Céline est dans le salon. Elle nous fait signe de venir la rejoindre. Elle m'embrasse. Me sourit. Me demande si je veux quelque chose à boire. Je ne réponds pas tout de suite. Je suis sous le choc. Foudroyé. Je n'en reviens pas. Il y a quelques minutes, elle avait Las Vegas à ses pieds. Elle chantait *My Heart Will Go On.* Elle était la *queen of the world.* Et là, elle est dans son salon. Toute simple. Toute gentille. Toute vraie. Et en plus, contente de me voir. Si toutes les étoiles étaient comme Céline, le monde serait plus brillant.

Elle demande à Martin d'aller chercher René. Il est au casino en train de jouer. Ça m'angoisse un brin. René n'appréciera peut-être pas de se faire déranger en pleine partie. Il risque de ne pas être dans les meilleures dispositions pour entendre mes petites blagues. Elles sont mieux d'être bonnes ! En attendant, Céline s'assoit sur le tapis et se verse une tasse de thé. Sa sœur Manon vient me porter un *Coke*. J'ai l'impression de faire partie de la famille !

René arrive. Il a l'air épuisé. Ça doit jouer fort en bas ! Là, c'est à mon tour de jouer. *Let's go* Stéphane, t'es capable ! Soudain, mon trac fout le camp. Et ma confiance prend le dessus. Je suis sûr que mon idée est bonne. En imitant Moman, Céline va démontrer, une fois de plus, à tous les Québécois, que malgré ses succès planétaires, elle est toujours la petite fille de chez nous. Et qu'elle rit avec nous. Comme un membre de la famille. Ce qu'elle ne cessera jamais d'être. Parce qu'elle nous aime. Vraiment. J'explique le concept du numéro à Céline et René. Ça semble leur plaire. Même s'ils ne connaissent pas beaucoup *La Petite Vie*. Que voulez-vous, le lundi soir, Céline est occupée à recevoir des Oscars ! René me dit : « C'est un bon *flash*, mais l'important, c'est le texte. » Comme toujours, il a raison. Je sors mes feuilles de l'enveloppe. Ma main tremble un peu. Imitant tant bien que mal les voix de Popa et Moman, je leur lis mon sketch :

« POPA : On est à un gala, faque bonsoir les galeux et les galeuses ! »

J'entends Céline rire. Et René aussi. Ça me met en confiance. Je continue…

« PÔPA : Hé baptême, oussé qu'a l'est encore elle ! Moman ! Moman ! »

Entrée de Céline en Moman. Toute excitée.

MOMAN : J'arrive Ti-Mé ! J'arrive !

POPA : J'te regarde là, Moman. On t'a-tu déjà dit que tu ressemblais à Céline Dion ?

MOMAN : Non, toi, on t'a-tu déjà dit que tu ressemblais à René Angélil ?

POPA : Oui, mais en plus jeune ! »

Je lève les yeux pour voir si René l'a trouvée drôle. On ne sait jamais, je suis peut-être congédié. Il sourit. Fiou ! J'enchaîne :

« POPA : D'ailleurs, j'ai décidé de devenir un René Angélil ! De voir grand ! De voir *big* ! *I'm the Popa of the world* ! Voilà pourquoi cher milieu, et cher derrière aussi, je suis venu vous annoncer officiellement ce soir que je suis dorénavant le gérant de Moman. Parce tant qu'à être poigné avec une femme, aussi ben faire de l'argent avec ! »

Là, il faut que j'arrête. Parce que Céline et René rigolent trop. René en pleure même. Moi, je souris. Je suis heureux. J'ai passé l'audition. Je termine la lecture du numéro. Soulagé. Céline me fait un clin d'œil, puis elle se met à imiter les gestes de Moman. Elle l'a déjà ! René me dit : « C'est correct, champion. Ça va être un *hit* ! » Quand René Angélil vous dit ça, il a une telle intensité dans le regard, une telle conviction, que vous ne pouvez pas faire autrement que d'avoir confiance. Que d'y croire. Céline est chanceuse d'avoir ce regard-là sur elle.

Je sors de leur *penthouse*. Je ne marche pas, je vole ! Une foule en délire ne vient pas de m'applaudir. Pourtant, c'est tout comme. Deux personnes exceptionnelles m'ont fait sentir qu'elles appréciaient ce que je faisais. C'est la dose d'amour qu'un petit auteur a besoin. Merci Moman Céline ! Merci Popa René !

Le René Lecavalier du hockey bottine

Un mercredi, un peu passé 16 h. Les élèves de la 3ᵉ année C de l'école Notre-Dame-de-Grâce se préparent à jouer un match de hockey bottine. Marc Côté et Charles Desserres, les deux capitaines, choisissent leurs équipiers.

« Je prends Lacoste !

— Je prends Landry !

— Je prends Carrière !

— Je prends Brisson !

— Je prends Canuel !

— Je prends Favreau !

— Je prends Diaz !

— Je prends Lafortune !

— Je prends Gauthier !

— Bon ben, je prends Laporte. »

Je suis encore choisi le dernier. Mais au moins, je suis choisi. Des fois, j'ai peur qu'ils ne me nomment même pas. C'est pas que je suis pourri. J'ai un tir précis. Mais j'ai pas beaucoup d'équilibre. J'arrête pas de tomber sur le derrière.

Un vrai Réjean Houle !

Je m'en vais rejoindre mon équipe. Celle de Desserres. Je m'installe à l'aile gauche. Et la partie commence. Côté l'envoie à Carrière qui lance sur notre gardien, le grand Lafortune. Landry s'empare du retour et la passe à Desserres qui me la remet. Je cours de toutes mes forces à l'aile gauche et je laisse partir un tir. Qui touche précisément le poteau ! Un vrai Réjean Houle, que je vous dis ! Lacoste reprend la balle et décoche un tir de loin. Qui fait son chemin entre toutes nos jambes et tous nos bâtons. Un à zéro pour l'équipe à Côté. Je suis déçu. J'ai manqué mon coup. Je me replace à l'aile gauche. La partie recommence. Desserres s'empare de la mise au jeu et la refile à Landry. Il déjoue tout le monde, se retrouve seul devant le gardien adverse. Qui fait l'arrêt. Et dégage son territoire. Le dégagement se rend jusque dans nos buts. La balle ne roule pas pour nous autres ! 2 à 0. Il faut que je fasse quelque chose. Comme ferait mon idole, Jean Béliveau. Je donne un petit coup de bâton à chaque joueur de mon équipe. En leur disant : « Lâchez pas ! » Comme Béliveau fait. Desserres me remet la balle. Je déjoue Diaz. Comme Béliveau. Puis je déjoue Canuel. Comme Béliveau. J'arrive tout seul devant le gardien. Comme Béliveau. Et je tombe par terre. Pas comme Béliveau. Carrière reprend la balle, il la passe à Côté qui tire entre les deux jambes de Lafortune. 3 à 0. Notre équipe est découragée. Il faut que je me rende à l'évidence. Même au hockey bottine, je ne serai jamais comme Jean Béliveau.

Mais j'ai une autre idole. René Lecavalier. Pour moi, sa voix, c'est le bonheur. Quand Béliveau compte un but et que Lecavalier crie « Il lance et compte ! », je ne peux pas être plus heureux. Ça me procure une telle joie que je ne dissocie pas celui qui fait l'exploit de celui qui le décrit. J'ai même l'impression que si Béliveau comptait sans que Lecavalier crie « Il lance et compte ! », le but ne serait pas bon. J'ai même l'impression que ce n'est pas parce que Béliveau vient de compter un but, que Lecavalier crie « Il lance et compte ! » mais c'est parce que Lecavalier crie « Il lance et compte ! » que Béliveau compte un but. Dans mon cœur, Béliveau et Lecavalier sont indissociables.

Si je ne peux pas être comme Béliveau, je serai donc comme Lecavalier. Je me réinstalle à l'aile gauche. Le match recommence. Je me mets à le décrire tout en jouant.

« Et là, c'est Desserres qui s'empare du disque, il le remet à Landry qui tricote un peu avec la rondelle. Avant de feinter devant Diaz... »

Les gars ne me disent pas de me taire. Les gars aiment ça. Ils se sentent comme leurs héros. Maintenant, chacun de leurs gestes compte puisqu'il est commenté. Tout devient vrai. Je continue...

« Et là, oh ! C'est Laporte qui s'empare de la rondelle, il déjoue Canuel avec brio, la remet à Landry qui lance et compte ! Quel beau but ! Quel exploit ! »

Mes commentaires semblent avoir réveillé mes coéquipiers. Ils m'ont même réveillé, moi. Je ressemble plus à Béliveau depuis que je fais la voix de Lecavalier.

« Et on est prêts pour la mise au jeu opposant nos deux valeureux capitaines, Marc Côté et Charles Desserres. C'est Côté qui la remporte. Il envoie le disque au fond de la zone adverse. Ça bourdonne dans tous les sens. Landry la reprend, de belle façon, refile le disque à Desserres qui virevolte sur lui-même. Il déjoue deux hommes. Décoche un boulet. Et c'est le but ! Admirons la reprise ! »

Même si je n'ai rien fait, à part décrire l'action, Desserres me saute dans les bras. Nous sommes de retour dans le match ! Depuis que je suis Lecavalier.

« 3 à 2. Quel match, mes amis ! Quel suspense ! Quel scénario ! Côté s'empare du disque... tente de déjouer Laporte. Mais Laporte tient bon ! Soutire la rondelle à Côté avec doigté. Il déjoue Diaz avec panache. Il fonce devant le cerbère adverse, tombe par terre, mais la rondelle poursuit son chemin... et c'est le but ! Quelle grâce ! Quelle finesse, ce Laporte ! »

Je me suis porté moi-même ! Je suis sûr que si je n'avais pas fait Lecavalier en même temps, je n'aurais jamais compté. C'est 3 à 3. Mais il n'y aura pas de supplémentaire. Il faut rentrer souper. Sinon, nos mères vont être fâchées. On se reprendra demain...

Jeudi, un peu passé 16 h. Les élèves de la 3e année C de l'école Notre-Dame-de-Grâce se préparent à jouer un autre match de hockey bottine. Marc Côté et Charles Desserres, les deux capitaines, choisissent leurs équipiers.

« Je prends Lacoste !
— Je prends Landry !
— Je prends Carrière !
— Je prends Laporte ! »

Pour une fois, je ne suis pas choisi le dernier ! Je suis le quatrième ! Les gars ne sont pas fous ! Ils savent qu'ils ont plus de chances de gagner quand Lecavalier est de leur côté !

En ce dimanche matin, le petit gars de 7 ans que je suis toujours tenait à dire à Monsieur Lecavalier, qui nous regarde sûrement de la grande passerelle d'en haut, merci. Merci beaucoup.

ঀৡৢ

Le bâton de pop-sicle

« O uvre la bouche grand ! »
Je ne veux pas. Il n'en est pas question.

Le médecin insiste :

« Ouvre la bouche ! »

Non. Le médecin regarde ma mère. Elle s'approche de moi :

« Stéphane, t'as mal à la gorge, faut que le médecin la voie. Ouvre ta bouche. »

Je suis bien élevé. Je suis un enfant qui écoute sa mère. J'ouvre la bouche. Un peu. Le médecin glisse son petit bâtonnet, m'écrase la langue et dit :

« Fais *Aaaah...* »

Pas besoin de me le dire. Je fais *Aaaah !* de toute façon. Un *Aaaah !* de douleur. J'haïs ça. La sensation du bâtonnet dans ma bouche, je ne suis pas capable. J'ai l'impression d'étouffer, de vomir, d'être attaqué. Le médecin poursuit son examen. Son bâtonnet me touche presque la luette. Je n'en peux plus. Je referme ma bouche. Les doigts du médecin y sont encore. C'est lui qui fait *Aaaah !*

« Excusez...

— Stéphane, voyons, pauvre docteur...

— C'est à cause du bâton de *pop-sicle*... »

J'appelle ça le bâton de *pop-sicle*. Parce que c'est comme un bâton de *pop-sicle*. Le problème, c'est qu'il n'y a pas de *pop-sicle*, juste un bâton dur et sec.

Le médecin se lave les mains. Ma mère a honte. Mais elle me comprend. Elle sait que je suis traumatisé par le petit bâton. Chaque fois qu'on va chez le médecin, je lui demande : « Il ne va pas mettre son bâton de *pop-sicle* dans ma bouche ? » Elle ne répond pas. Et chaque fois, que je sois devant lui pour mon nez, mes yeux, mon genou ou mon pied, le docteur me rentre son bâton de *pop-sicle* dans la bouche. Ça dure une minute. J'ai l'impression que ça dure 10 ans.

Ma mère a eu beau me dire qu'il n'y avait rien là, qu'il fallait que j'arrête de faire le bébé, que ça ne faisait pas mal, chaque fois que le médecin insérait son bâtonnet, c'était toujours un drame.

Aujourd'hui encore, j'haïs ça. Je sais bien qu'il y a des examens médicaux bien pires que celui-là. Les prises de sang, le lavement baryté, le toucher rectal, mais le *Aaaah !* reste toujours pour moi un mauvais moment à passer. Au point que l'été, lorsque, sous un chaud soleil, je mange un *pop-sicle* à la banane, aussitôt qu'il est terminé, je me dépêche de jeter le bâtonnet. Sa vue me rappelle trop de mauvais souvenirs.

Je pensais que je n'étais pas normal. Trop douillet. Un peu timbré. Jusqu'à dimanche dernier.

Dimanche dernier, j'étais debout à 6 h du matin pour savoir si c'était vrai. Si les Américains avaient vraiment capturé Saddam Hussein. J'attendais impatiemment de le voir. Et vers 7 h, je l'ai vu. C'était lui. Dans ma télé. En gros plan. En train de se faire examiner par un médecin de l'armée. Le médecin cherchait des poux dans ses cheveux. Puis il lui examinait la bouche, avec un bâton de *pop-sicle*. C'est tout ce qu'on a vu de Saddam. Mais on l'a vu beaucoup. Au moins 10 000 fois durant la journée. Toujours la même minute. Saddam en train de se faire chercher des poux dans les cheveux. Saddam, la bouche ouverte, en train de se faire rentrer un bâton de *pop-sicle*. Saddam en train de se faire chercher des poux dans les cheveux. Saddam, la bouche ouverte, en train de se faire rentrer un bâton de *pop-sicle*. Saddam en train de se faire chercher des poux dans les cheveux. Saddam, la bouche ouverte, en train de se faire rentrer un bâton de *pop-sicle*. *Non-stop*, durant 24 heures. C'est comme ça que l'Amérique voulait qu'on voie le grand dictateur. On aurait pu nous le montrer en train de se faire fouiller, en train de se faire prendre ses empreintes, en train d'être interrogé. Non, on a voulu nous le montrer en train de dire *Aaaah !* pendant qu'un médecin lui enfonce un bâton de *pop-sicle* dans la bouche.

Ce fut une illumination ! J'ai compris que j'avais donc eu raison durant toutes ces années d'haïr ça. Les Américains n'ont pas choisi ces images au hasard. C'est parce qu'il n'y a rien de plus humiliant que ce maudit examen-là. T'es là, la bouche ouverte, les yeux étirés, y a quelqu'un qui est à deux doigts, c'est le cas de le dire, de te faire vomir, et tu te laisses faire. C'est ça le pire : tu te laisses faire. Je vous l'accorde, l'examen de la prostate, c'est pas plaisant non plus. Mais au moins, t'as pas le médecin devant ta face. Il est occupé ailleurs. Tu peux serrer les dents et lâcher un sacre. Mais là, le médecin est à deux centimètres de ton visage. Tu peux juste dire *Aaaah !* Rien d'autre que *Aaaah !*

Ça se passe dans l'orifice d'où sortent les paroles, les idées, les revendications. Ça se passe dans l'orifice de la liberté. Et tu n'en as plus la maîtrise. Tu es comme un cheval, comme un esclave au marché.

On aurait montré Saddam en train de se faire battre par trois soldats, cela aurait été moins humiliant. Se faire examiner la bouche avec un bâton de *pop-sicle* sans *pop-sicle*, c'est le bout de la servilité. C'est ça que j'haïssais quand j'étais petit. Inconsciemment. C'est ça que j'haïs encore. Mais faut bien le faire, c'est pour notre santé. Désormais, chaque fois que je vais subir cet examen, je vais penser à Saddam. Et je vais me dire qu'au moins, moi, il n'y a pas 6 milliards de personnes en train de me regarder faire *Aaaah!*

Pour ce qui est de Saddam, des traitements encore pires l'attendent. Il va être la grande vedette du *reality show* de CNN durant les prochains mois. Ils ont déjà transformé son allure. Fini son *look* Doc Mailloux, ils l'ont remis en Hussein. Dans son cas, l'expression *candidat en danger* va prendre tout son sens. Et l'expression *élimination* aussi. Au moins, il n'a pas l'air d'avoir d'amygdalite.

Joyeux Noël, chers lecteurs! Je vous souhaite de donner et de recevoir beaucoup d'amour. C'est pour ça qu'on est là.

Noël grand

C'est la veille de Noël. Il est 21 h. J'arrive chez mes parents. Comme tous les ans. Je m'assois dans le salon. Avec mon père, ma mère et ma sœur. On s'est tous mis beaux. Mon père a mis un veston. Ma mère, une nouvelle robe. Ma sœur, des nouveaux souliers. Et moi, un beau pantalon. Le feu danse dans la cheminée. Les cadeaux sont sous l'arbre. La radio joue des cantiques. Et l'odeur du réveillon de maman embaume la maison. Tout est là. Pourtant, j'ai comme une petite boule dans la gorge. Pas une boule de Noël. Non, une boule de peine. Pas la grosse peine. Qui fait pleurer. Non, la toute petite peine. Celle qui reste au fond des yeux. Comme un voile. Et je vois bien que mon père, ma mère et ma sœur l'ont aussi dans leur regard. Pourtant, on est ensemble. Pourtant, on est heureux. C'est Noël. Tout est là. Mais ce n'est plus comme avant. Il manque l'essentiel. Il manque des enfants. Nous sommes en train de vivre un Noël grand. Un Noël sans petit. Un Noël gris.

On ne se le dit pas. Pour ne pas gâcher la soirée. On fait comme si de rien n'était. Mais ça se sent. La veille de Noël, mon père et ma mère s'ennuient des enfants que ma sœur et moi étions. Et on s'en ennuie, nous aussi. De ces enfants, qui couraient dans le salon. De ces enfants, qui voulaient toujours ouvrir les cadeaux. De ces enfants, aux yeux tout grands, parce qu'ils venaient de trouver une canne dans leur bas. De ces enfants, aux yeux tout petits, parce qu'ils avaient veillé tard, dans l'espoir de voir le père Noël. De ces enfants émerveillés, que nous ne sommes plus.

On s'ennuie aussi des enfants que ma sœur et moi pourrions avoir. Ce serait si merveilleux de voir nos rejetons courir dans le salon. Vouloir ouvrir les cadeaux. Les yeux tout grands parce qu'ils viennent de trouver un *Nintendo* dans leur bas. Les yeux tout petits parce qu'ils ont veillé tard dans l'espoir de voir la *Spice Girl* de Noël ! On revivrait tous, grâce à eux, un Noël d'enfant. Un Noël d'antan. Le vrai de vrai. Mais ma sœur et moi, on n'a pas de mômes. Pas encore, du moins. Mon frère, lui, en a. Mais il est chez lui. Au Nouveau-Brunswick. Avec ses quatre belles petites filles. Ils seront à Montréal la veille du jour de l'An. Pas avant. En attendant nos petites princesses, on fête quand même. Entre grands. Mais ce n'est pas pareil.

On a fini de manger les canapés. On a parlé des vacances. Du travail. Des élections. Pis encore du travail. On ne sait plus trop quoi faire. Pour que la soirée ressemble à Noël. Pour qu'elle ne ressemble pas au 8 février. On décide donc de se donner nos cadeaux. Même s'il n'est pas encore minuit. Même s'il est juste 22 h.

Ma mère m'offre des beaux gants. Je lui demande où elle les a volés. On rit. Mon père ouvre une boîte de chocolats aux cerises. Comme tous les ans. Ma mère déballe un foulard. Et ma sœur, une chemise en polar. Tout le monde est content. On ramasse les papiers d'emballage déchirés. On les jette à la poubelle. Le salon est bien propre. Un Noël de grands. On mange la fondue au fromage en regardant le Pape réciter la messe. Son Jean-Paul a l'air pas mal fatigué. Nous aussi.

À 23 h précises, le téléphone sonne. Ma mère court répondre. Ce sont les filles de mon frère qui appellent pour souhaiter Joyeux Noël. Au Nouveau-Brunswick, il est une heure plus tard. Il est minuit. C'est Noël ! À tour de rôle, elles parlent avec leur grand-mère, leur grand-père, leur tante et leur oncle. Marjolaine, Valérie, Gabrielle et Geneviève nous racontent les cadeaux qu'elles ont reçus. Et ceux qu'elles ont fait elles-mêmes pour leurs parents. Elles nous parlent de leurs bonshommes de neige et de leurs cours de patinage artistique. On est là, au bout du fil, tellement heureux de les entendre, on se croirait dans une publicité d'interurbain pour *Bell*. Il n'y a plus de voile dans nos yeux. Il y a une étoile. Soudain, dans le salon chez mon père, il y a quatre enfants : mon père, ma mère, ma sœur et moi. C'est Noël à Montréal aussi. Même s'il n'est pas encore minuit.

On raccroche. Et on passe le restant de la veillée à se raconter ce que chacune des petites filles nous a dit. Le pire, c'est qu'elles nous ont toutes dit la même chose !

Une heure du matin. Je monte dans ma voiture. Je rentre chez moi. Et je réalise que je suis un con. Avec ma nostalgie des Noëls de mon enfance. Un jour, le Noël que je viens juste de vivre, me manquera terriblement. Le jour où l'une des personnes que je viens de quitter n'y sera plus. Cette veille de Noël-là, je pleurerai en pensant à mon père, ma mère ou ma sœur. Et je me dirai comment il était beau le Noël où nous étions tous ensemble. Et je donnerai tout pour pouvoir reculer le temps. Et y être transporté. Aujourd'hui, j'y étais. J'aurais peut-être dû en profiter.

On est tous des Bing Crosby. On vit tous Noël dans le passé. Alors que le plus beau Noël, c'est celui du présent. Ça fait longtemps que les enfants ont compris ça...

Je vous souhaite le plus beau Noël de votre vie.

એ~ક

Le 14 mars 2004

La vengeance est un buffet à volonté

On joue au hockey dans la cave. J'essaie de déjouer mon frère. Je feinte à gauche. Erreur. Il me ramasse avec sa cuisse. Comme Bobby Baun a ramassé Serge Savard samedi dernier. Je fais un vol plané et ma tête se cogne contre le tuyau de la fournaise. Je tombe au sol, assommé. Mais plus frustré qu'assommé. Je perds 5 à 0. Je suis tanné. Je me relève. Je donne un coup de hockey sur les jambes de mon frère. Il m'en donne un sur l'épaule. Je lui en donne un sur le ventre. Il m'en donne un lui aussi. Je lui crie : « Es-tu fou ? ». Il me répond : « C'est toi qui es malade ! » Et on se bat avec nos bâtons comme si c'était des épées. Ça fait un boucan d'enfer.

Ma mère descend l'escalier : « Les gars, arrêtez ! Arrêtez ! » On continue. Ma mère monte le ton :

« Bertrand, arrête !

— C'est Stéphane qui a commencé !

— Stéphane, arrête !

— C'est pas vrai, c'est Bertrand ! »

Mon frère me donne un petit coup de hockey derrière le mollet. Je fais la même chose. Alors ma mère dit : « Que le plus fin des deux arrête ! »

Ce n'est pas la première fois qu'on l'entend, celle-là. Chaque fois que je me chicane, que ce soit avec mon frère, ma sœur ou un ami, ma mère finit toujours par lancer ce défi. Que le plus fin des deux arrête. Avec moi, ça fonctionne. Un peu. J'haïs pas ça, me croire le plus fin. Alors j'arrête. Et je me sens, durant quelques secondes, comme un héros. Comme un saint. Mon frère aussi y pense, à être le plus fin. Mais il est plus vieux. Et ça ne le tente pas tant que ça, d'être un saint. Il sait qu'il y a mieux à faire. Alors il profite de ma passivité soudaine. Il me donne deux petites *bines* sur l'épaule. Je ne serai pas le plus fin longtemps. Je lui en donne deux moi aussi, tout en criant à réveiller les morts. Ça réveille mon père, justement, qui dormait sur le canapé du salon. Il ne se lève pas. Il fait juste dire : « C'est assez ! »

La chicane vient de finir. Quand mon père dit : « c'est assez », il n'y a plus rien qui se passe. La voix de mon père, c'est la plus efficace de toutes les armes de destruction massive. C'est une arme de persuasion massive. De mémoire, jamais on n'a continué après que mon père a dit « c'est assez ». Je pense que même ben Laden n'aurait pas continué.

Mon frère monte dans notre chambre. Moi, je reste en bas et je lance des rondelles dans le filet vide. Ma mère me dit :

« Apprenez donc à jouer ensemble sans vous chicaner. C'est très laid, se donner de coups de bâton.

— C'est sa faute, il m'a plaqué trop fort !

— Au lieu de lui donner un coup de bâton, dis-lui : "Bertrand, tu m'as plaqué trop fort." »

Pauvre maman. Elle ne comprend rien au hockey. Si j'avais dit à Bertrand « Hey, tu m'as plaqué trop fort », il se serait tordu de rire. Et il m'aurait encore pincé de la même façon quand j'aurais essayé de le contourner. Y a juste une manière de convaincre l'adversaire de ne pas te frapper, c'est de le frapper plus fort. Sauf que l'adversaire pense la même chose. Alors ça ne finit plus. Et c'est pas juste au hockey que c'est comme ça. C'est ainsi partout.

La vengeance est le fil conducteur de l'histoire de l'humanité. L'homme n'a jamais cessé de vouloir se venger. Il se venge sur son agresseur. Et souvent, il se venge sur n'importe qui. Sur celui qui passait par là. Sur celui qui prenait le train. C'est plus facile. Et ça soulage presque autant.

Regardez tout ce qui s'est passé de violent cette semaine, et vous verrez que c'est la vengeance qui a dicté toutes ces histoires. Que ce soit Bertuzzi ou l'Espagne, les drames familiaux ou le Proche-Orient. On se venge de nos blessures en blessant à notre tour. C'est comme un réflexe. Au fond, si ça va mal dans le monde, c'est la faute de l'homme préhistorique qui a donné la première claque sur la gueule à son prochain. Son prochain n'a pas aimé ça et il lui en a donné une aussi. Et ils se sont vengés l'un de l'autre, sans arrêt, jusqu'à ce qu'il y en ait un qui meure. Puis le fils a voulu venger son père. Et il a tapé sur le fils de l'autre. Qui ne l'a pas pris. Alors il s'est vengé.

Et depuis ce temps, la chicane est pognée. Les humains passent leurs journées à se venger. La vengeance n'est pas un plat qui se mange froid. La vengeance est un buffet à volonté. On en mange jusqu'à ce qu'il n'en reste plus. Mais il en reste tout le temps.

Si ma mère arrivait au beau milieu de la chicane entre Bush et ben Laden et leur disait : « Que le plus fin des deux arrête en premier », celui qui arrêterait se ferait bouffer par l'autre. Comme Sylvester croquant Tweety Bird. C'est pour ça que les haines ancestrales ne se règlent jamais. La vengeance est un instinct de survie. Il faudrait que tout le monde comprenne en même temps. Que tout le monde veuille être le plus fin.

Ou il faudrait que les humains se chicanent tellement fort que ça réveille Dieu et qu'il nous dise : « C'est assez ! » Là, on figerait. Le problème de Dieu, c'est qu'il a le sommeil profond. Les cris de tous les massacres, de tous les génocides, de tous les attentats ne l'ont pas encore réveillé.

S'il dort si dur, c'est parce qu'il est en nous. Au fond de nous. Au fond du fond. En dessous de tout ce qu'on a de pas fin. En dessous de toutes nos vengeances accumulées. C'est assez pour avoir les oreilles bouchées.

Le lac des Français

C'est le dernier dimanche du mois d'août. On quitte le lac des Français. On retourne en ville. Les vacances sont finies. Mon père est en train de mettre les valises dans l'auto. Avec l'aide de mon frère et de ma sœur. Ma mère est retournée voir si on n'a rien oublié dans le chalet. Mon oncle Yvon, ma tante Pierrette et ma cousine Violaine sont déjà dehors, prêts à nous envoyer la main. Moi, je ne suis pas là. Je suis au bord de l'eau. Avec mon cousin Martin. On joue. On s'amuse. Jusqu'à la dernière seconde.

« Stéphane, c'est l'heure de partir ! » C'est la voix de ma maman.

« Martin, viens dire bonjour ! » C'est la voix de ma tante Pierrette.

Faudrait bien les écouter. Mais on n'a pas envie de se séparer. Parce qu'on est inséparables, Martin et moi. Depuis qu'on est petits qu'on passe nos étés ensemble. Au chalet de son papa, mon oncle Yvon. On ne se chicane jamais. On s'amuse tout le temps. On a tous les deux le même âge. Huit ans. On joue à Batman. On joue à Tarzan.

On joue à Michel Vaillant. On est toujours, tous les deux, du même côté, dans nos histoires inventées. Jamais l'un contre l'autre. Quand je suis Batman, il est Robin. Le meilleur ami de Batman. Quand je suis Tarzan, il est Jaye. Le meilleur ami de Tarzan. Quand je suis Michel Vaillant, il est Steve Warson. Le meilleur ami de Michel Vaillant. Les méchants, ce sont les hiboux, les têtards et les mouches noires. Jamais nous. Et on les affronte ensemble. Et on gagne. Tout le temps.

« Stéphane, dépêche-toi, c'est assez ! » Ma mère s'essaie encore.

« Martin, ramène ton cousin ! » Ma tante Pierrette s'essaie, elle aussi.

Mais on n'a pas fini notre histoire. On est à la veille de marcher sur la Lune. On a vu les grands le faire au mois de juillet. C'est notre tour. Moi, je suis Armstrong. Et Martin est Aldrin. Le lac des Français est l'univers. Et le rocher là-bas, qui sort de l'eau, c'est la Lune. Il suffit de s'y rendre. Il suffit de traverser l'univers. À bord de notre fusée, un matelas pneumatique. On approche. Comme, je suis Armstrong, c'est moi qui vais marcher le premier sur la Lune. Je le sais, j'ai toujours le beau rôle. Je suis toujours Batman, Tarzan, Michel Vaillant. Et mon cousin Martin joue toujours les seconds. Robin, Jaye, Steve Warson. Mais ça ne lui fait rien. Martin, il est fin. C'est un ange. Il est au-dessus de ça. Il se fout des rôles. Il aime les histoires que j'invente. Alors, il accepte le rôle que je lui donne. D'abord que l'histoire est bonne. D'abord que ça le fait rêver. Si Martin n'avait pas voulu jouer mes petites mises en scène, peut-être que je serais comptable, aujourd'hui. Pas auteur. Merci Martin...

On est presque arrivés sur la Lune. Si on rame encore quelques coups avec nos mains, notre fusée va pouvoir s'y poser. Je répète ma phrase historique. « Un petit pas pour l'homme, un bond de géant pour l'humidité. » J'ai mal compris ce que le vrai Armstrong a dit. Humanité, humidité, après tout, c'est presque la même chose ! Nous voilà rendus au bord du rocher. Je ramasse notre petit drapeau blanc.

« Stéphane, je vais venir te chercher ! »

« Martin, je m'en viens ! »

Cette fois, on dresse l'oreille, car c'est la voix de nos pères !

« On arrive papa, on arrive ! »

Mais on n'a pas le temps d'arriver, nos pères sont déjà là. Mon oncle Yvon et mon père tirent le matelas pneumatique vers eux. Ils nous ramènent vers la berge. On se débat. Mais ils sont plus forts que nous. Plus forts que notre fusée. Alors Martin et moi, on fait ce que sûrement Armstrong et Aldrin auraient fait si, si près du but, la NASA les avait forcés à rebrousser chemin. On se met à pleurer. Fort. Très fort.

Ma mère me dit d'aller enlever mon costume de bain. Je ne peux pas entrer mouillé dans l'auto. Je ne veux pas. Ma mère me l'enlève elle-même. Et elle m'enfile mon pantalon. Je suis sec. Mon cousin Martin, lui, peut garder son maillot, sa famille ne rentre en ville que ce soir.

Je monte dans l'auto pour rejoindre Bertrand et Dominique, en arrière. Je pleure toujours. Ma mère me dit de dire merci à mon oncle et ma tante. Pour les belles vacances. Et de saluer ma cousine Violaine et mon cousin Martin. Mais je ne peux pas. Je pleure trop. Ma tante Pierrette dit à Martin d'embrasser son oncle et sa tante.

Et de saluer sa cousine Dominique et ses cousins Bertrand et Stéphane. Mais il ne peut pas. Il pleure trop. Mon père démarre. On est partis. J'arrête lentement de pleurer. Mais je continue d'être triste. Je m'ennuie déjà de Martin. J'ai hâte à l'an prochain. Pour jouer avec lui.

Je ne sais pas qu'à partir de l'été prochain, on va passer nos vacances à Kennebunk. Que je ne verrai plus mon cousin Martin que lors de quelques rares fêtes de famille. Je ne sais pas qu'on ne passera plus jamais des semaines à jouer ensemble. Je ne sais pas que nous allons vieillir. Et ne presque plus nous voir. Je ne sais pas qu'une vingtaine d'années plus tard, Martin va même mourir. Trop jeune. Sans qu'on ait eu le temps de se dire aurevoir. Sans qu'on ait eu le temps de marcher sur la Lune...

Je ne sais pas encore qu'aucun tandem n'est inséparable. Pas même Batman et Robin. Pas même Stéphane et Martin.

L'auto s'éloigne du lac des Français. L'été est fini...

இ∾ை

Les insolences d'une caméra

Là, ça va faire ! Y a un bout à tout. Qu'on torture, enca-goule, humilie, frappe, brûle, électrocute et sodomise des prisonniers de guerre, on peut toujours vivre avec ça. D'abord qu'on ne le sait pas. C'est pas gentil, mais c'est la tradition. Ça s'est toujours fait. Depuis la guerre de Troie. C'est sûr que c'est révoltant, mais tant qu'on ne nous le montre pas, on ne se révolte pas pour ça. On se révolte pour le prix de l'essence. Ça nous touche plus.

Mais cette fois, les Américains sont allés trop loin. Parce que non seulement ils ont torturé, encagoulé, humi-lié, frappé, brûlé, électrocuté, sodomisé les prisonniers irakiens, mais ils les ont photographiés ! Pho-to-gra-phiés ! Ça, c'est effrayant ! Ça, c'est immonde ! Ça, ça vient nous chercher.

Parce qu'on haït tous ça, se faire photographier quand on n'est pas à son avantage. Quand on va dans une soirée pis que le *kid Kodak* de service sort son appareil, ça nous tombe sur les nerfs pas à peu près. On n'a pas envie que quelqu'un immortalise notre double menton, notre bedon ou nos yeux pochés. *Live*, c'est pas si pire, parce qu'on a d'autres bons côtés et que notre charme opère. Mais sur une photo, le charme n'opère pas. On ne voit que le défaut. Surtout que le *kid Kodak* de service n'est pas David Hamilton. Alors c'est sûr que notre double menton va avoir l'air quadruple. Et non seulement le *kid Kodak* prend toujours l'angle qui nous déforme le plus le visage, mais il choisit toujours le moment qui nous désavantage. Y a-t-il quelque chose de plus humiliant qu'une photo de soi les yeux fermés, la bouche ouverte, le dentier *lousse* ? Non ! On a-tu hâte de la déchirer, la maudite photo ? Oui ! Et le double aussi ? Oui, oui !

L'appareil photo est vraiment une arme d'humiliation suprême. Prenez Gilles Duceppe. Gilles Duceppe, il était correct. Il visitait une fromagerie et il avait un bonnet en plastique sur la tête, comme tout le monde. Si personne ne l'avait pris en photo, il n'aurait jamais souffert de cet événement. Mais CLIC ! CLIC ! Et on ne le prendra jamais plus au sérieux. C'est dévastateur, une photo.

Nous vivons à l'ère de la dictature photographique. C'est rendu que même les téléphones sont des appareils photo. Vous voyez quelqu'un parler au cellulaire sur le trottoir. Vous n'en faites pas de cas. Vous continuez à vous gratter le nez. Il ne parle pas au téléphone. Il est en train d'envoyer votre bouille les doigts dans le nez à travers le cyberespace. Un gars à Tokyo est en train de se foutre de votre gueule. On n'est plus à l'abri nulle part. Même pas en prison.

Avant, quand on te tabassait en taule, personne ne te photographiait. Au contraire. La police ne voulait surtout pas qu'il traîne des preuves. Maintenant, c'est un photo-thon. On se croirait dans *Amélie Poulain*.

L'armée américaine a transgressé le droit de l'homme le plus important en 2004 : le droit à l'image. C'est inhumain de photographier des gens pendant leur torture, surtout si ce n'est pas le bon profil que l'on torture. Franchement, où se croient-ils ? À Disney World ? Un prisonnier irakien, ce n'est pas Mickey Mouse. Soyez discrets. Si vous tenez tant à ramener des souvenirs d'Irak, allez vous faire photographier dans le nid-de-poule de Saddam. Mettez-vous une perruque pis une barbe, ça, ça va faire rire les *chums*.

Le Pentagone a plaidé qu'ils n'avaient pas pris les photos pour le plaisir, pour en faire un diaporama ou un reportage dans *Vogue*. Non, c'était tout simplement une méthode d'interrogatoire. Les grands militaires ont pensé que ces photos inciteraient les prisonniers à parler. C'est pas du sadisme, c'est de la psychologie. Ils ne voulaient même pas vraiment les torturer. Ils voulaient juste prendre des photos d'eux en train d'être torturés. Nuance. Au fond, ils les torturaient juste pour la photo. C'était une mise en scène à la Spencer Tunick. Tout le monde tout nu. Dans six mois, on vous enverra une belle photo laminée, en vous indiquant où vous êtes dans la pyramide. C'est de l'art contemporain. L'art de l'interrogatoire. Une approche d'entrevue, quoi. La photo vous émeut, et vous vous mettez à parler. Bon, c'est sûr que si Paul Arcand utilisait les mêmes méthodes à son émission pour soutirer des confidences, il y aurait pas mal moins d'invités enclins à y aller. Mais les côtes d'écoute seraient très bonnes. Quatre millions, minimum !

Il me semble qu'il y a des limites à vouloir faire parler quelqu'un. On aurait bien aimé que Chuck Guité révèle plus de choses à la commission sur le scandale des commandites. Et peut-être que si on l'avait photographié nu avec son chapeau et ses bottes de *cow-boy*, il se serait mis à table. Mais on ne l'a pas fait. On sait vivre, au Canada ! Et il y a des choses qu'on ne veut pas voir. Surtout pas en trois exemplaires.

Chers Américains, il y a sûrement des façons plus humaines de délier la langue de l'ennemi. Prenez un verre ensemble. Parlez-lui de vos problèmes. Essayez les questions en rafale. Non, n'essayez pas les questions en rafale. Subtils comme vous êtes, vous risquez de trouer tout le monde.

Au fond, la meilleure façon de combattre les ravages de l'appareil photo, c'est la caméra. Combattre le feu par le feu. Le jour où la planète au complet sera comme le Quartier latin, il n'y aura plus de scandales. La police de Montréal a installé des caméras rue Saint-Denis pour surveiller les revendeurs de drogue. Installons des caméras partout. Dans chaque recoin de la Terre. Dans chaque palais. Dans chaque prison. Dans chaque maison. Et le soir, vous zappez. Vous voulez voir ce qui se passe au coin des rues Sainte-Catherine et Saint-Laurent, vous faites le 8 500. Vous voulez savoir ce qui se passe à Times Square, vous faites le 22 346. Dans la prison de Bagdad, vous faites le 113 676. Dans le bureau de Paul Martin, vous faites le 4 567. Chez votre voisin, vous faites le 115 678. Il n'y aura plus de cachettes. L'opinion publique saura tout. Toute la planète marcherait *drette*. Jusqu'à ce qu'elle se dégêne et oublie les caméras. Alors là, l'opinion publique ne saura plus où regarder. Il y aura trop d'horreurs à tous les postes. Et on constatera que c'est pourri de tous les côtés. Que les hommes passent leurs journées à faire mal à d'autres hommes. Mais en souriant pour la photo.

❧❧

Le 29 février 2004

Le jour des amis disparus

H uit heures trente.
Tous les élèves de la 2ᵉ année B de l'école Notre-Dame-de-Grâce sont à leurs pupitres. Encore un peu endormis. Le cours va commencer. Mademoiselle Lamoureux vient d'entrer :

« Bonjour, bonjour ! Savez-vous qu'aujourd'hui, c'est une journée très spéciale ? »

Marc, mon voisin de rangée, me regarde, perplexe. La belle Gabrielle me regarde aussi. Non, on ne sait pas. J'essaie de deviner. Pour impressionner Gabrielle. Je lève la main :

« C'est votre anniversaire ?

— Non, c'est pas ça. »

Je réfléchis et je lève la main de nouveau :

« C'est congé ?

— Ben non ! Vous êtes ici !

— Tout le monde rigole.

— Alors c'est quoi, Mademoiselle ?

— Nous sommes le 29 février. Normalement, le mois de février a 28 jours. Mais une fois tous les quatre ans, dans les années bissextiles, le mois de février a 29 jours. C'est une journée spéciale parce que c'est une journée très rare. La dernière fois qu'il y a eu un 29 février, c'était en 1964. Vous comprenez ? »

On comprend. C'est un peu ésotérique, mais on comprend. Ça nous fait une chose de plus à apprendre, c'est tout. On est habitués. Les adultes ont tellement le don de tout compliquer. Douze pouces pour un pied. La mer ne prend pas de e. Et février a 29 jours tous les quatre ans. C'est enregistré

« Maintenant, prenez votre devoir de mathématiques... »

Mlle Lamoureux poursuit son cours. Mais moi, je pense encore à cette drôle de date. Le 29 février. Ça me fascine. C'est seulement le deuxième 29 février de mon existence. Au premier, j'avais 3 ans. La vie pour moi se comptait en dodos. Maintenant, je suis grand. Je connais les jours. Et soudain en apparaît un que je ne connaissais pas. Le 29 février. La journée la moins usée...

Huit heures trente. Tous les élèves de la classe de 6e année de l'école Notre-Dame-de-Grâce sont à leurs pupitres. M. Poirier écrit la date au tableau en disant : « Trompez-vous pas, on est le 29 février, 1972 est une année bissextile. » Marc hausse les épaules. À 10 ans, que l'on soit le 29 février ou le 1er mars, on s'en fout, on a juste hâte d'être samedi. Soudain, j'ai une impression étrange. Je regarde autour de moi. Je pense à mon dernier 29 février. Tout le monde a tellement changé. Marc a grandi d'un pied. La belle Gabrielle n'est plus là. Elle est rendue dans une autre école. Moi, je commence à avoir du duvet en dessous du nez. Il y a un 29 février, on était des bébés. Maintenant, on est presque des ados. C'est bizarre, le 29 février...

Huit heures trente. Tous les étudiants du Collège de Montréal sont à leurs pupitres. C'est l'examen d'anglais. *Father Paul* distribue les copies. J'écris mon nom. Et la date. On est quelle date, déjà ? « N'oubliez pas, nous sommes le 29 février 1976. » *Father Paul* lit dans mes pensées. Un autre 29 février. Le quatrième de ma vie. Je suis toujours dans une classe. Mais tous les gens autour de moi sont différents. En quatre ans, l'univers s'est renouvelé. Marc et les autres ne sont plus là. La vie roule vite, le 29 février. Au prochain, je serai à l'université. Et tous les gens ici ne feront plus partie de ma vie. J'ai 14 ans et je viens de réaliser que le sable du temps me glisse des mains. Que l'on ne retient rien. Ni les jours. Ni les amis. Ni les amours.

Si on gardait les pages du 29 février de nos agendas, ça ne ferait pas un gros cahier. Une vingtaine tout au plus, si on se rend à 80 ans. En les relisant, on se rendrait compte combien ces journées se suivent sans se ressembler. Combien les rendez-vous changent. Et les gens à rencontrer.

S'il existe le jour du souvenir en novembre, il devrait y avoir le jour des retrouvailles en février. Le 29 février devrait être la fête des amis disparus. On devrait toujours passer le 29 février avec les gens avec qui on a passé le dernier. Le 29 février devrait être la journée de la constance. Un jour de la marmotte qui reviendrait comme les Olympiques. Un super grand *Claire Lamarche*. Tout le monde aurait congé. Comme je le souhaitais à 6 ans. Et on passerait la journée à se retrouver. Tous ces gens que l'on croise au hasard des circonstances et qui disparaissent dans l'oubli lorsque le vent change. Avec en eux une partie de nous. Le 29 février emprisonnerait le temps et les sentiments dans son espace. Le 29 février garderait le lien entre le passé et le présent.

Avec une journée rare, il faut faire quelque chose de rare.

Le 29 février, le jour des amis disparus. C'est une bonne idée. Maintenant, qui j'appelle pour que cette journée devienne officielle ? Pour qu'elle devienne fériée ? Jean Charest ? Je suis mieux de me dépêcher, ça m'étonnerait qu'il soit encore là le prochain 29 février !

꿩⁓꿩

Le troisième lundi d'avril

Avez-vous remarqué que Paul Martin a de drôles d'yeux, ces temps-ci ? Les yeux d'un homme hanté par une seule et même question : le printemps ou l'automne ? Peu importe ce dont il parle aux nouvelles, que ce soit de santé, de scandales ou de hockey, ce n'est pas à ça qu'il pense. Ça tourne dans sa tête. Le printemps ou l'automne ? Le printemps ou l'automne ? Quand déclencher les prochaines élections ? Tout ce qu'il dit, tout ce qu'il fait n'est au fond qu'un prétexte pour trouver une réponse à son dilemme. Le printemps ou l'automne ? Bien sûr, il aimerait tenir des élections le plus vite possible. Sortir de son état de Kim Campbell et devenir un premier ministre du Canada élu.

Mais pour devenir un premier ministre du Canada élu, il ne suffit pas de tenir les élections, il faut les gagner. Et c'est ça, son problème. Quand a-t-il le plus de chances d'obtenir les votes des Canadiens ? Quand les feuilles d'érable poussent ? Ou quand les feuilles d'érable tombent ? Quand le scandale des commandites est encore frais ?

Ou quand il est pourri ? (Quoiqu'il peut difficilement être plus pourri qu'en ce moment !) Stratégie, stratégie. Tous ses conseillers s'affairent à prendre le pouls de la population.

Le problème, c'est qu'ils sont censés être là pour gérer l'État, pas pour jouer les Nostradamus électoraux. Qui s'occupe de notre avenir pendant que le gouvernement libéral s'occupe du sien ? Personne.

C'est une des grandes failles de notre système parlementaire : laisser au gouvernement en place le choix de la date des élections. C'est absurde. C'est comme si le Canadien pouvait décider quand il affronte les Bruins. Quintal est blessé, Brisebois est fatigué, on va attendre un peu. En juillet, ça va être parfait. Y va faire chaud, les joueurs de Boston sont gros, y vont suer plus.

Voyons donc !

Au Canada comme au Québec, les élections doivent avoir lieu tous les quatre ans, mais on peut attendre cinq ans. Le gouvernement peut étirer son mandat. Je me demande ce qu'il arriverait si, après cinq ans, il n'y avait toujours pas eu d'élections. Quel jour le parti au pouvoir devient-il périmé comme un yogourt ? Et qui le sortirait de force ? La reine ? Le chef de police de Kanesatake ?

Heureusement, jusqu'à ce jour, aucun premier ministre ne s'est attaché sur sa chaise. Mais ils ont tous essayé de déclencher des élections au moment le plus opportun pour être reconduits. Pas reconduits comme lorsqu'on a pris un coup, mais reconduits au pouvoir. Et tous ces calculs sont des pertes de temps.

Dans ce dossier, on devrait faire comme les Américains. Les Américains ont des élections à date fixe. Tous les quatre ans, début novembre. Qu'en octobre on apprenne que ben Laden est caché dans le ranch de Bush, ou que

John Kerry soit pris en flagrant délit avec Janet Jackson, c'est pas grave, il va y avoir des élections en novembre quand même. Le président peut tout décider sauf ça. Le peuple lui a donné un mandat de quatre ans. Pas quatre ans et deux mois, pas quatre ans et demi, pas cinq ans moins trois jours. Quatre ans, c'est quatre ans. Je trouve que nos leaders ont déjà assez de choses à penser ; leur enlever ce souci-là va juste leur faire du bien. Ils vont avoir plus de temps pour penser à quelle agence de relations publiques donner notre argent.

Maintenant, ce n'est pas tout de dire que les élections doivent être à date fixe, il faut choisir la bonne. Mai ? Il commence à faire beau. On a juste envie d'être sur une terrasse. La campagne passerait dans le beurre. Juin ? C'est pire. Juillet ? On est tous à Old Orchard. Déjà que ce sont les Américains qui nous dirigent au fond, on n'est pas pour en plus voter chez eux. Août ? Les politiciens feraient une indigestion de blé d'Inde. Septembre ? C'est la rentrée scolaire. Pis toutes les bonnes émissions de télé reviennent en ondes, on n'est pas pour les annuler pour des débats plates. Octobre ? Faire du porte-à-porte à la pluie battante. Des plans pour que nos politiciens attrapent la grippe aviaire et partent comme des petits poulets. Novembre ? Risques de tempêtes au Labrador. Décembre ? Risques de tempêtes partout. Pis en plus, choisir un gouvernement le lendemain d'un *party* de bureau, ça risque de donner des drôles de résultats. Quoique ça peut difficilement être pire. Janvier ? Trop froid, on sort pas. Février ? Idem. Mars ? L'hiver nous a trop déprimés, si en plus on voit la face de nos politiciens à tout bout de champ, ça va nous achever. Avril ? Ouais, peut-être avril... Mais pas le premier lundi, au cas où ça tomberait le 1er avril. On sait déjà que c'est nous les poissons. Le deuxième lundi ? Les gens sont occupés à enlever leurs pneus d'hiver. Disons alors le troisième lundi d'avril. C'est demain.

Paul, j'espère que tu es prêt !?

∂∽∾∿

La plus belle du monde

Ce matin, c'est dimanche. Ma mère se lève pour aller à la messe. Comme tous les dimanches de sa vie. Pas un bruit dans la demeure. Elle coupe son pamplemousse. En pensant à nous. Ses enfants. Aux dimanches où nous étions tous à la maison. Elle se revoit ouvrir les portes de chacune de nos chambres en disant : « Bertrand, dépêche-toi, on va être en retard ! Dominique, c'est l'heure ! Stéphane, mon petit, réveille-toi... » Personne ne bougeait. On dormait dur. Le samedi, on était, les trois, debout avant elle. C'est nous qui la réveillions. Mais le dimanche, on traînait dans nos lits. Fatigués. Épuisés. Et surtout pas pressés. Pas pressés d'aller à la messe. On faisait semblant de dormir. Ma mère lançait son deuxième appel : « Les enfants, levez-vous ! » On ne répondait toujours pas. On était dans le coma profond. Inatteignables. Soudain, on entendait, au loin, la voix de mon père dire : « Les enfants ! » Du coup, on était tous debout. Habillés. Peignés. Cirés. Prêts à partir.

Et la petite famille quittait la maison. Nous marchions vers l'église. Tous ensemble. Mon père et mon frère devant. Avec leurs grandes jambes. Moi derrière, dans mon beau manteau du dimanche, tenant la main de maman pendant que ma sœur, de l'autre côté, lui prenait le bras. Il faisait beau. Nous étions heureux. Mais nous ne le savions pas. À part ma mère, qui a toujours su apprécier chacun des moments de la vie. C'est pour ça qu'elle va à la messe. Pour dire merci.

Ma mère a fini de manger son pamplemousse. Elle regarde l'heure. Déjà 8 h 45. Elle va être en retard. Elle sort de ses souvenirs. Et se dépêche.

Ma petite maman quitte la maison. Elle marche vers l'église. Toute seule. Personne devant. Personne à son bras. Personne au bout de sa main. Mon père est resté couché. À cause de son emphysème. Et nous, nous nous sommes envolés. Depuis déjà longtemps. Mais maman, elle, marche vers l'église. Comme dans le temps. Sourire aux lèvres. Rien ne l'arrête. Il fait toujours beau pour ma mère. Quand il pleut, elle se dit que c'est bon pour ses fleurs. Et la pluie la rend heureuse.

Maman marche vers l'église. Toute seule. Elle croise des gens. Elle les salue. Elle parle avec Mme Marchal. Du film qu'elle a vu hier. De son voyage en Espagne. Et de ses enfants. Surtout de ses enfants. On est toujours avec elle. Dans ses pensées. Dans ses paroles. Où qu'elle soit. Nous sommes là. Dans sa tête. Dans son cœur. Elle nous trimballe avec elle. Partout où elle va. Et surtout lorsqu'elle s'en va à l'église. Dire merci.

Neuf heures moins cinq. Juste le temps d'aller au dépanneur. Acheter sa *Presse* du dimanche. Pour lire son fils. Ma mère aime son fiston. Elle ouvre le journal et plie la page A 5 bien comme il faut. Elle me lit rapidement en entrant dans l'église. Elle rit. Elle sourit. Elle est émue. Elle me trouve bon. Ma mère aime beaucoup son fiston ! Elle range *La Presse* dans son sac. Elle s'agenouille. Et elle prie. Elle prie pour mon père. Pour mon frère Bertrand. Pour ma sœur Dominique. Pour ma tante Laurette. Pour mon oncle Jacques. Et pour moi. Nous sommes chanceux. Grâce à ma mère, Dieu sait qu'on existe. Je ne sais pas ce qu'elle lui raconte, mais ça doit être beau. Et convaincant. Car Dieu est bon pour nous. La preuve, il nous a donné la meilleure des mamans.

La messe est finie. Ma mère revient à la maison. Le pas alerte. En forme. Malgré ses 74 ans, elle double tous les petits jeunes sur le trottoir. Comme si elle était en McClaren-Mercedes, et eux en Lada. Plus tard, elle ira à pied jusqu'au Musée. Puis elle piquera vers la montagne. Ma mère aime marcher. Ma mère aime avancer. Et profiter de chaque moment de la vie.

Moi, je suis chez nous. Encore couché. Je n'ai plus ma mère pour me tirer du lit le dimanche matin. Pourtant, c'est encore elle qui me réveille. Tous les dimanches, lorsqu'elle revient de la messe, ma mère m'appelle. Pour me parler de mon article. Pour me dire les bouts qu'elle a préférés. Les dimanches où ma prose est quelconque, elle parvient quand même à trouver une ligne, un mot pour me complimenter. En toute sincérité. Douce maman. Puis elle me donne des nouvelles de la famille. De ma sœur, la meilleure orthophoniste au monde. De mon frère, le meilleur médecin au monde. Et de ses petites, les meilleures petites-filles au monde. Elle me dit qu'elle s'ennuie de moi. Qu'elle a hâte de me voir. Qu'elle m'a fait des carrés aux dattes. Que j'ai juste à venir les chercher.

Bref, elle me dit qu'elle m'aime. Et je sais que c'est vrai. Elle me l'a si souvent prouvé. Il n'y a pas une seconde de ma vie où je n'ai pas su que ma mère m'aimait. C'est le plus beau cadeau que l'on puisse faire à un enfant. Et elle me l'a fait.

Quand on est sûr de l'amour de sa mère, on n'a peur de rien. On peut vivre sa vie. En paix.

Ce matin, je veux à tout prix l'appeler avant qu'elle m'appelle. Pour lui souhaiter bonne fête des Mères. Pour lui dire, que moi aussi, il n'y a pas une seconde de ma vie où je ne l'ai pas aimée. De tout mon cœur. Et surtout, pour lui dire merci. Je m'approche du téléphone. DRING ! DRING ! Ça sonne. Trop tard. C'est sûrement elle. Elle a le cœur plus prime que moi.

« Allô maman... Bonne fête ! T'as aimé mon papier... Merci ! C'est vrai, tu sais, tu es la plus belle du monde ! Je t'aime ! »

❧

La tirade du crétin

Voici, en primeur, la réplique officielle de George W. Bush aux propos de Madame Françoise Ducros, directrice des communications du premier ministre Jean Chrétien, qui a traité le président américain de crétin:

« Crétin ? C'est un peu court, jeune dame ! »

On pouvait dire, il me semble, bien des choses, *god damn*' !

Tenez, par exemple, en variant le ton :

Agressif : « Moi, Monsieur, si j'étais aussi moron, j'exige-rais sur-le-champ mon exécution ! »

Amical : « Bon d'accord, vous n'êtes pas une lumière ! Mais au moins, vous, vous n'allumez pas vos stagiaires ! »

Descriptif : « C'est le vide ! Le néant ! C'est zéro ! Que dis-je, c'est zéro ? C'est Ground Zero ! »

Curieux : « Comment faites-vous pour être si niais ? C'est vrai, votre père aussi l'était, j'oubliais ! »

Gracieux : « Merci d'aider tous les autres pays. Grâce à vous, il n'y a aucun être humain qui regrette de ne pas être Américain ! »

Truculent : « Quand vous essayez de raisonner, de vos deux oreilles sort tellement de fumée, que l'accord de Kyoto n'est pas respecté ! »

Prévenant : « Un conseil à ne pas oublier ; faut mâcher le bretzel, avant de l'avaler. »

Tendre : « Casque, tuque ou chapeau, il faut lui donner, pour que sa tête ait une raison d'exister ! »

Pédant : « Vous n'êtes qu'un cow-boy rustre mal léché comparé à votre vie sans classe, c'est bien triste, les Osborne ressemblent à Sissi l'Impératrice ! »

Cavalier : « Votre tête est si creuse, Doublevé, que c'est là qu'Oussama ben Laden s'est caché ! »

Emphatique : « Seul le Texas et la Californie dépassent votre ignorance en superficie ! »

Dramatique : « Ce pied a le doigt sur le bouton ! »

Admirateur : « C'est un con, mais il a son propre avion ! »

Lyrique : « Guerre épais est le titre de sa biographie ! »

Naïf : « C'est vraiment lui qui dirige le pays ?! »

Respectueux : « Il faut quand même tout un talent pour devenir président avec deux de quotient ! »

Campagnard : « C'te président fait tellement simple, cher, Qu'on comprend pourquoi les joueurs de balle gagnent plus cher ! »

Militaire : « Après l'Irak, il veut attaquer l'IKÉA ! »

Pratique : « Au moins, quand il va partir, ce gars-là, il va laisser un moins grand vide qu'en restant là ! »

Enfin, **parodiant Kennedy**, en un sanglot :

« Ne demandez pas ce que votre pays peut faire pour vous,
Il ne fera rien, son président est un Bush-trou ! »
Voilà ce qu'à peu près, ma chère, vous m'auriez dit
Si vous aviez un peu de lettres et d'esprit :
mais bien sûr à force d'écrire des *Chrétienneries*
Vous ne maîtrisez point l'art de la calomnie
Moi non plus, je ne suis pas le *king* de la poésie
Habituellement, je ne dis que des *Busheries*
Mais cette fois, j'ai demandé à mon ami Chirac
De devenir mon Cyrano de Bergerac
Et de m'écrire ces quelques vers bien tournés
Après que je lui eusse subtilement mentionné
Que si jamais il pensait peut-être refuser
Sa douce France allait être bombardée
Aussi dites à votre patron, Madame Ducros
Que la prochaine fois que vous me traitez de nono

Le problème constitutionnel canadien sera réglé
Car aux États-Unis, vous serez annexé !
Et c'est à Ottawa-Bush que vous travaillerez ! »

❧

À vous de jouer, mesdames !

Mesdames, l'avenir de notre sport national est entre vos mains. Vos génies de maris ont refusé les offres patronales. Malgré toutes leurs commotions cérébrales, ils ont la tête dure. Ils ne veulent rien savoir du plafond salarial. Ils préfèrent rester chez eux plutôt que de l'accepter.

C'est sûr que lorsqu'on gagne trois millions par année, on peut se permettre un petit sabbatique. Quoique, dans leurs cas, ce n'est pas très brillant, car ils vont être en sabbatique de 35 à 90 ans. Ça, vous, vous le réalisez. Mais pas eux, sont trop frappés. Leurs années de bonnes jambes, ils ne devraient pas les gaspiller. Ils ont beau avoir le projet de devenir propriétaires d'un Valentine à leur retraite, ils vont voir qu'il faut en vendre, des hot-dogs, pour faire trois millions de profits. Mais ça ne les stresse pas. Ils ont leur petit sourire en coin. Et leur diamant à l'oreille. Ils vont jouer avec leur Ferrari en attendant que les propriétaires craquent.

Mesdames, vos maris sont des bébés gâtés, ils ne savent pas ce qu'est la vie. La vraie vie.

Ils se lèvent le matin. Vous leur servez leur petit déjeuner. Ils s'en vont à leur entraînement. Ils dînent avec leur agent Chez Parée. Ils retournent à la maison faire leur petit somme. Les enfants ne doivent pas faire de bruit. Vous non plus. Puis ils partent pour l'aréna. Ils jouent leur match. Le monde les applaudit. Et ils prennent l'avion pour Boston. Ils arrivent à l'hôtel. Leurs groupies les attendent. (Vous n'êtes pas folles, vous le savez. Vous avez déjà regardé *Lance et compte*.) Ils choisissent la plus belle. Ou les quatre plus belles. Ils s'amusent toute la nuit. Ils jouent leur match le lendemain. Puis ils reviennent à la maison. Fatigués. Et vous prenez soin d'eux.

C'est pas une vie, ça, c'est un fantasme d'adolescent. Rire avec les *chums*, flamber plein de fric et séduire plein de filles. C'est *American Pie* !

Mais là, c'est fini. Les innocents ont choisi de ne pas jouer au hockey cette année. Les patrons ne leur en donnent pas assez. Mesdames, ramenez-les sur Terre. Ils vont être à vous pour les prochains mois. Ne les lâchez pas. Montrez leur ce que c'est que la réalité ! Faites-les payer ! Durant l'été, ils se sauvent au golf. Mais là, ils ne pourront pas. Le Mirage va être plein de neige. Occupez-vous d'eux. Comme toutes les épouses normales s'occupent de leurs époux normaux. Ils vont voir que la vie, ce n'est pas *American Pie*. Ils vont voir que la vie, c'est *Les Bougon*.

Ils vont être à la maison. Et à la maison, le boss, c'est vous. Pas eux. Et à côté de votre poigne, Bob Gainey est un toutou. Préparez-leur des listes longues comme ça. Faites-leur faire toutes les commissions. Aller reconduire les enfants. Aller chercher les enfants. Amenez-les aux réunions de parents. Entreprenez des rénovations. Forcez-les à dialoguer tout le temps. Et, surtout, organisez-leur des samedis soir. Ils ne savent pas ce que c'est, eux, le samedi soir d'un homme marié. Depuis qu'ils ont 5 ans qu'ils jouent au hockey, le samedi soir. Alors recevez des amis à souper chaque semaine. Et soyez sur le gros nerf parce que vous voulez que tout soit parfait. Faites-leur parcourir la ville pour trouver les bonnes serviettes de table, celles qui vont avec la nappe. Recevez, bien sûr, des amis cultivés. Ils vont s'ennuyer de leurs conversations avec Yvon Lambert. Ayez honte quand ils ne sauront pas qui est John Kerry. Quand ils vont dire que c'est un ancien joueur des Barons de Cleveland. Et après la réception, quand vous vous mettrez au lit, privez-les de leur biscuit. Dormez profondément. Laissez-les regarder le plafond. Qu'ils réalisent que le plafond salarial, c'est peut-être mieux que le plafond de la maison.

Vous, vous les comprenez, c'est certain. Avec les études qu'ils ont faites, ils peuvent déjà se compter chanceux de faire partie des plus fortunés de la société. Qu'ils arrêtent de pousser leur *luck*. Le plafond salarial est nécessaire pour la survie de leur sport. Si la même équipe se paie tous les bons joueurs, ce ne sera plus le *fun*. Le monde va regarder autre chose. Ils disent que ce n'est pas leur faute s'ils empochent des millions, que les propriétaires n'ont qu'à leur en offrir moins. Ben, c'est justement ce que les propriétaires veulent faire.

Le hockey n'est pas un service essentiel. Le hockey n'est pas un art ni une science. Le hockey est un jeu. Le plus beau jeu qui soit quant à moi, mais un jeu quand même. Et pour que le jeu soit amusant, il faut que Calgary ait autant chances de gagner que New York. Ça prend donc des règles pour permettre ça. Des règles qui briment la liberté de vos hommes de faire un maximum de bidous.

Pauvre ti-pets! Ils ne sont pas les seuls à se soumettre à de telles règles. Les médecins aussi en ont. Sauf qu'eux, ils gagnent 10 fois moins d'argent que l'ailier gauche du quatrième trio même s'ils sont loin de jouer. Même s'ils sauvent des vies. Vos maris ne sauvent que des matchs. Quand ils se forcent.

Mais pour comprendre ça, il faut comprendre le bon sens, et vos époux sont bien beaux et bâtis, mais ils ne sont que des joueurs de hockey. Il ne faut pas trop leur en demander. Alors pour qu'ils reprennent le chemin du travail, il n'y a donc qu'une solution: écoeurez-les d'être à la maison. Soyez exécrables. Soyez chiantes. Soyez sur leur cas 24 heures sur 24. Au bout d'un mois, maximum deux, ça devrait marcher. Vos hommes vont courir à l'aréna. Et le hockey sera sauvé. Je sais que ce n'est pas dans votre nature d'être des mégères, que vous êtes fines et gentilles, mais faites un effort. Les partisans vous en seront éternellement reconnaissants.

Go spouses, go !

❦

Le 28 décembre 2003

Le coup de minuit

Le *Bye Bye 76* s'achève. On a bien ri. Dodo, en petite Nadia, faisant ses galipettes devant sa mère (Denise) admirative et l'entraîneur (Benoît Marleau) découragé, c'était bon. Ben bon ! Mais là, il ne reste plus que 10 secondes.

Dix... Neuf...

C'est un de mes moments préférés de l'année. Le décompte qui nous mène à minuit. C'est comme le départ d'une fusée. La fusée de notre destin qui va être propulsée dans une nouvelle galaxie. Celle de l'avenir. Celle de l'année qui vient. Pendant ces quelques secondes, on s'abandonne à rêver que tout est possible. Que pour une fois, notre fusée, au lieu de tourner en rond, se dirigera tout droit vers un monde meilleur.

Huit... Sept...

Mon père a pris la bouteille de champagne dans ses mains. Ma sœur tient son verre à côté. Elle est prête. On ne perdra pas une goutte. Je regarde les gros chiffres à l'écran, les yeux brillants, plein d'espoir, comme si, dans sept secondes, je devais naître à nouveau. Comme si dans sept secondes j'allais être mieux, j'allais être heureux.

Six... Cinq...

Ma mère s'est mise à crier les chiffres. Tout le monde les entonne avec elle.

Quatre ! Trois !

C'est beau de nous voir. Tout le monde est dans la même bulle. Ça durera ce que ça durera. Quelques secondes. Quelques minutes. Une heure tout au plus. Les bulles ont la vie courte. Tôt ou tard, la vie finira bien par la faire éclater. On finira par se rendre compte que rien n'a changé. Qu'on n'est pas mieux qu'avant. Et les autres non plus. Qu'il est bien dur d'avancer. Que le temps arrive toujours à nous dépasser. Mais pour l'instant, j'y crois, à la bonne année, les yeux rivés sur la télé.

Deux ! Un !

Bonne année ! PAF ! Le bouchon de champagne explose. Je me retourne vers les autres. J'ai envie de sauter dans les bras de quelqu'un, mais il n'y a personne. Ils sont tous pris. Mon frère embrasse sa blonde. Ma sœur embrasse son *chum*. Mon père embrasse ma mère. Mes deux tantes se font la bise. C'est pas facile d'avoir 15 ans. Trop vieux pour être dans les bras de sa maman, trop jeune pour avoir un amour dans les siens.

J'attends. Sagement. Cette année, ma fusée n'a pas monté très haut. Je me suis brutalement rendu compte qu'il manque une personne dans ma vie : celle que l'on embrasse sur le coup de minuit.

Je regarde mon frère et sa blonde, et je les trouve chanceux. Je suis heureux pour eux. Et je me souhaite, tout bas, dans ma tête, qu'un jour ça puisse m'arriver.

Finalement, ma sœur vient m'embrasser. Puis maman, puis Bertrand. Puis tout le monde. J'ai été à peine 10 secondes planté tout seul dans le salon. Mais pour moi, cela a paru un an. On est maintenant en 1977. Et je ne suis plus le même. Je suis un homme qui attend l'amour. Avant ça, j'étais un petit gars qui s'amusait avec ses amis. Maintenant, je suis un petit gars qui veut aimer une fille qui l'aime. La vie ne sera plus simple.

Pour la première fois, je venais de ressentir l'absence de l'amour. Avant même de l'avoir connu. Comme si mon cœur venait, sur-le-champ, de lui faire une place. Qu'il avait tassé les proches, le hockey, l'écriture dans les coins. Et que la plus belle place. Celle au centre. Celle au beau milieu. Il avait décidé que c'était pour elle. La place sur le divan à côté de moi. Je ne sais pas encore qui elle sera. Je ne connais ni son nom ni son visage, mais je sais qu'à minuit je n'aurai pas besoin de chercher, j'aurai déjà sa main dans la mienne. Et je sais que je serai tellement bien quand je l'embrasserai en fermant les yeux ! Que je passerai l'année à faire tout pour qu'elle se sente aussi bien, chaque seconde de chaque minute de chaque heure.

Non, il ne pardonne pas, le coup de minuit. On peut oublier que l'on est seul à longueur d'année. On est si occupé. Mais à minuit, le 1er janvier, s'il n'y a pas quelqu'un qui désire vous embrasser en premier, votre solitude vous frappe de plein fouet. Vous avez beau être en famille, vous avez beau être à Times Square, vous êtes dans le désert.

À tous ceux qui se sentiront comme ça, cette année, à minuit, à tous ceux qui fileront comme un gars de 15 ans, je voudrais vous dire de ne pas trop pleurer.

Dites-vous que ce minuit-là est important. C'est ce minuit-là qui fera que le minuit que vous vivrez un jour, avec votre amour, sera encore plus beau, sera encore plus précieux. Et qu'il durera.

Bonne année tout le monde ! Je vous embrasse.

Table des chroniques